La France du XXe siècle

Jean-Paul Barrière
Professeur d'histoire contemporaine
à l'université de Franche-Comté

8e édition

hachette
SUPÉRIEUR

LES FONDAMENTAUX

LA BIBLIOTHÈQUE DE L'ÉTUDIANT

Collection créée par Caroline Benoist-Lucy

Dans la même collection :

Histoire

© HACHETTE LIVRE, 2016, 58 rue Jean Bleuzen, CS 70007, 92178 Vanves Cedex
www.hachette-education.com

Responsable de projet : Jean-Benoit Ormal-Grenon
Illustration de couverture : © Shutterstock/Everett Historical
Mise en page : IDT

ISBN : 978-2-01-400479-3

Table des matières

CHAPITRE 7

Les Français du second XXᵉ siècle 156

Introduction

S i la plupart des historiens de la France contemporaine font débuter le siècle en 1914, c'est que la « Grande Guerre » marque une coupure majeure. Certes, le XXe siècle artistique commence bien avant les hostilités, avec les *Demoiselles d'Avignon* de Picasso (1907), et la croissance économique de l'immédiat après-guerre plonge ses racines dans la « Belle Époque », période supposée heureuse chargée de nostalgie rétrospective. Mais la vigueur du choc subi par tout le continent européen justifie une telle césure, qui entame « l'âge des extrêmes » cher à l'historien britannique Eric Hobsbawm. La France triomphante mais meurtrie de 1918 ne retrouve ni son rayonnement international ni ses repères. Le « modèle républicain », fruit d'un équilibre politique et social provisoire, sort ébranlé des conflits mondiaux et doit répondre dans la douleur au défi de la modernisation. Après un illusoire repli sur soi entre les deux guerres, attitude qui persistera lors des soubresauts de la décolonisation, les Français voient peu à peu la nécessité de s'insérer dans un espace dilaté aux dimensions de la Planète et grandement influencé par le « modèle américain ».

Depuis la Libération, ils participent ainsi au plus profond bouleversement de leur histoire (urbanisation, modes de vie et de pensée…). Ce renouveau, initié avant la guerre, résulte d'un compromis – remis en cause depuis les années 1970 par la « mondialisation » – entre l'intervention publique, plus large ici que l'« État-providence » dominant en Europe de l'Ouest, et les acteurs politiques, sociaux et économiques. En dépit de laissés-pour-compte et de réajustements brutaux, la France, aujourd'hui au cinquième ou sixième rang mondial, retrouve le concert des pays occidentaux et a vu dans la construction européenne un nouveau relais pour ses ambitions. Cette convergence signe-t-elle la fin de « l'exception française » ? Il semble tout de même que la France conserve sa spécificité : plus que d'autres puissances moyennes, elle demeure ouverte sur le monde et garde de son passé des prétentions à l'universalité, dont on peut sourire ou se louer…

Les traumatismes de la « Grande Guerre »

I. La crise de l'été 1914

A – Les causes de l'entrée en guerre

1. L'insuffisance des explications univoques

À la suite de l'ouvrage de Lénine rédigé « à chaud » en 1916 (*L'Impérialisme, stade suprême du capitalisme*), les auteurs marxistes ont vu dans la Première Guerre mondiale la confrontation de capitalismes parvenus à un stade où leur quête de ressources, de marchés et de placements ne pourrait plus s'exercer sur de nouveaux territoires. La concurrence entre nouvelles (Allemagne) et anciennes puissances industrielles (Royaume-Uni, France, Belgique), tant coloniale (Maroc, Afrique centrale) que commerciale, appesantit le climat international au début du siècle. Mais, en 1914, la plupart des litiges coloniaux sont réglés (conférence d'Algésiras, 1911) et, sauf exceptions, les milieux économiques craignent plutôt un éventuel conflit. Le heurt de nationalismes antagonistes a été également invoqué : poussées nationalistes au cœur de vieux États à l'hégémonie chancelante (France, Royaume-Uni), affirmation de jeunes États-nations (Allemagne, Italie), crainte d'Empires multiethniques menacés d'éclatement par les minorités « nationales » (Autriche-Hongrie, Russie), affaiblissement au sud-est de l'Europe de l'Empire ottoman, convoité par les petits États balkaniques (Serbie, Bulgarie, Grèce, Albanie) et leurs protecteurs austro-hongrois et russe. Les populations s'estiment toutefois partout victimes d'une injuste agression étrangère. L'image de foules parisiennes en proie à un délire nationaliste, lors des déclarations de guerre, est trompeuse : l'opinion française est certes germanophobe, mais rares sont ceux qui souhaitent à tout prix entamer la « Revanche ». Les historiens mettent aujourd'hui l'accent sur les stratégies sécuritaires des États (renforcer leurs défenses et rechercher appuis militaires ou diplomatiques) et réévaluent la part des circonstances, choix et erreurs d'appréciation des gouvernants.

2. Le renforcement des alliances

L'essentiel se joue autour des alliances qu'ont tissées les puissances continentales : Allemagne et Autriche-Hongrie (« Empires centraux ») d'un côté, France et Russie de l'autre. Cette dernière souhaite contrôler les détroits turcs entre mer Noire et Méditerranée (Bosphore et Dardanelles) et étendre son aire d'influence vers les Balkans (Serbie). Elle se heurte ainsi à l'Autriche-Hongrie, qui domine les populations slaves du Sud (Croatie, Bosnie) et se méfie des ambitions serbes. La question de l'Alsace-Lorraine, bien que moins aiguë en 1914, divise Français et Allemands.

Viennent ensuite s'agréger à ces deux pôles d'autres États, au gré de leurs intérêts : Italie, Turquie, Bulgarie ; Royaume-Uni, Serbie, Grèce, Roumanie. En 1914, la Triple Alliance (« Triplice ») des Empires centraux (plus l'Italie) s'oppose à une « Triple Entente » plus lâche entre France, Russie et, à un moindre degré, Royaume-Uni. Japon et États-Unis demeurent encore périphériques dans ces stratégies.

Différentes alliances avant et pendant la guerre

	Empires centraux	Triple Entente
Avant 1914	– Triplice (1882) : Allemagne, Autriche-Hongrie, Italie – Accords Allemagne-Empire ottoman (1889)	– Alliance franco-russe (1892) – Entente cordiale (1904) : France, RU – Triple Entente (1907) : France, Russie, RU
1914	Allemagne, Autriche-Hongrie, Empire ottoman	France, Russie, RU, Belgique, Japon
1915	Bulgarie	Italie
1916		Portugal, Roumanie
1917		États-Unis, Grèce * Retrait russe après la révolution d'Octobre (armistice de Brest-Litovsk)

3. Le déclenchement du conflit : engrenages et imprudences

À la fin de juillet 1914, une grande part de l'opinion publique croit à une « crise de plus », qui sera réglée comme les précédentes. Les divers états-majors craignent d'être pris de vitesse – d'où leur hâte à mobiliser, afin de rassembler efficacement les troupes, surtout dans les grands États – et exercent d'énormes pressions sur les pouvoirs politiques. Les puissances, de peur de voir leurs alliés s'affaiblir, réaffirment imprudemment leurs soutiens respectifs : l'Allemagne à l'Autriche, la Russie à la Serbie, la France à la Russie (voyage du président Poincaré à Moscou fin juillet 1914). Des tentatives de médiation anglaise et allemande échouent. Serbie, Autriche-Hongrie et, pour une moindre part, Russie croient leur survie en jeu. France et Allemagne ne les exhortent guère à la sagesse.

Le Royaume-Uni, d'abord hésitant, ne peut accepter un déséquilibre des forces sur le continent, d'autant que l'invasion de la Belgique constitue une menace directe sur sa sécurité. Seule l'Italie, prudente et partagée entre ambitions méditerranéennes et continentales, reste neutre.

« L'été 14 » : chronologie du déclenchement de la guerre

	Empires centraux	Triple Entente
juin 1914	Assassinat de l'archiduc d'Autriche François-Ferdinand à Sarajevo (28)	
juillet 1914	Ultimatum de l'Autriche-Hongrie à la Serbie (23) Rupture des relations diplomatiques de l'Autriche-Hongrie avec la Serbie et mobilisation partielle (25) Déclaration de guerre de l'Autriche-Hongrie à la Serbie (28) et mobilisation (31) Ultimatum de l'Allemagne à la Russie pour qu'elle cesse sa mobilisation et avertissement allemand à la France (31)	Refus serbe et mobilisation (28) Mobilisation de la Russie (29-30) Aucune réponse russe
août 1914	Mobilisation et déclaration de guerre de l'Allemagne à la Russie (1ᵉʳ) Déclaration de guerre de l'Allemagne à la France (3) Invasion de la Belgique neutre par l'Allemagne (4) Déclaration de guerre de l'Autriche-Hongrie à la Russie (6)	Mobilisation de la France et de la marine anglaise (1ᵉʳ) Déclaration de guerre du RU à l'Allemagne (5) Déclaration de guerre de la Serbie à l'Allemagne (6) Déclaration de guerre de la France à l'Autriche-Hongrie (11) Déclaration de guerre du RU à l'Autriche-Hongrie (12) Déclaration de guerre du Japon à l'Allemagne (23).

4. Des forces globalement équilibrées

Le conflit est préparé de longue date par les grandes puissances : depuis la fin du XIXᵉ siècle, elles modernisent leur équipement, fourbissent des plans d'attaque et de défense, accroissent la durée du service militaire. Les Empires centraux ont besoin d'une guerre courte : bloc continental, ils peuvent aisément déplacer des armées (150 divisions) entraînées et équipées (artillerie lourde, mitrailleuses), sous un commandement unifié. En dépit de ses efforts, la marine de guerre allemande ne peut garantir ses approvisionnements maritimes.

Les « Alliés » (Triple Entente) disposent, eux, d'une supériorité numérique, avec les empires coloniaux (170 divisions), de réserves financières et de la maîtrise des mers. Mais une partie de cette puissance s'avère fictive dans l'immédiat : la Russie ne peut mobiliser que lentement des troupes hétérogènes et mal équipées ; le Royaume-Uni ne connaît pas la conscription (service militaire obligatoire) et son corps expéditionnaire sur le continent est limité. C'est, de fait, une France anémiée démographiquement, moins industrialisée et insuffisamment préparée aux conditions de la guerre moderne qui absorbe l'essentiel du choc initial. De plus, chaque pays commande ses propres forces. L'Allemagne a les moyens de forcer la décision à l'Ouest dans un conflit localisé avant de se retourner contre la Russie. En août 1914, il ne fait aucun doute pour les belligérants que la guerre sera courte.

B – De la résignation à la résolution

1. Une mobilisation sans enthousiasme

L'historien J.-J. Becker a montré comment l'opinion française était loin de partager les délires ultranationalistes de quelques journalistes. L'assassinat de l'archiduc héritier du trône d'Autriche à Sarajevo est vite rangé dans les péripéties balkaniques. Passés les premiers instants d'incrédulité, la population se plie aux exigences de la mobilisation : les manifestations hostiles à la guerre organisées du 27 au 30 juillet par le syndicat CGT (Confédération générale du travail) et le parti socialiste SFIO (Section française de l'Internationale ouvrière) cèdent vite la place à la résignation. L'assassinat, le 31 juillet, du dirigeant socialiste Jean Jaurès par le nationaliste Raoul Villain, bien que condamné quasi unanimement, ne provoque ni agitation de rue ni grève ample. L'ordre de mobilisation du lendemain entraîne très peu d'insoumissions : 1,5 % seulement des 3,6 millions de mobilisés français s'y refusent. Les rumeurs de « brutalités » allemandes en Belgique occupée accentuent l'impression d'une lutte de la « civilisation » contre la « barbarie » germanique. Le patriotisme républicain et le sentiment de défendre un territoire injustement envahi par un « Empereur » renforcent la résolution des Français.

2. Le ralliement à la guerre défensive : l'« Union sacrée »

Le mouvement ouvrier français et européen, jusqu'alors dominé par une idéologie internationaliste, est traversé avant 1914 de courants contradictoires : la CGT prône toujours la grève générale pour empêcher la guerre, mais sans donner de mot d'ordre à la base. Beaucoup de socialistes croient dans les vertus de la IIe Internationale pour renforcer la solidarité entre travailleurs et éviter le pire. Si les sentiments pacifistes dominent, les fidélités patriotiques sont fortes, en cas de guerre « juste ». Le tournant de l'« Union sacrée » n'est donc pas aussi spectaculaire qu'il le paraît. Dès le 2 août, salle Wagram, les dirigeants socialistes affirment que la France doit honorer ses alliances et récupérer l'Alsace-Lorraine. Le ministre de l'Intérieur Malvy suspend d'ailleurs l'application du « carnet B » (arrestation préventive de plus de 2 000 responsables pacifistes du mouvement ouvrier qui auraient empêché la mobilisation par la grève). Le 4 août, aux obsèques de Jaurès, le secrétaire de la CGT, Léon Jouhaux, annonce qu'elle participera à l'effort de défense. Après avoir entendu un message du président de la République appelant à « l'Union sacrée devant l'ennemi », les députés SFIO votent les crédits de guerre et donnent pleins pouvoirs au gouvernement Viviani. Le 26 août 1914, Jules Guesde et Marcel Sembat entrent au gouvernement. D'un autre côté, le clergé catholique, malgré les séquelles de la séparation de l'Église et de l'État (1905) et l'appel du pape à la paix, participe spirituellement à l'effort de guerre (prêtres, congréganistes, religieuses). L'« Union sacrée » se renforce en octobre 1915 avec le gouvernement d'Aristide Briand, investi à l'unanimité.

II. La France dans la guerre : les phases du conflit

A – 1914 (septembre) : le vent de la défaite française

Le plan allemand (dit « *Schlieffen* ») prévoit une attaque par la Belgique afin d'envahir le nord de la France et, dans un mouvement tournant, prendre à revers les troupes françaises massées au nord-est et atteindre Paris. Du côté français, après des hésitations, le gros des troupes à l'est est destiné à attaquer l'Alsace et la Lorraine allemandes (« plan XVII » du commandant en chef des forces françaises, le général Joffre). On utilise surtout l'infanterie pour lancer des « offensives à outrance ». Ces opérations échouent au bout de trois semaines, devant la puissance de feu allemande (mitrailleuses, artillerie lourde). Logiquement, Joffre doit ordonner une retraite rapide le 24 août, lorsque la « bataille des frontières » (18 au 23 août) est perdue à l'est et surtout au nord : les Allemands atteignent l'Aisne, puis l'Oise à la fin du mois, même si Français et Britanniques aident les Belges à tenir bon en Flandre. Le gouvernement s'installe à Bordeaux le 2 septembre, tandis que le général Gallieni organise la défense de Paris. Le lendemain, l'aile droite allemande (von Kluck), délestée de troupes envoyées par le commandant en chef von Moltke à l'Est contre la Russie momentanément victorieuse, commet l'erreur d'obliquer vers l'est pour encercler les armées françaises en cours de repli, au lieu de se diriger au sud vers la capitale : elle dégarnit ainsi son flanc droit. Joffre peut lancer du 5 au 14 septembre une contre-offensive inespérée et victorieuse, grâce à des forces venues rapidement de Paris (notamment par les « taxis de la Marne ») et aux Anglais du maréchal French. Cette première « bataille de la Marne » impose un retrait aux Allemands. Mais les Français, aussi épuisés que leurs adversaires, ne peuvent exploiter leur succès et leurs ennemis tiennent sur une ligne est-ouest de Verdun à Soissons. Du 15 septembre au 15 octobre, les deux armées essaient de se déborder mutuellement par le nord-ouest, se lançant de fait dans une « course à la mer », sans grand résultat. Après l'échec de l'offensive allemande sur l'Yser en Flandre (16 octobre-15 novembre), devant les forces belges, anglaises et françaises commandées par Foch, le front de plus de 700 km se stabilise pour trois ans et demi : il décrit un « L » de la mer du Nord à Verdun sur la Meuse (en passant approximativement par Ypres, Arras, Péronne, Soissons et Reims), puis longe la frontière franco-allemande vers le sud-est jusqu'à la Suisse. Dès l'automne 1914, la guerre de mouvement fait place à une guerre de positions : le conflit, entrant dans un processus de « totalisation » inédit, durera. Au cours de ces mois les plus meurtriers de la guerre, 300 000 Français ont péri.

B – 1915-1916 : la stabilisation du front occidental

L'état-major français persiste pourtant à vouloir mener une guerre de mouvement : espérant créer une rupture dans le dispositif ennemi, il lance pendant deux ans et demi l'infanterie alliée à l'assaut des lignes adverses, après une forte « préparation d'artillerie » (bombardements). Mais il sous-estime les difficultés de la progression sur le terrain, qui laissent aux Allemands le temps d'apporter des troupes de réserve pour colmater la brèche : tant que la supériorité numérique alliée n'est pas écrasante, les tentatives de percée ne peuvent qu'échouer : Champagne et Artois en 1915 (350 000 morts), Somme en juillet-novembre 1916 (100 000 morts).

Une variante de cette stratégie consiste à vouloir « user » l'adversaire en l'amenant à défendre à tout prix une position difficile à tenir, et en espérant lui infliger des pertes supérieures aux siennes et épuiser ses réserves. Telle apparaît la « bataille de Verdun », où le nouveau général en chef allemand von Falkenhayn concentre ses efforts du 21 février au 21 juillet 1916. En vain : les positions prises par les Allemands (forts de Vaux et de Douaumont) sont reconquises d'octobre à décembre 1916 ; le nombre de victimes s'équilibre (160 000 alliés contre 140 000 Allemands). Pas plus à l'initiative des Allemands à Verdun qu'à celle des Alliés dans la Somme, la « guerre d'usure » n'a réussi. Simultanément, échouent les tentatives alliées pour ouvrir en 1915 un nouveau front dans les Balkans et secourir les Russes par les détroits des Dardanelles, puis les Serbes par un débarquement en Grèce à Salonique.

C – 1917 : l'année des doutes

L'indécision s'aggrave encore en 1917, qui voit l'allié russe en difficulté cesser le combat après la « révolution d'Octobre » (armistice de Brest-Litovsk) et l'Italie battue à Caporetto, tandis que les États-Unis entrent en guerre en avril. Dépourvus d'armée, ces derniers peuvent intervenir à moyen terme seulement. Dans l'immédiat, les forces allemandes, ramenées vers l'ouest, disposent encore d'une supériorité numérique. Or, c'est le moment que choisit le nouveau commandant en chef français des armées du nord et du nord-est, Nivelle, pour attaquer les positions allemandes entre Soissons et Laon (« chemin des Dames » : 16 avril-17 mai). Mal préparées, ces offensives se soldent par 60 000 morts en trois jours, pour un gain quasi nul. Des mutineries éclatent, signalées dans les deux tiers des régiments, surtout parmi les troupes appelées à monter en première ligne fin mai-début juin. Mais ces troubles n'affectent pas plus de 40 000 personnes. L'état-major a beau incriminer la propagande pacifiste et la mauvaise influence de « l'arrière », les manifestations politiques des mutins sont rarissimes et le front immédiat n'est pas concerné par ces désobéissances. D'ailleurs, le 16 mai, le gouvernement remplace Nivelle par le général qui a fait ses preuves à Verdun, Philippe Pétain. Ce dernier combine souplesse et fermeté : il cesse les offensives inconsidérées, améliore l'ordinaire des troupes, la fréquence des relèves et des permissions ; il fait arrêter et juger les meneurs : près de 3 500 sont condamnés, dont plus de 1 000 à des peines lourdes et 554 à mort (une cinquantaine au moins sont exécutés). Le calme revient rapidement, même si la lassitude des civils fait écho à celle des troupes et inquiète durablement les pouvoirs publics, affaiblis par des crises gouvernementales. Il faut attendre l'arrivée de Georges Clemenceau à la présidence du Conseil, le 16 novembre, pour que le choix de la « guerre intégrale » soit pleinement assumé, en dépit d'une position militaire difficile.

D— 1918 : la reprise d'initiatives décisives

En effet, le commandant en chef allemand Ludendorff profite d'un rapport de forces encore favorable pour lancer quatre offensives de mars à juin 1918 : d'abord, au nord contre les Anglais (général Haig), puis au centre contre les Français, qui n'ont pas adopté partout la stratégie défensive échelonnée en profondeur préconisée par Pétain. Cette reprise victorieuse de la guerre de mouvement dans les points faibles de l'adversaire conduit les Allemands à 60 km de Paris, soumise à leurs bombardements. Elle oblige les Alliés à unifier leur commandement, confié à Foch (conférence de Doullens). La cinquième attaque allemande en juillet le force à livrer autour de Reims la « deuxième bataille de la Marne », qui retourne la situation à l'avantage des Alliés. Cette fois, l'appui décisif des avions, des chars et des Américains (un million dès juillet), permet de poursuivre une contre-offensive ininterrompue en août et septembre : les Allemands se replient, évacuant la quasi-totalité du territoire français et le tiers occidental de la Belgique. L'armée d'Orient (Franchet d'Esperey) contraint la Bulgarie à l'armistice en septembre et menace l'Autriche-Hongrie. Le gouvernement allemand, poussé à présent par son haut commandement, souhaite le 5 octobre que le président américain Wilson serve d'intermédiaire à des négociations de paix sur la base de ses « quatorze points ». Après un mois d'hésitations (faut-il ou non provoquer une défaite totale de l'Allemagne ?

Celle-ci peut-elle accepter de dures conditions alors qu'elle n'est pas envahie ?), le front allemand cède début novembre, des troubles révolutionnaires agitent le pays et l'empereur Guillaume II s'enfuit : l'Allemagne, isolée, signe l'armistice le 11 novembre 1918 à Rethondes, dans le wagon de Foch et des Alliés. L'Allemagne doit livrer en gage un important matériel militaire et de transport, abandonner les territoires envahis, ainsi que l'Alsace-Lorraine, et retirer ses troupes au-delà de la rive droite du Rhin.

III. Les implications d'une guerre longue
A– La mobilisation de toutes les forces
1. Un dirigisme économique progressif

→ D'énormes besoins

La France, incapable de répondre immédiatement à ses propres besoins, doit aussi équiper une partie de ses alliés. Elle souffrait déjà des faiblesses de l'extraction houillère et de l'industrie chimique (explosifs). Sa capacité productive est diminuée par l'occupation du Nord et du Nord-Est, qui prive le pays des trois quarts de son charbon, des deux tiers de son acier, de la moitié de son sucre... La mobilisation provoque de graves pénuries de main-d'œuvre qualifiée qui s'ajoutent à la disparition des chevaux réquisitionnés et au manque d'engrais chimiques : la production agricole chute du tiers à la moitié suivant les régions. La France doit réorganiser son économie en fonction d'une guerre longue : adaptation assumée par le socialiste Albert Thomas, sous-secrétaire d'État (mai 1915), puis ministre de l'Armement (décembre 1916) et son successeur l'industriel Louis Loucheur (septembre 1917), ainsi que par Étienne Clementel, ministre du Commerce et de l'Industrie de 1915 à 1920. À plus long terme, ceux-ci souhaitent aussi encourager la modernisation économique du pays.

→ L'intervention croissante de l'État

▶ **L'organisation des approvisionnements.** Les gigantesques volumes d'équipements et de nourriture que consomment les combats imposent d'améliorer la logistique (art de transporter et ravitailler les armées), et d'organiser la production. Au début, le gouvernement improvise. Puis, le rôle de l'État se renforce : il concède un monopole par type de produits à des *consortiums* d'achat et de vente ; dès 1915, il réquisitionne ou taxe certaines denrées. Le dirigisme s'accentue sous Clemenceau (rationnements, réquisition de la flotte, création de « sociétés d'économie mixte »). Mais l'État cherche moins à produire qu'à réorienter la fabrication des biens de consommation vers les fournitures aux troupes. S'appuyant sur les grandes firmes, il encourage avec succès (plus de 200 000 obus fabriqués par jour en 1917-1918 !) leur rationalisation par des avances : citons Renault (chars légers), Citroën (obus), Berliet (camions), Boussac (toiles). Ainsi, se développent des régions industrielles, à Paris (obus, chars, avions) ou Saint-Étienne (canons, armes légères), et des centres industriels éloignés des combats, tels Lyon (chimie) ou Toulouse (explosifs). Les importations, indispensables, proviennent du Royaume-Uni et des pays neufs d'Amérique, avec lesquels la coordination se renforce (Jean Monnet). Mais la maîtrise des mers n'est plus assurée en 1917 à cause de la guerre sous-marine.

▶ **La mobilisation de la main-d'œuvre.** Les combats mobilisant l'essentiel de la population active masculine, il faut pallier ces carences. Après 1915, près de 500 000 ouvriers mobilisés (les plus qualifiés) rejoignent les usines de l'arrière comme « affectés spéciaux », suscitant l'envie de ceux restés au front. Les contemporains sont frappés par l'appel à la main-d'œuvre féminine (les « munitionnettes » tourneuses d'obus), voire adolescente. En fait, le nombre de femmes employées dans l'industrie n'augmente que de 30 % en quatre ans : beaucoup viennent des usines textiles sous-occupées. Outre les quelque 100 000 prisonniers de guerre allemands, le gouvernement recourt aux immigrés, requis dans les colonies ou embauchés dans l'Europe méditerranéenne : 200 000 pour l'industrie et 150 000 dans l'agriculture. La discipline dans les usines d'armement est quasi militaire, mais les salaires corrects et la création de délégués ouvriers, encouragée par A. Thomas, limitent les revendications jusqu'en 1917.

➜ **Le financement du conflit : une fuite en avant**
Le gouvernement recourt d'abord à des expédients classiques pour payer ses achats. A. Ribot, ministre des Finances jusqu'en 1917, suspend la convertibilité du franc en or dès août 1914 : la monnaie a « cours forcé ». Il augmente les taxes indirectes, puisque le nouvel impôt progressif sur le revenu, voté en 1914, n'entre en application qu'en 1916-1917. Après avoir rapatrié des capitaux français placés à l'étranger (dont plus de la moitié ont été confisqués par les puissances centrales et par le refus du gouvernement bolchevique de rembourser les dettes de l'Empire russe), l'État emprunte auprès des banquiers anglais, puis américains. Il sollicite les épargnants français, qu'il convainc de verser leur or pour la Patrie : « bons de la Défense nationale » à 5 %, remboursables à court terme, et « emprunts de la Défense nationale », dits « perpétuels » car non remboursables, moyennant le versement d'un intérêt substantiel. Enfin, il obtient des avances de la Banque de France au Trésor, lui permettant d'augmenter la monnaie fiduciaire en circulation : de 6 milliards-or en 1914 à 35 en 1919 ! Le franc se déprécie mais les Anglo-Saxons soutiennent son cours jusqu'en 1919. La situation financière s'aggrave à partir de 1917, à cause des besoins mais aussi de la politique laxiste du ministre Klotz. Au total, d'août 1914 à octobre 1918, l'État a dépensé pour la guerre 140 milliards de francs-or, moins toutefois que les Anglo-Saxons. Outre la dérive monétaire, ils proviennent des emprunts aux Français (75 milliards), à l'étranger (plus de 40) et enfin seulement de l'impôt (21), contrairement au Royaume-Uni. Critiqué

par la suite, le choix de solutions qui reportent le coût de la guerre sur les générations suivantes était certainement difficile à éviter, vu l'ampleur des sacrifices exigés.

2. Conduire la guerre

→ Civils ou militaires ?

Un gouvernement d'exception se met immédiatement en place, sans éliminer toute vie démocratique. Le 4 août 1914, les Chambres votent des dispositions d'urgence, avant d'être mises en congé : le gouvernement a le droit de prendre des mesures financières par décrets-lois et de censurer la presse. L'entrée en vigueur de l'état de siège sans limite de temps donne aux autorités militaires les pouvoirs de police des préfets et des maires. Les conseils de guerre peuvent juger sur-le-champ tout Français à la conduite suspecte, ce qui donne lieu à quelques excès. En pratique, le pouvoir civil est subordonné à Joffre et aux militaires du « GQG » (grand quartier général) situé à Chantilly. Or ce qui était admis initialement ne pouvait plus perdurer : des dissensions naissent entre haut commandement, qui dirige normalement la « conduite des opérations », et pouvoir civil, auquel revient celle de « la guerre ». À l'égard de Joffre, le ministre de la Guerre Millerand a une attitude très respectueuse – trop selon les Chambres qui siègent sans discontinuer à partir de décembre 1914. Mais Joffre refuse toujours tout contrôle parlementaire sur la conduite des opérations militaires, malgré les erreurs du GQG. Certains élus réclament de pouvoir siéger en comité secret (séance non publique des Chambres) pour discuter des modalités du conflit.

Le gouvernement reprend la situation en main, d'autant que la popularité du commandant en chef décroît. En septembre 1915, les autorités civiles récupèrent leurs pouvoirs de police hors de la zone des combats. En octobre 1915, le nouveau président du Conseil Briand remplace Millerand par le général Gallieni, qui sait imposer sa volonté au GQG. En juin 1916, le contrôle parlementaire aux armées envoie députés et sénateurs en mission sur les fronts. En décembre 1916, le général Nivelle remplace Joffre, écarté mais élevé au grade de maréchal, tandis que le célèbre général Lyautey devient ministre de la Guerre. Cela ne règle pas tout : le refus de ce dernier d'expliquer aux députés un détail militaire entraîne la chute du gouvernement Briand en mars 1917. Mais les élus de la nation ont reconquis une partie de leurs pouvoirs au cours de la guerre.

→ L'action énergique de Clemenceau

Clemenceau est resté à l'écart des gouvernements depuis le début de la guerre ; critique sur le « bourrage de crâne », il jouit chez les « poilus » d'une certaine popularité, entretenue par ses visites aux tranchées. Son passé d'homme de gauche n'inquiète pas la droite qui apprécie son nationalisme intraitable, se souvient de sa prudence dans l'application de la loi de séparation de l'Église et de l'État et de son action à la tête du gouvernement en 1906-1909 contre les grèves et la CGT. Il obtient facilement la confiance des députés en novembre 1917 sur son programme de « guerre intégrale ». Clemenceau se réserve le ministère de la Guerre et s'entoure de proches, peu liés aux appareils politiques (E. Clementel, J. Jeanneney, G. Mandel). Il tient à l'écart Poincaré et le Conseil des ministres. Il s'assure du soutien des parlementaires en les associant à l'exécutif : il nomme des « commissaires du gouvernement », chargés de secteurs précis, et des « représentants en mission » aux armées, choisis parmi les députés de base des divers partis. Il obtient de larges majorités au Parlement, avec le concours des droites et de l'opinion, et parvient à maintenir un équilibre entre pouvoirs exécutif et législatif, tout en gardant la maîtrise des opérations afin de lutter contre toute velléité pacifiste.

→ Contrôler l'opinion

Tous les États mènent une intense propagande, rarement subtile. En France, le gouvernement institue la censure sur les informations concernant la guerre et, au sens large, le moral des populations. Il encourage les débordements de la presse nationaliste, le « bourrage de crânes » : nouvelles systématiquement optimistes, négation et mépris de l'ennemi, exaltation des héroïques « poilus »… Le secret gardé sur les pertes, donnant lieu à toutes les exagérations, ne saurait guère rassurer. Quelques journaux luttent contre cette désinformation : *L'Homme enchaîné* de Clemenceau, *Le Crapouillot* (1915) ou *Le Canard enchaîné* (1916). Toutefois, la censure postale élimine les lettres des soldats décrivant trop précisément leurs doutes ou l'âpreté des combats. À l'occasion des crises de 1917, le même Clemenceau poursuit les manifestations de « pacifisme » et de « défaitisme » (la paix, fût-ce au prix de la défaite) : le ministre de l'Intérieur Malvy, accusé de trahison par Clemenceau, alors dans l'opposition, doit démissionner en août 1917, tandis que le chef du parti radical Caillaux est traduit en justice en décembre pour avoir entrepris des démarches en faveur de la paix.

B – Le « front »

1. Les tranchées au quotidien

Les mots, même ceux des « écrivains combattants » H. Barbusse (*Le Feu*, 1916), M. Genevoix (*Ceux de 14*, 1916) ou R. Dorgelès (*Les Croix de bois*, 1919), peinent à décrire l'horreur des combats et l'inhumanité des moyens modernes de destruction : bombardements massifs des « préparations d'artillerie », mortiers à tir courbe pour atteindre les tranchées, grenades, mines, gaz asphyxiants (1915) et lance-flammes, engagement des chars (1916) et de l'aviation. En regard, le fantassin paraît bien frêle, surtout au début de la guerre, sans équipement adapté. Les tentatives de « percées », à l'assaut des barbelés, sous le feu des mitrailleuses, demeurent les plus sanglantes. Cependant, le quotidien est fait d'enlisement dans des tranchées précaires, surtout du côté français : froid, boue, saleté, lutte contre les rats et les poux, ravitaillements aléatoires, corvées, permissions insuffisantes. Plus en arrière, s'échelonnent d'autres lignes de tranchées parallèles, en zigzag pour éviter les tirs en enfilade, reliées par des « boyaux » sinueux, et servant de « cantonnement » ou d'abri relatif. Le haut commandement ne laisse en principe pas plus de quinze jours les troupes en première ligne. Les relèves, moments très pénibles en raison du « barda » (lourd équipement), de la gadoue et des bombardements, permettent d'assurer ces liaisons.

2. Conjurer la mort

Le « poilu » n'est ni tout à fait ce héros cocardier décrit dans la presse ni ce misérable soldat d'infortune solidaire de ses camarades, indifférent à la mort et méprisant les civils, tel que les écrivains anciens combattants le mettent en scène. Certes, les militaires ont parfois le sentiment que leurs sacrifices ne sont pas pris au sérieux. Ils critiquent les « embusqués » ou « planqués » qui échappent au front (une infime minorité), les « profiteurs de guerre » (fournisseurs aux armées), ou les « traîtres » (espions supposés, dirigeants politiques « défaitistes »). Mais le reste de la population partage aussi ces idées. Les journaux de tranchées étudiés par S. Audouin-Rouzeau montrent que le patriotisme des soldats français s'enracine dans le sentiment profond de défendre leur sol et leur famille, avec laquelle les liens demeurent puissants (colis, lettres, permissions). Prêts à se sacrifier pour des opérations cohérentes, ils réprouvent les tentatives vouées à l'échec. Ainsi s'expliquent le faible nombre de défaillances au combat et la brièveté des mutineries de 1917. Annette Becker a montré comment la proximité de la mort en conduit beaucoup à chercher le secours de la religion, sous ses formes populaires (talismans, culte de la Vierge) ou plus spirituelles. La guerre marque la réintégration du sentiment religieux, notamment catholique, dans la nation, comme l'attestent la présence de prêtres dans les tranchées (5 000 en mourront lors du conflit), l'importance des activités caritatives ou la vigueur de l'engagement patriotique des Églises. Enfin, la rudesse des conditions de vie populaires explique aussi pourquoi ces hommes ont pu supporter de multiples souffrances.

C- L'« arrière »

Ce terme se rapporte évidemment au territoire encore contrôlé par la France, où 2 millions de réfugiés venus de Belgique et des dix départements occupés ont afflué. Mais il existe aussi un « arrière » français des lignes allemandes, soumis à une sévère exploitation, voire à des « rafles » (Lille). De même, une large bande le long du front, où sont demeurés certains civils, est sous la menace directe des combats (Reims, Arras) et subit un sort plus rigoureux.

1. Un mécontentement limité jusqu'en 1916

Les deux premières années du conflit demeurent socialement calmes (300 grèves en 1916). Le gouvernement décrète un moratoire des loyers (suspension) et donne des allocations aux familles des soldats : l'augmentation des prix d'un tiers en deux ans reste supportable. Dans les usines, A. Thomas et la CGT encouragent l'octroi de salaires plus élevés ou de la « semaine anglaise » (cinq jours et demi de travail) ; en contrepartie, le patronat conserve ses bénéfices puisque l'État n'est pas regardant sur le prix des fournitures. L'ouvrier indiscipliné court toujours le risque d'être renvoyé au front. La durée du travail s'accroît, mais l'effort est souvent partagé par la famille, enfants compris. Dans les milieux plus aisés, le bénévolat se développe et ne prend pas toujours l'aspect plaisant des « marraines de guerre », protectrices d'un poilu.

2. Lassitude et efforts (1917-1918)

➜ La rupture de la trêve sociale

Dès la fin de 1916, la hausse des salaires ne suit plus l'inflation. 700 grèves éclatent en 1917, en janvier et surtout en mai-juin, dans la confection et l'armement, spontanément, à l'initiative des femmes. Encore peu politisées, ces grèves cessent après des augmentations salariales, grâce aux pressions du gouvernement sur le patronat et aux nouvelles procédures d'arbitrage des conflits du travail. Une deuxième série de grèves est déclenchée en mai 1918 par les ouvriers des usines d'armement de la Loire et de la région parisienne. Influencés par la révolution bolchevique et la propagande des minoritaires de la CGT, ils font grève pour la paix. Conscient du risque d'explosion sociale, Clemenceau temporise. Isolé, le mouvement s'effiloche dès que les offensives allemandes reprennent.

➜ Les soubresauts de l'Union sacrée

▶ **La réapparition du courant pacifiste.** Mis en sommeil, les sentiments pacifistes, tout en demeurant minoritaires, croissent dès que le conflit s'éternise. Les personnalités littéraires (Romain Rolland, *Au-dessus de la mêlée*, 1916) ou politiques (le président du Parti radical J. Caillaux ou le « socialiste indépendant » Pierre Laval) dénonçant l'absurdité de la guerre demeurent isolées. La principale opposition se rencontre à l'extrême gauche du mouvement ouvrier. Quelques-uns prônent, à l'image de Lénine en Russie, le « défaitisme révolutionnaire ». La plupart souhaitent surtout critiquer l'Union sacrée. À la CGT, Alphonse Merrheim (métallurgistes) et Pierre Monatte (*La Vie ouvrière*) se dressent contre le secrétaire général L. Jouhaux, qui contrôle toutefois la situation. À la SFIO, un groupe formé par Jean Longuet, autour du journal *Le Populaire*, présente lors des congrès une motion en vue d'une négociation. Certains contactent des étrangers favorables à la paix. Des personnalités de l'Internationale ouvrière se rencontrent en Suisse à Zimmerwald (1915) et Kienthal (1916), sans effet : très peu souhaitent la défaite de leur pays ou approuvent une « paix blanche » sans annexion ni sanctions, qui verrait par exemple l'Alsace-Lorraine rester allemande... Leurs adversaires soulignent cette contradiction : cesser la production par une grève massive serait favoriser l'occupation étrangère.

▶ **La fin de l'Union sacrée.** Les pacifistes de la SFIO gagnent du terrain en 1916-1917 au point de conquérir la majorité et de contraindre les ministres socialistes à quitter le gouvernement : Guesde et Sembat en décembre 1916, Thomas en septembre 1917. Les socialistes dénoncent le « jusqu'au-boutisme » de ceux pour qui les « buts de guerre » de la France seraient, outre récupérer l'Alsace-Lorraine, diviser complètement l'Allemagne (Joffre), séparer la Rhénanie de l'Allemagne (Foch) ou, plus modestement, annexer la Sarre (patronat métallurgique du Comité des forges). L'arrivée au pouvoir de Clemenceau renforce l'opposition de la SFIO : elle exige que des négociations internationales s'ouvrent immédiatement sur la base des « 14 points » présentés en janvier 1918 par Wilson et refuse de voter les crédits de guerre. Clemenceau, approuvé par le centre et la droite, alterne fermeté et habileté : il isole les pacifistes – Caillaux est arrêté et Malvy condamné en 1918, comme certains « meneurs » des grèves – et joue des divisions que suscite à gauche la révolution russe. Il bénéficie à présent de l'appui d'une majorité des Français, notamment des soldats, demeurés à l'écart des troubles de 1918.

D – Les rapports avec les Alliés

L'entente économique, indispensable pour mener à son terme un conflit devenu guerre industrielle, a plutôt bien fonctionné. En revanche, le manque de coordination des troupes alliées a failli leur coûter cher : malgré le Conseil supérieur de guerre interallié (fin 1917), il a fallu attendre les dernières offensives allemandes pour que l'unité de commandement soit réalisée en la personne de Foch (mai 1918). Auparavant, il semblait difficile que des généraux étrangers puissent donner des ordres aux officiers « nationaux ».

Ces susceptibilités traversent les négociations d'armistice, où Anglais, Français et Italiens voient d'un mauvais œil le rôle essentiel que les Allemands font jouer à Wilson. Les différentes conceptions se heurtent lors des travaux du « Conseil des Quatre ». Wilson souhaite remodeler la carte de l'Europe en fonction du « droit des peuples à disposer d'eux-mêmes » et soumettre les conflits à un arbitrage international. La France (Clemenceau) vise à assurer sa sécurité en diminuant la puissance allemande, jugée intacte, et en contrôlant la rive gauche du Rhin. Le Royaume-Uni (Lloyd George) ne veut pas d'une France trop forte sur le continent européen. L'Italie (Orlando) espère tirer bénéfice de son entrée en guerre pour récupérer les terres irrédentes sur l'Autriche-Hongrie. Or la victoire, collective, ne permet pas à un seul pays d'imposer son point de vue. Tous les responsables civils et militaires ne sont pas forcément d'accord : Foch réclame l'autonomie de la Rhénanie et Clemenceau privilégie le maintien de la garantie alliée… Voulant à la fois punir les vaincus et promouvoir un nouvel ordre international, le compromis risque en fait de mécontenter beaucoup d'acteurs.

IV. Une victoire douloureuse

Clauses du traité de Versailles (28 juin 1919) concernant la France

Clauses militaires	Armée allemande réduite à 100 000 hommes (soldats de métier) Livraison du matériel de guerre Interdiction des armes lourdes et de l'aviation Limitation de la flotte de guerre Démilitarisation de la rive gauche du Rhin et d'une bande de 50 km à l'est Garantie militaire des États-Unis et du Royaume-Uni à la France contre toute attaque allemande.
Clauses territoriales	Retour confirmé de l'Alsace-Lorraine à la France Allemagne amputée à l'Est (coupée en deux au profit de la Pologne) et au Nord Sarre placée pour quinze ans sous administration de la SDN (confiée à la France) Occupation de la rive gauche du Rhin pour quinze ans (plus des « têtes de pont »), avec retrait en trois étapes Colonies allemandes confisquées et confiées comme mandats de la SDN aux puissances coloniales, notamment à la France (Cameroun, Togo) et au Royaume-Uni Internationalisation des grandes voies navigables (Rhin, Elbe, Oder, canal de Kiel).
Clauses économiques	Paiement aux Alliés de « réparations », qu'une Commission devra évaluer Mines de charbon de la Sarre données à la France Clause commerciale « de la nation la plus favorisée » accordée par l'Allemagne à la France Octroi à la France de brevets d'invention allemands (chimie) Livraisons de charbon, matériel de transport et machines.

A – La gloire

La France semble la principale bénéficiaire de la victoire : ses chefs militaires commandent aux Alliés, son armée, alors la plus forte, occupe des positions dans toute l'Europe et au Proche-Orient, les négociations de paix se déroulent sur son sol. La IIIᵉ République a tenu, alors que quatre Empires ont été mis à bas : le régime en sort consolidé. On déclare les vaincus – non sans excès – entièrement responsables de la guerre ; exclus des négociations, ils ne peuvent qu'approuver les traités de paix de la « banlieue parisienne » (Versailles, puis Saint-Germain, Neuilly, Trianon, Sèvres, avec chacun des alliés de l'Allemagne). Cette dernière a du mal à signer le traité de Versailles, considéré comme un « diktat » sur lequel les futurs gouvernements d'outre-Rhin se devront de revenir. Sa souveraineté est amoindrie par l'occupation, d'une part de son sol, administrée par la haute commission alliée des territoires rhénans, et par la commission chargée d'estimer les « réparations ». Les avantages obtenus par la France lui procurent en Allemagne et en Europe centrale une capacité d'intervention dont ses chefs d'entreprise pourraient tirer parti. Récupérant l'Alsace-Lorraine, elle dispose d'une riche région industrielle bien équipée par les Allemands (aménagement du Rhin et du port de Strasbourg, textile, charbon et potasse). Elle obtient aussi – difficilement – 23,75 % de la *Turkish Petroleum Company*, qui lui permettront de fonder en 1924 la Compagnie française des pétroles (CFP), présente en Irak. Enfin, les livraisons allemandes facilitent la reconstruction.

Toutefois, les vaincus doivent des « réparations » pour « les dommages causés aux populations civiles » et non plus des indemnités de guerre comme cela se décidait habituellement. En pratique, s'agit-il de faire rembourser à « l'agresseur » les sommes dépensées (ce qui avantage les Anglo-Saxons) ou les dégâts causés sur les territoires envahis (ce qui privilégie France et Belgique) ? La deuxième solution prévaut, sans que montant et modalités figurent dans le traité. Mais l'immense fierté qui suit le 11 novembre occulte la mondialisation du conflit, tandis que le pays, qui se sait diminué, sans toujours se l'avouer, vit dans l'espoir que « l'Allemagne paiera »…

B – Les pertes

1. Les destructions

En 1919, l'appareil de production français est profondément désorganisé au Nord et à l'Est, régions à forte productivité. Les aires de combat demeurent impropres à l'agriculture, provisoirement ou définitivement (la « zone rouge » de Verdun). Par rapport à 1914, la production agricole chute de 60 % et la production industrielle de 30 % seulement, grâce à l'armement. Mais cela masque un déséquilibre régional et sectoriel, au détriment des industries de consommation, et augure une reconversion délicate. En fait, la production industrielle utile en temps de paix a été amputée de moitié : 10 000 usines anéanties, 200 puits de mines impraticables, matériel usé. Il faut refaire des milliers de kilomètres de routes, voies ferrées et canaux, remplacer les deux tiers de la marine marchande. L'habitat a été gravement atteint : 10 000 édifices publics et 350 000 maisons rasées ; des villes entières détruites (Verdun, Reims, Saint-Quentin, Arras…). Alfred Sauvy évalue le seul coût de remise en état des biens à 34 milliards de francs. La guerre a coûté au pays plus de cinq ans du revenu national de 1913 et sacrifié plus de dix ans d'investissements. Enfin, elle a fait perdre à la France, outre ses avoirs à l'étranger, beaucoup de ses clients traditionnels (Europe centrale, Amérique latine) au profit des « pays neufs ». Le produit national brut (PNB) français a diminué de moitié depuis 1913.

2. La « saignée » démographique

→ Les militaires

La France figure parmi les grandes victimes de la guerre. Aux soldats français morts au combat s'ajoutent ceux décédés ensuite (insuffisances respiratoires liées aux gaz asphyxiants, blessures, infections…), soit en tout 1,3 million de tués et disparus

(16,5 % des mobilisés). Ces derniers (7,8 millions) représentent plus des trois quarts de la population masculine en âge de se battre, auxquels il faut ajouter 600 000 soldats indigènes et 250 000 volontaires, dont 40 000 étrangers. L'effectif des combattants a toujours été compris entre 2,5 et 3 millions. Les premières classes d'âge mises au feu ont été les plus décimées : plus de 20 % en moyenne pour celles de 1907-1915. Au total, un quart des jeunes hommes de 18 à 27 ans a disparu. Toutefois, contrairement aux guerres précédentes, les épidémies font moins de ravages que les combats : d'importants progrès médicaux (vaccinations, lutte contre les microbes, chirurgie) avaient été accomplis, notamment grâce à Pasteur.

Il est faux de penser que les officiers (sauf les plus hauts gradés) se tenaient à l'abri, pendant qu'ils envoyaient leurs troupes à la « boucherie » ; beaucoup ont montré l'exemple : 19 % des officiers sont morts, contre 16 % des soldats du rang. De même, les contingents coloniaux ont subi des pertes inférieures en proportion (12 % des mobilisés) à ceux de métropole – à ceci près que ces derniers, eux, se battaient pour défendre leur sol... Les décès affectent inégalement les catégories sociales : versés dans l'infanterie, les agriculteurs ont connu le plus de pertes (600 000, soit 100 morts pour 1 000 actifs). Mais, en proportion, ce sont les professions intellectuelles qui ont le plus souffert (plus de 105 morts pour 1 000 actifs). En revanche, les ouvriers, nombreux parmi les « affectés spéciaux », ont été davantage épargnés. Enfin, 3 millions de soldats ont été blessés, dont 1 million subit une invalidité supérieure à 10 % : ces « gueules cassées » hanteront longtemps le pays.

→ Les civils

Les victimes civiles du conflit paraissent rares : 40 000 environ, à cause des bombardements sur les villes du Nord et de l'Est. Des décès supérieurs à la normale, liés à l'affaiblissement des organismes (restrictions sur les aliments et le chauffage, maladies), apparaissent chez les enfants, les vieillards et dans les départements occupés. En 1918-1920, l'épidémie de grippe espagnole, que la guerre aggrave sans en être la cause réelle, fait 150 000 victimes. Au total, 250 000 civils, directement ou indirectement, ont disparu à cause de la Première Guerre mondiale.

Mais l'essentiel demeure les deux entailles symétriques, visibles depuis 1921 sur les pyramides des âges, représentant les enfants non nés entre 1914 et 1918, estimés à 1,4 million. Ces « classes creuses » (au sens strict) donneront forcément moins d'enfants et de soldats une fois parvenues à l'âge adulte, dans les années 1930.

Ainsi, globalement, la France dans ses frontières de 1914 a accumulé en 1918 un déficit démographique de 3 millions d'individus, par rapport à ce qu'aurait été sa population sans la guerre. De 39,8 millions d'habitants sur 87 départements en 1914, le pays passe à 38,7 millions en 1919, mais sur 90 départements ; l'apport de 1,9 million d'Alsaciens-Lorrains ne suffit pas à compenser les pertes.

C – Les séquelles à long terme

1. La stagnation démographique

→ L'aggravation des tendances malthusiennes

Le conflit laisse 700 000 orphelins et 600 000 veuves, dont plus de la moitié ne se seront pas remariées dix ans plus tard – sans compter les jeunes filles demeurées célibataires après la mort de leur fiancé (les « veuves blanches »). Les divorces augmentent après 1918, sans dépasser 20 000 par an. La nuptialité comble le retard accumulé (600 000 mariages en 1919 et 1920), pour diminuer ensuite. Cela ne provoque qu'une hausse limitée des naissances : plus de 800 000 en 1920 et 1921, contre moins de 400 000 en 1916 ; la phase de « récupération » après une guerre (le « baby boom ») dure très peu. Dès 1924, le taux de natalité reste inférieur à 19 ‰ et le taux d'accroissement naturel n'excède jamais 2 ‰. Après 1936, la natalité s'abaisse au-dessous de 15 ‰, niveau le plus faible du monde ; le solde naturel devient durablement négatif. La France, entrée la première au XIXᵉ siècle dans la « transition démographique », voit sa natalité diminuer plus vite que sa mortalité : le renouvellement des générations n'est plus assuré. La restriction des naissances, précoce dans les campagnes du Sud-Ouest, du Sud-Est et du Centre, gagne dans l'entre-deux-guerres le Massif central et la région parisienne. Se forme alors un « croissant fertile » (relativement) qui prend en écharpe l'Ouest, le nord du Bassin parisien et l'Est.

L'espérance de vie augmente lentement, de 49 ans en 1913 à 56 ans en 1938 pour les hommes, et de 53 à 62 ans pour les femmes. La mortalité infantile, bien que forte, réalise des progrès décisifs, puisqu'elle chute de moitié de 1913 à 1938 (66 ‰). Mais le taux de mortalité français, s'il continue à baisser (de 18,3 ‰ en 1920-1925 à 15,2 ‰ en 1936-1939), demeure élevé, surtout chez les hommes adultes. Les effets de la guerre l'expliquent moins que l'alcoolisme ou les accidents du travail.

→ L'appel à l'immigration

Si, au XVIIIᵉ siècle, il existait plus de Français à l'étranger que d'étrangers en France, la situation s'inverse au cours du XIXᵉ siècle en raison de la transition démographique, de la pénurie de main-d'œuvre et de l'attraction exercée par un pays réputé riche. Déjà, une immigration frontalière à faible qualification avait conduit des Belges au Nord, des Allemands et Suisses à l'Est, des Italiens au Sud-Est ou des Espagnols en Aquitaine, formant 3 % de la population totale en 1913.

Pendant la guerre, on sollicite, en plus des colonies, les populations méditerranéennes (Espagnols, Portugais, Grecs). Dans les années 1920, la France est le deuxième pays d'immigration après les États-Unis, le premier par tête d'habitant. De 1921 à 1926, un million d'immigrés y pénètrent. En 1931, 2,7 millions d'étrangers constituent 7,1 % de la population française – sans compter les 360 000 naturalisés, pour lesquels la législation a été assouplie en 1927. Les flux s'élargissent à la Pologne (500 000 en

1930) ou, moins, à l'outre-mer. Cette nouvelle main-d'œuvre, dont le patronat essaie d'orienter le recrutement, travaille dans le bâtiment, les mines et la métallurgie. Elle s'installe dans le Nord (Polonais) et la Lorraine (Italiens). Formée de jeunes adultes, elle compense en partie les déséquilibres en âge et en sexe des Français de souche, d'autant que sa fécondité est supérieure et que certains, plus âgés, retournent dans leur pays d'origine. Les processus d'assimilation (mariages mixtes, école, service militaire…) ne s'enclenchent pas toujours : les Français réagissent parfois négativement et quelques communautés s'isolent (Polonais).

La France, par tradition, accorde plus volontiers le droit d'asile politique à des étrangers persécutés par leur gouvernement : ainsi, une partie des Russes « blancs » fuyant la révolution bolchevique de 1917, des Arméniens rescapés du génocide perpétré par les Turcs en 1915-1916 ou des Italiens opposants à Mussolini dans les années 1920-1930. Paris, ville culturelle de rayonnement mondial, accentue son caractère cosmopolite dans les années 1920, accueille des étudiants et surtout des artistes du monde entier : que l'on songe en peinture à l'« École de Paris », dont les membres sont étrangers, ou à la bohème littéraire vivant dans la capitale.

Au total, de 1911 à 1936, le pays, Alsace-Lorraine incluse, compte à peine 90 000 habitants supplémentaires… grâce aux 2 millions d'immigrés qui s'y sont installés.

2. Une reconstruction mal conduite

Presque achevée en 1930, la remise en état a d'abord porté sur les sols, les voies ferrées et les usines, puis sur les édifices publics et l'habitat. L'État a fixé le montant des indemnisations sur la base de ce qui existait avant guerre, même vétuste. A. Sauvy a dénoncé les méfaits d'une reconstruction « à l'identique ». S'il a raison pour le logement (conditions sanitaires), pour maintes petites entreprises et pour les moyens de transport urbains, il sous-estime les efforts accomplis dans les travaux publics (ponts, gares) et les grandes firmes métallurgiques ou houillères (mécanisation et électrification des mines).

→ L'inflation, un phénomène nouveau

Néologisme, l'inflation demeure alors incomprise. Avant 1914, le franc dit « germinal » se définissait par son poids en or (322,5 mg) et son titre (900/1 000e de métal fin), stables depuis 1803 : tout billet de la Banque de France, organisme privé avec privilège d'émission, pouvait être échangé contre son équivalent en or (libre convertibilité), puisque la Banque conservait une « encaisse » de métal précieux suffisante pour parer aux demandes de remboursement des billets. L'émission de papier-monnaie restait modérée, tandis que les gouvernements s'employaient à éviter le déficit budgétaire. Le franc se situait au deuxième rang des monnaies derrière la livre sterling anglaise. Le prix des produits variait, mais assez lentement.

Or l'insuffisance des productions, les réquisitions ou taxations et la désorganisation des circuits économiques provoquent entre 1914 et 1918 le quadruplement des prix de gros et le doublement des prix de détail. La multiplication de la circulation monétaire empêche tout « retour à la normale ». En 1918, les intérêts de remboursement de la dette publique ont octuplé. Le maintien pendant trois ans de fortes dépenses militaires (« paix armée ») et l'effacement des conséquences de la guerre (réparations, indemnisations, pensions…) absorbent 84 milliards de francs (30 milliards de francs-or) de 1919 à 1926.

Une politique financière imprudente conduit les gouvernements à concevoir un double budget : l'un, « ordinaire », en équilibre, l'autre, « extraordinaire », comprenant seulement des dépenses qu'on espère réglées par les « réparations » allemandes… et payées, en attendant, par des avances de la Banque de France et des emprunts à court terme (« dette flottante »). Tout repose sur la confiance des épargnants français. Comme la garantie financière des Alliés cesse en 1919, le franc, déjà anémié, perd les deux tiers de sa valeur de 1914 sur les marchés des changes.

➜ Les effets sociaux de l'inflation

Les protestations contre « la vie chère » se multiplient après la victoire, malgré les précautions du gouvernement (taxation du pain, maintien du blocage des loyers). Les détenteurs de revenus fixes (petits épargnants et personnes vivant de leurs rentes en l'absence de système de retraite, propriétaires d'immeubles, fonctionnaires) souffrent particulièrement de la dépréciation monétaire, voire de la perte des titres boursiers qu'ils avaient privilégiés (emprunts russe, ottoman, autrichien…). Certains, ruinés, accumulent les rancœurs contre l'État et, partant, contre le régime. Ceux qui avaient des dettes, l'État le premier, en ont tiré avantage, remboursant en monnaie dépréciée au tiers ou au quart de sa valeur d'avant-guerre. Les classes moyennes indépendantes, soutien traditionnel de la République, ont perdu leur confiance dans le crédit public. Les producteurs qui le peuvent profitent de vendre alors que la demande est forte ; mais, dans les campagnes, l'amélioration est conjoncturelle. Les salariés, dont les revenus réels augmentent plutôt après 1919 en raison de la pénurie de main-d'œuvre et de la réduction de la durée du travail, ne sont pas autant victimes de l'inflation qu'ils le croient.

3. La fracture au sein du mouvement ouvrier

Un clivage ancien traversait le mouvement ouvrier international. On trouvait d'une part les réformistes, souhaitant une transition progressive vers le socialisme à l'aide de mesures améliorant la condition ouvrière, et de l'autre les révolutionnaires, partisans d'une transformation brutale des rapports sociaux et politiques – sous l'influence du syndicat, comme l'affirme la tradition anarcho-syndicaliste française, ou du parti ouvrier, comme le voudraient les marxistes. Avant la guerre, la question de la participation de la SFIO à des gouvernements dits « bourgeois » avait alors été tranchée par la négative. Le ralliement à l'Union sacrée a permis à A. Thomas d'animer une politique d'intégration des ouvriers, conforme aux idéaux réformistes, mais critiquée. La montée du pacifisme dans la SFIO provoque en 1917 le départ des ministres socialistes. Au constat de la faillite de la IIe Internationale en 1914, s'ajoute en 1919-

1920 l'écho de la vague révolutionnaire partie de Russie. En 1919, la mutinerie de la flotte française envoyée en mer Noire pour aider les généraux « blancs » contre les bolcheviks oblige le gouvernement à abandonner cette expédition. Au sein d'une SFIO et d'une CGT en plein essor (environ 2 millions de syndiqués CGT en 1920), les minorités révolutionnaires activent un puissant mouvement de grèves, culminant au 1ᵉʳ semestre 1920. Mais la vive réaction gouvernementale et patronale (réquisition, puis révocation de 20 000 cheminots) brise cet élan. Elle accroît les tensions dans les organisations ouvrières : les révolutionnaires accusent les réformistes de trahison et d'inefficacité (défaite électorale de la SFIO aux législatives de 1919), tandis que leurs adversaires critiquent l'aventurisme des agitateurs.

En outre, la révolution bolchevique soulève de redoutables questions. En 1919, Lénine fonde à Moscou l'Internationale communiste (la « IIIᵉ Internationale ») : tous les partis socialistes européens doivent alors choisir d'accepter ou non les « 21 conditions » d'adhésion. Les bolcheviks présentent au monde un modèle de pouvoir, mal connu et vite mythifié. Si une fraction des socialistes français approuve l'action des communistes russes, la plupart émettent des réserves : soit parce qu'ils trouvent trop lourd le poids du futur parti sur le syndicat et la société ; soit par hostilité à l'action illégale, aux épurations et aux règles de stricte obéissance à l'Internationale qu'exige Lénine. Cependant, une délégation à Moscou en juillet 1920, menée par le secrétaire général de la SFIO, L.-O. Frossard, et par le directeur de *L'Humanité*, M. Cachin, conclut à l'adhésion, surtout pour préserver l'unité du mouvement.

Débute en décembre 1920 le congrès de Tours, où s'opposent trois tendances : les partisans de l'adhésion (souvent faute de mieux) ; ceux qui, au « centre » (J. Longuet), veulent encourager les bolcheviks sans accepter toutes les 21 conditions ; enfin les réformistes, refusant l'adhésion, incarnés par Léon Blum et P. Renaudel. Le président de la IIIᵉ Internationale, Zinoviev, repousse tout compromis avec le « centre » : le 29 décembre, les trois quarts des congressistes approuvent la transformation de la SFIO en Section française de l'Internationale communiste (SFIC), qui contrôle *L'Humanité*, et les quatre cinquièmes des fédérations départementales (100 000 adhérents). Les minoritaires conservent l'appellation de SFIO, prétendant « garder la vieille maison » (Blum), et s'appuient sur la plupart des élus (journal *Le Populaire*). Un an après, les révolutionnaires de la CGT, minoritaires, sortent de ce syndicat pour former la CGTU (« Unitaire »), branche française d'une Internationale syndicale « rouge » dominée par les bolcheviks. La guerre a accentué des clivages longtemps masqués par des personnalités comme Jaurès ; elle a donné l'occasion aux bolcheviks d'imposer le modèle léniniste à des pays de tradition différente. Le mouvement ouvrier français s'affaiblit d'autant plus qu'il n'a jamais constitué des organisations de masse comme au Royaume-Uni ou en Allemagne.

4. « L'esprit ancien combattant »

Plus de la moitié des hommes adultes, les 6,5 millions de combattants rescapés, ont en commun l'expérience du « feu ». Ayant acquitté le « prix du sang », ils réclament une reconnaissance que la nation veut bien leur accorder (« Ils ont des droits sur nous ! »), sans toujours leur apporter un prompt soutien matériel. Ainsi naissent les associations d'anciens combattants (environ 3 millions de membres en 1930 selon A. Prost). Elles se regroupent sur la base des affinités politiques ou des cas particuliers à défendre (aveugles, mutilés…). Les plus grandes, fortes chacune de 300 000 adhérents en 1921, sont l'Union fédérale (centre gauche) et l'Union nationale des combattants (droite).

À la fois sociétés d'entraide et groupes de pression, ces associations éprouvent une certaine méfiance envers les politiciens, suspects de désaccords futiles ou, plus grave, de corruption. Elles entretiennent le culte de la mémoire de la « Très Grande Guerre », autour des milliers de monuments aux morts érigés en France et de symboles forts : l'ossuaire de Douaumont ; le « soldat inconnu » tombé à Verdun reposant sous l'Arc de Triomphe à Paris, dont la flamme est quotidiennement ranimée depuis 1923 ; les cérémonies du 11 novembre, jour de fête nationale et de souvenir associant toutes les générations. La présence de cimetières anglais, canadiens, australiens… rappelle la solidarité des Alliés. Ces manifestations remémorent le sacrifice patriotique des poilus et diffusent un profond pacifisme dans la société française – cette guerre devant être la « der des der ».

L'entre-deux-guerres : un modèle républicain en crise

I. Une puissance en déclin ?

A – Affaiblir l'Allemagne

1. La faire payer : les « réparations »

N'ayant plus les moyens de financer une armée imposante et une reconstruction coûteuse, la France compte le faire aux dépens de l'Allemagne, mais mêle deux politiques, financière et sécuritaire, sans comprendre leur incompatibilité.

L'article 231 du traité de Versailles juge l'Allemagne « responsable de tous les dommages ». Au terme de pénibles tractations, la « commission des réparations » fixe en avril 1921 à 132 milliards de marks-or le montant des réparations allemandes. La France devrait en recevoir la moitié sous forme de versements en argent (62 annuités) ou en nature (charbon, acier) après les accords de Wiesbaden (octobre 1921). Ainsi, Paris pourrait progressivement rembourser ses dettes de guerre, aux États-Unis (19 milliards de francs-or) et au Royaume-Uni (14 milliards). Mais seule une Allemagne reconstruite économiquement peut régler une telle somme, équivalente à plusieurs années du revenu national. Or la France, qui lie le remboursement des dettes interalliées aux réparations, exige des paiements rapides. Profitant de l'hostilité croissante des Britanniques à la politique française, la République de Weimar manifeste sa mauvaise volonté : l'inflation s'accélère, dépréciant le mark et donnant des arguments au chancelier Cuno.

Le président du Conseil Briand hésite entre une politique sanctionnant l'Allemagne et une réduction des « réparations » qui faciliterait l'obtention de la garantie anglaise. Presque parvenu à un accord (conférence de Cannes, janvier 1922), il démissionne devant le tollé que suscite à droite l'assouplissement des positions françaises. Son successeur Poincaré veut maintenir les 132 milliards, mais les obtenir par la négociation. Devant le refus général, il décide d'occuper, comme « gage productif », la région minière et industrielle allemande de la Ruhr en janvier 1923. Les armées française et belge forcent les ouvriers rhénans à travailler pour assurer le paiement. Certains milieux politiques et militaires français encouragent même l'autonomie de la Rhénanie. Le gouvernement et les syndicats allemands ripostent en organisant grèves et « résistance passive » de la population. Constatant l'asphyxie de l'économie, Cuno met fin à la « résistance passive » en août 1923 et démissionne en faveur de Gustav Stresemann : l'opération française paraît réussir. Mais, sous la pression financière internationale soumettant le franc à une spéculation à la baisse, la France doit se retirer en 1924-1925. La détente de la seconde moitié des années 1920 conduit à alléger les réparations allemandes : plan Dawes en 1924 prévoyant des paiements croissants sur cinq ans, puis plan Young en 1929.

2. Diminuer sa puissance et l'isoler

En 1918, la France veut imposer à l'Allemagne une stricte « politique d'exécution » des traités, ou « poincarisme » : amputer son territoire, limiter son armée, diminuer son industrie lourde, obtenir sa garantie du respect des frontières (Alsace-Lorraine), interdire l'*Anschluss* (annexion de l'Autriche par l'Allemagne), voire démembrer le pays (Rhénanie).

Une telle politique, déjà objectif de la Triple Entente, est poursuivie dans les années 1920 par Paris : outre l'appui belge (1920), elle noue des « alliances de revers » qui ceintureraient l'Allemagne. L'éclatement des empires austro-hongrois et ottoman crée un vide permettant aux puissances d'offrir leur protection aux nouveaux États (Pologne, Yougoslavie, Tchécoslovaquie, pays baltes) ou à ceux dont les frontières ont été remodelées (Roumanie, Bulgarie, Grèce...). L'Allemagne ne dispose plus, momentanément, des moyens de son influence. Tandis que le Royaume-Uni contrôle le bassin méditerranéen, la France se présente comme la tutrice de l'Europe centrale. Elle aide les Polonais à battre la Russie bolchevique en 1920 et conclut avec eux des accords (1921, 1925). Elle appuie la formation contre la Hongrie d'une « Petite Entente » entre Yougoslavie et Tchécoslovaquie (1920), puis Roumanie (1921), complétée par des traités bilatéraux avec la France entre 1925 et 1927. En s'opposant à la Hongrie, fer de lance des pays voulant « réviser » les traités, elle entend maintenir le *statu quo* territorial et ôter à l'Allemagne tout prétexte à une remise en question.

Mais la France n'obtient pas la garantie de ses frontières. Le Sénat des États-Unis refuse de ratifier le traité de Versailles ; ces derniers ne siègent donc pas à la Société des nations (SDN) et manifestent un « isolationnisme » croissant, voulant ne pas s'engager par des accords automatiques en Europe, où ils demeurent toutefois économiquement actifs. Le Royaume-Uni se montre soucieux de l'équilibre des forces sur le continent. Ces puissances approuvent un relèvement relatif de l'Allemagne, vers laquelle convergent des flux d'investissements.

B – Les illusions de la « sécurité collective » durant les années 1920

On ne peut systématiquement opposer le « poincarisme » de la politique étrangère française entre 1920 et 1924 et le « briandisme » de la seconde moitié de la décennie ; des continuités demeurent. Poincaré ne maintient-il pas Briand au Quai d'Orsay à son retour au pouvoir en 1926 ? Mais l'austérité du premier et les souvenirs de la Ruhr accentuent le contraste avec l'habileté et le prestige oratoire du second. Conscients des faiblesses de la France, ils ont mesuré son isolement en 1923-1924 : du statut d'agressée pendant la guerre, elle devient un pays belliciste. Une telle image, entretenue par les presses allemande et anglo-saxonne, lui fait perdre le soutien de ses anciens alliés. Accepter le plan Dawes signifie reconnaître cet état de fait. Président du Conseil en mai 1924 et ministre des Affaires étrangères, le leader du Cartel des gauches, Édouard Herriot, ne peut qu'assumer une telle position, imposant d'évacuer la Ruhr, de reconsidérer, sans illusion, l'attitude vis-à-vis de l'Allemagne. Le circuit financier mis en place en 1924 facilite la détente.

1. « L'esprit de Genève »

L'injection de capitaux américains en Europe et la croissance contribuent au déclin provisoire des courants révolutionnaires ou ultranationalistes. Cela facilite la venue au pouvoir de modérés, tels Briand (ministre des Affaires étrangères français de 1925 à 1932) ou Stresemann (son homologue allemand de 1923 à 1929). Le premier par idéalisme raisonné (contenir l'inévitable montée en puissance de l'Allemagne), le second par pragmatisme (agrandir son pays vers l'est, par la négociation), souhaitent normaliser les rapports franco-allemands. Au pacte de Locarno (16 octobre 1925), l'Allemagne reconnaît ses frontières occidentales, moyennant les garanties italienne et anglaise à la France. Suivent l'entrée de l'Allemagne à la SDN en 1926 et, avec le paiement des réparations, l'évacuation précoce de la rive gauche du Rhin par les Alliés en 1930, ainsi que des accords économiques. Le compromis s'avère plus efficace que la stricte application des traités.

Prévue dans le quatorzième point de la déclaration de Wilson, amorcée par des initiatives antérieures (Bourgeois, *Pour la Société des nations*, 1910), la SDN naît à la conférence de la Paix le 28 avril 1919. Incluse dans tous les traités de paix, la SDN siège à Genève à partir de 1920. Ses 32 États fondateurs ont enregistré la défection des États-Unis, mais aussi l'arrivée de 13 États, neutres pour la plupart – l'URSS n'y entrera qu'en 1934. Bien que visant à assurer la paix par la résolution négociée des conflits, la SDN ne peut mettre en œuvre une véritable « sécurité collective » : pas de moyens militaires, juste d'hypothétiques sanctions économiques.

Cependant, par le règlement de litiges (Sarre), par son action en faveur des réfugiés ou des minorités et son soutien économique à l'Europe orientale, la SDN, où les Français pèsent, mérite mieux que son image d'impuissance. L'Organisation internationale du travail (1919) propose d'harmoniser les législations, non sans succès (réductions d'horaires pour femmes et enfants, droits syndicaux…). Toutefois, l'absence des puissances américaine et russe pèse sur l'avenir de la SDN. Aussi Briand, « apôtre de la paix », multiplie-t-il les contacts avec le secrétaire d'État américain Kellogg pour insérer les États-Unis dans un système de garanties : 60 pays adhèrent au pacte Briand-Kellogg (août 1928) qui déclare la guerre « hors la loi » et connaît un grand retentissement. Briand, appuyé par un courant paneuropéen (comte Coudenhove-Kalergi), propose en 1929 de créer une fédération entre les États d'Europe, à même d'éviter son déclin – thème alors répandu chez les intellectuels – et de résoudre les conflits potentiels (minorités nationales). Ce projet avorte devant la vigueur des sentiments nationalistes. Mais Briand s'emploie aussi à fortifier la position de la France par des moyens plus traditionnels.

2. Le souci de maintenir l'influence française

Les années 1920 marquent l'apogée du rayonnement de la langue et de la culture françaises, surtout parmi les élites des Balkans, du Proche-Orient et d'Amérique latine, comme de l'Empire colonial. Les institutions politiques ou juridiques françaises servent de modèle aux pays neufs qui étoffent leur administration.

En matière économique, la France pratique un « impérialisme du pauvre » (G. Soutou) : elle investit en Europe de l'Est. Ainsi, Schneider contrôle la firme d'armement tchèque Skoda (1919) et participe à la construction du port polonais de Gdynia. Mais les hommes d'affaires français demeurent prudents face à des pays instables, aux marchés restreints, et où les firmes allemandes retrouvent vite leurs positions.

Les doctrines militaires défensives bloquent toute initiative pour aider nos alliés d'Europe orientale, aux intérêts divergents. Les accords de Locarno empêchent la traversée du territoire allemand par des troupes françaises ; comment, dès lors, secourir la Pologne ou la Tchécoslovaquie ? Ces contradictions diplomatiques s'exacerbent avec la crise de 1929, qui contraint les États-Unis à rapatrier leurs capitaux, notamment d'Allemagne : elle ne peut plus payer les réparations. Le président américain Hoover propose en 1931 un moratoire, la suspension du paiement des dettes entre États pour un an. La cessation des paiements allemands devient définitive en juillet 1932 (conférence de Lausanne) : elle provoque, en retour, le refus français de rembourser les dettes aux États-Unis. Chaque État a considéré son intérêt immédiat avant d'envisager un compromis : mauvais augure pour la « sécurité collective », alors que la récession des années 1930 encourage le repli sur les égoïsmes nationaux et le développement des dictatures.

C – Les hésitations diplomatiques des années 1930

1. Les tensions franco-allemandes

Les deux pays s'opposent lors de la conférence sur le désarmement qui s'ouvre à Genève en 1932. Puisque le réarmement allemand est prohibé, tout désarmement global entraînerait une diminution de la supériorité militaire française face à l'Allemagne.

Or cette dernière revendique l'égalité des droits avec les autres nations, prévue par la SDN, tandis que la France met en avant sa sécurité, menacée par le réarmement secret de son voisin. Beaucoup accusent la France d'égoïsme national. Le chancelier allemand Brüning joue de ces dissensions et, en décembre 1932, l'Allemagne obtient l'égalité des droits, sans garantie pour la France. La conférence, que quitte définitivement le nouveau chancelier Hitler en même temps que la SDN à la fin de 1933, a échoué.

Prudent jusqu'en 1935, Hitler ôte progressivement sa substance au traité de Versailles : en janvier 1935, après une intense campagne d'intimidation nazie, la population de la Sarre vote massivement son rattachement à l'Allemagne ; en mars 1935, le chancelier rétablit le service militaire obligatoire et entreprend un réarmement accéléré. La véritable épreuve de force, la remilitarisation de la Rhénanie, se déroule lorsque la *Wehrmacht* franchit la rive gauche du Rhin le 7 mars 1936. L'inaction de la France, peu soutenue par le Royaume-Uni, enlève tout crédit aux garanties françaises en Europe de l'Est et désoriente ses alliés.

2. Entre l'URSS et l'Italie

Conscient de la duplicité d'Hitler, le ministre des Affaires étrangères Louis Barthou cherche dès 1934 à renforcer les alliances orientales. Artisan d'un accord plus étroit avec le roi Alexandre Iᵉʳ de Yougoslavie – ce qui leur coûtera la vie – Barthou ne peut se contenter de la « Petite Entente ». Restent l'URSS et l'Italie. La première, associée à l'Allemagne depuis le traité de Rapallo (1922) est suspectée de vouloir déstabiliser les démocraties occidentales *via* la IIIᵉ Internationale. Faute d'avoir chassé les bolcheviks, on a isolé l'URSS en créant autour d'elle des « États-tampons ». Mais elle semble la seule puissance capable d'inquiéter Hitler. Pour le moins convenait-il de desserrer ses liens éventuels avec l'Allemagne. Herriot avait reconnu le nouveau régime, puis signé un traité de non-agression avec la « patrie du socialisme » en 1932. Sans illusions sur Staline, Barthou multiplie les contacts en vue d'une alliance militaire. Pierre Laval, son successeur au Quai d'Orsay, signe en 1935 un traité d'assistance mutuelle avec l'URSS, fort vague. Mais il tarde à le faire ratifier par les Chambres, car il préfère de beaucoup s'entendre avec l'Italie de Mussolini et répugne à durcir l'isolement de l'Allemagne.

Le contentieux franco-italien persiste en raison des visées « révisionnistes » de l'Italie, de ses ambitions coloniales et d'une lutte d'influence en Méditerranée. Mais Mussolini refuse l'*Anschluss* de l'Autriche que tente Hitler en 1934 et redoute ce dictateur concurrent. Il se tourne donc vers la France, espérant qu'elle appuiera ses projets d'expansion en Afrique orientale (Abyssinie), en échange de son soutien contre Hitler en Europe centrale. En janvier 1935, les accords territoriaux et économiques sont assortis de la promesse de Laval de laisser à Mussolini « les mains libres » en Éthiopie – expression ambiguë… Lorsqu'Hitler rétablit le service militaire obligatoire, Italiens, Français et Anglais se rencontrent à Stresa en avril 1935, sans se rapprocher vraiment.

En octobre 1935, l'attaque par l'Italie de l'Éthiopie indépendante disloque le « front de Stresa » : pour conserver le contrôle de la « route des Indes », le Royaume-Uni réagit vigoureusement, tandis que Laval s'emploie à atténuer les sanctions économiques prises à la SDN contre l'Italie, qui vient d'attaquer un État-membre... Or le dictateur fasciste a besoin d'appuis, que lui propose Hitler. Dès 1936, Mussolini s'éloigne des démocraties, notamment après sa victoire contre le *négus* d'Éthiopie et pendant la guerre civile espagnole : Allemands et Italiens soutiennent le putsch du général Franco contre le gouvernement légal du *Frente popular*, prélude à une guerre de trois ans. L'Allemagne reconnaît les intérêts italiens en Méditerranée et en Afrique, tandis que l'Italie renonce à l'Europe centrale : « l'axe Rome-Berlin » (1er novembre 1936) se renforce au cours de 1937. La politique « des petits pas » menée par Laval dans toutes les directions n'a pas clarifié les relations internationales, ni détaché l'Italie du camp des « révisionnistes ». Pire, les alliés des années 1920 (Roumanie, Pologne, Yougoslavie, Belgique) se sont peu à peu détournés de la France.

3. L'indispensable alliance anglaise

La solidarité manifestée par le Royaume-Uni durant la Première Guerre mondiale s'estompe. Le Royaume-Uni fait prévaloir ses intérêts de puissance maritime. La conférence de Washington sur le désarmement naval (1922) fixe les rapports de force mondiaux entre les différentes marines de guerre. En 1935, le Royaume-Uni s'entend directement avec le *Reich* pour que la flotte allemande ne dépasse pas le tiers de la *Navy*, ce qui signifie sa reconstitution... La volonté de privilégier les liens avec l'Empire (« préférence impériale », 1932) et la force du pacifisme conduisent les Britanniques à éviter tout engagement en Europe. Ils accusent la France de vouloir dominer le continent et réprouvent sa dureté envers l'Allemagne. La politique « d'apaisement » du Premier ministre Chamberlain, soutenue par l'opinion, répond aux coups de force d'Hitler entre 1936 et 1938 par une volonté de négocier afin de ne pas enclencher l'irréparable.

Cette optique défensive rejoint les sentiments des Français. Les militaires trouvent peu crédibles les autres alliances françaises. La France dépend de la position anglaise, qui évolue lentement, tant qu'Hitler s'intéresse à des populations « allemandes ». Les deux démocraties réagissent faiblement à l'Anschluss (mars 1938) et capitulent devant les exigences du *Führer* sur la Tchécoslovaquie. Il menace d'envahir le territoire des Sudètes (où se trouve une minorité allemande), vital pour l'État tchécoslovaque, qui demande la protection de son allié français. *In extremis*, une conférence réunit le 29 septembre 1938 à Munich les dirigeants des quatre puissances (sans Tchécoslovaquie ni URSS...). Les accords conclus entre Hitler, Mussolini, Chamberlain et Daladier consacrent l'annexion des Sudètes. La volonté de paix à tout prix et la conscience de ne pas être prêts pour un conflit l'ont emporté sur le respect de la signature donnée. Après mars 1939 (démembrement de la Tchécoslovaquie), le Royaume-Uni suit la France dans une politique ferme contre l'Axe qui menace Pologne, Roumanie et Grèce : ils accordent à ces pays leur garantie contre toute attaque. Pourtant, les contacts pris avec Staline, timides, échouent : le pacte de non-agression entre l'Allemagne et l'URSS (23 août 1939) laisse à Hitler les mains libres à l'Est. Mais cette fois-ci, les revendications allemandes sur Dantzig et l'agression contre la Pologne, le 1ᵉʳ septembre 1939, provoquent le 3 septembre les déclarations de guerre britannique et française à l'Allemagne.

D – Le repli sur l'Empire colonial : prudence ou frilosité ?

1. L'organisation de l'Empire

L'entre-deux-guerres marque l'extension maximale de l'Empire (cf. carte en fin d'ouvrage), devenu fierté nationale malgré son faible peuplement et ses structures disparates. Les trois départements algériens dépendent du ministère de l'Intérieur. Les colonies subissent une gestion directe de la métropole (ministère des Colonies), qu'elles soient fédérées (Afrique-Occidentale française, Afrique-Équatoriale française) ou non. Dans les protectorats, moins coûteux, l'administration indigène subsiste, mais sans autonomie militaire ni diplomatique, sous tutelle du ministère des Affaires étrangères. Certains territoires dominés ont un statut incertain, tels le Laos, dirigé par un résident français, ou les mandats. Globalement, la domination française se renforce alors, sans chercher des relais locaux.

2. La tentation impériale

→ **Des politiques contradictoires à l'égard des indigènes**

Après l'indifférence ou l'hostilité initiales à une « aventure coloniale » qui détournerait la France de la « Revanche », le « parti colonial », certes divers, l'a définitivement emporté. L'Empire, sans être une préoccupation majeure, est devenu populaire : slogan de « la plus grande France », publicités exotiques (Banania, Croisières « noire » et « jaune » de Citroën)… L'Exposition coloniale de 1931, orchestrée par le maréchal Lyautey, marque l'apogée de cet engouement.

En théorie, la tradition jacobine repose sur le principe d'assimilation : l'indigène doit absorber l'essentiel de la civilisation française, de façon à devenir un citoyen, jouissant de droits et devoirs identiques à ceux que la patrie accorde à ses enfants. Cette idée républicaine est reprise dans les années 1930 par la SFIO et le PCF du Front populaire, qui ne condamnent que partiellement la conquête coloniale. Elle inspire la loi Jonnart (1919) octroyant l'égalité fiscale aux Algériens musulmans, ou, en 1936, le projet de l'ancien gouverneur de l'Algérie Violette qui propose de donner la citoyenneté aux indigènes « qui se sont pleinement assimilés à la pensée française », moyennant des preuves tangibles – le texte ne sera jamais voté…

Un autre principe peut guider la colonisation, celui de l'association avec la colonie, selon une politique de développement séparé : soit pour des motifs d'inspiration raciste, soit par paternalisme, soit, plus rarement, pour reconnaître la civilisation des colonisés. Le choix du protectorat repose sur les circonstances, sauf au Maroc où Lyautey l'érige en système et s'efforce de garantir les droits des Musulmans. Toutefois, le sentiment de supériorité demeure largement répandu. Les colons, appuyés sur des *lobbies*, déterminent les politiques coloniales et maintiennent l'indigène dans un statut inférieur. Sur le terrain, la domination prend des formes politiques, culturelles, économiques ou sociales, même si certains aspects sont favorables aux autochtones.

→ Des intérêts économiques somme toute limités

Sur le rôle économique de l'Empire, deux conceptions s'affrontent : une stratégie autarcique de « préférence impériale » et une optique libérale souhaitant ouvrir l'Empire au monde. Selon le premier raisonnement, émis dès les années 1920 par des industries traditionnelles aux produits peu compétitifs, le débouché colonial doit être réservé aux producteurs français, en fixant des tarifs douaniers prohibitifs sur les produits étrangers entrant dans l'Empire. En contrepartie, les droits de douane entre la métropole et ses colonies seraient abolis. Certains libéraux s'y opposent, au nom de la nécessité d'améliorer la compétitivité des colonies (et de la métropole) en renforçant leur spécialisation, en limitant les intermédiaires commerciaux et les investissements publics.

La première solution gagne de l'ampleur pendant les années 1930, avec la crise économique, la montée du protectionnisme, la contraction du commerce mondial, les tentatives pour constituer une zone franc. Elle ne nécessite pas une mise en valeur de l'Empire puisque ses ventes accroissent son niveau de vie.

Les barrières douanières sont renforcées entre les colonies françaises et le reste du monde en 1930-1931. La balance commerciale de la métropole avec son Empire devient déficitaire pendant les années 1930 : l'Empire est moins un « débouché » qu'un « réservoir » (J. Marseille), l'ultime preuve de la puissance française, une réserve jugée inépuisable de soldats, de bases et de matières premières. Toutefois, l'assimilation proclamée et constamment repoussée, le blocage de toute réforme du pouvoir des colons et l'absence de véritable mise en valeur fragilisent la domination française.

3. Les germes de la contestation

→ Les conséquences de la colonisation

L'intégration de ces espaces dans le marché mondial introduit des éléments modernisateurs, privilégiant les littoraux : voies ferrées, ports et barrages. Mais la métropole organise les réseaux de transport en fonction de ses intérêts (grandes voies pénétrantes). La circulation monétaire creuse les écarts entre l'économie destinée à l'exportation (plantations, mines) et les activités traditionnelles déclinantes (agriculture vivrière, artisanat). Le secteur moderne se contente d'expédier des produits bruts vers la métropole, qui réinvestit peu les bénéfices sur place. En Indochine, le développement du riz et des plantations d'hévéas profite essentiellement aux colons et à la frange supérieure de la société indochinoise.

Pourtant, l'effort sanitaire des administrateurs et médecins français réduit la mortalité et amorce la transition démographique. L'exode rural, limité, renforce l'urbanisation, soit par gonflement des villes existantes (Indochine, Maghreb), soit par créations (Dakar) qui déplacent le centre de gravité du pays. Les activités exportatrices font appel à l'emploi précaire ou saisonnier. Les sociétés traditionnelles, inégalitaires au demeurant, subissent des mutations irréversibles : l'aristocratie foncière autochtone, la propriété collective paysanne et les petits colons reculent au profit de colons grands propriétaires ou de compagnies. Une petite bourgeoisie locale d'intermédiaires et de fonctionnaires subalternes se forme car les Français n'affluent pas. En Algérie, peuplée en 1926 de 5 millions de Musulmans pour 830 000 Européens (dont 660 000 Français « pieds-noirs »), la population indigène s'accroît beaucoup plus vite. L'immigration s'est tarie. Les conditions sociales s'améliorent trop lentement. Certains cas choquent les voyageurs éclairés, tel Gide (*Voyage au Congo*, 1927) : en Afrique noire, les abus les plus criants (prix, corvées, chantiers meurtriers) cessent en 1935 avec la fin des concessions. Mais les fondements de la domination demeurent.

L'alphabétisation, prenant appui sur l'action des missionnaires chrétiens, progresse nettement en Indochine, en AOF ou au Cameroun, faiblement au Maghreb ou en AEF. L'évangélisation des populations, sauf exception, demeure superficielle, tandis que l'Église tarde à développer un clergé local. Les métropolitains, s'il leur arrive de penser à l'Empire, associent complexe de supériorité et bonne conscience. Le racisme imprègne les figures littéraires ou cinématographiques, présentant le colonisé comme un humain inachevé. C'est méconnaître la richesse de civilisations parfois millénaires et la force des ressentiments culturels.

→ La reconquête de l'identité nationale

L'appel aux soldats ou à la main-d'œuvre indigènes ont favorisé les brassages de population et la diffusion de modes de vie à l'occidentale. D'anciens combattants africains de la Grande Guerre se plient mal aux règles qu'ils rencontrent à leur retour. Les idéaux européens du XIXᵉ siècle (liberté, égalité, nationalisme) se diffusent parmi l'élite scolarisée. La Première Guerre mondiale a porté un coup à la supériorité supposée de l'« homme blanc » (R. Kipling), tandis qu'apparaissent des contre-modèles (Japon, République chinoise, République turque). L'anticolonialisme des États-Unis ou de l'URSS fragilise les empires. Cependant, ces revendications politiques et culturelles ne reposent pas partout sur les mêmes fondements. Si les identités nationales marocaine, malgache, cambodgienne ou vietnamienne apparaissent plus nettes que celles de l'Algérie ou des colonies d'Afrique noire, l'objectif des mouvements nationaux consiste rarement, au début, à exiger l'indépendance.

4. La naissance des mouvements nationaux

➜ Au Maghreb

Dès les années 1920, des mouvements nationalistes agitent le Maghreb. Au Maroc, territoire mal contrôlé par l'Espagne et la France, majoritairement peuplé de Berbères, l'autorité du sultan – à la fois chef politique et religieux – n'est pas partout reconnue. Le symbole de la résistance, Abd-el-Krim, vainc d'abord les Espagnols, puis s'attaque aux Français (1925). La guerre du Rif s'achève en 1926, après de durs combats dirigés par Pétain ; mais la « pacification » prendra dix ans. La France oblige le nouveau sultan Mohammed ben Youssef à proclamer le « dahir berbère » (1930), qui dispense les tribus berbères des obligations coraniques. En protestation, les mouvements d'opposition s'unifient (L'Action marocaine, 1934).

En Tunisie, l'agitation religieuse et politique initiée en 1907 par le Destour (Constitution) se poursuit malgré la répression. Habib Bourguiba crée en 1934 le Néo-Destour ; il propose des réformes inspirées des principes républicains, un temps acceptées par le Front populaire, mais refusées par les colons. Cet échec suscite des émeutes (avril 1938 à Tunis) et une reprise en mains.

L'Algérie n'a jamais connu d'État indépendant. L'idée nationale se forge en réaction au Code de l'indigénat (1881) qui impose l'inégalité fiscale, juridique et civique. Le mouvement des « Jeunes Algériens » réclame depuis 1900 l'assimilation, en vain. Trois courants d'opposition apparaissent. La Fédération des élus indigènes (1930), autour du modéré Ferhat Abbas, souhaite l'intégration. Créée en 1931, l'Association des oulémas (savants théologiens) prône le séparatisme par l'éducation religieuse et favorise chez les jeunes le réveil de l'Islam. Messali Hadj fonde à Paris un courant indépendantiste qui gagne l'Algérie, le Mouvement des nationalistes prolétariens (1926), dirige en 1927 l'Étoile nord-africaine, proche des communistes, et crée le Parti du peuple algérien (1937), vite pourchassé. L'abandon du projet Blum-Violette sonne le glas de ceux qui avaient cru en l'intégration.

➜ En Indochine

Le Laos et le Cambodge demeurent assez calmes, au contraire du Viêtnam. Son nationalisme s'alimente de la mise à l'écart des élites cultivées (mandarins), de la politique autoritaire des résidents français (sauf Varenne) et du refus de l'exploitation. Le système des concessions détourne les productions (riz, caoutchouc) vers l'exportation ; l'effondrement des prix après 1930 ruine beaucoup de catégories sociales. Trois courants d'opposition se structurent alors : en 1927, le Parti national vietnamien, s'inspirant du *Guomindang* chinois ; en 1930, le Parti communiste indochinois, unifié par Nguyên Ai Quoc (futur Hô Chi Minh) ; enfin, des mouvements religieux (caodaïsme). Le premier tente de soulever le peuple par le terrorisme (mutinerie de Yên Bay en 1930), mais sans disposer de son soutien. Le deuxième s'implante dans les campagnes de l'Annam durant l'été 1930. La riposte française, brutale, conduit le PCI à la clandestinité et Hô Chi Minh à la fuite en Chine. L'apaisement tenté en 1936-1937 fait long feu, face aux blocages dus aux intérêts coloniaux. Le retour à l'ordre masque mal la fragilité de la position de la France qui ne s'est pas donné les moyens d'une domination ou d'une intégration durables de son Empire.

E– La perte de rang économique

1. Les concurrents

Les taux de croissance français depuis 1913 demeurent nettement inférieurs à ceux de la « Belle Époque » et, surtout, à ceux des grands pays développés (*cf. tableau*) : le contraste est saisissant entre années 1920 et 1930, puisque le PNB français de 1938 demeure 5 % au-dessous de celui de 1929... La France, bien que restant au quatrième rang des puissances industrielles (sans l'URSS) grâce à l'expansion des années 1920, perd ensuite nettement du terrain pour les produits manufacturés. Cela se traduit après 1930 par une diminution brutale des actifs industriels. Située pour le volume des exportations à la quatrième place (loin derrière le Royaume-Uni et l'Allemagne, puis les États-Unis), la France n'obtient une balance commerciale excédentaire qu'entre 1924 et 1928. Le prix de ses produits (pas seulement agricoles), supérieur aux cours mondiaux, rend difficile le maintien des positions commerciales. Après 1929, le pays tend à se replier sur lui-même et sa zone d'influence. Le retard français en 1939, c'est aussi presque pas d'autoroutes ni de réseau ferré électrifié, peu de voies d'eau à grand gabarit et un faible taux d'équipement en téléphones.

Évolution économique comparée de la France (1913-1938)

	Part dans la production mondiale de produits manufacturés (%)				Part des exporta-tions dans le PNB de la France (%)	Répartition de la population active, par secteur (en %)	Population totale (millions d'habitants)
	France	Allemagne	Roy.-Uni	États-Unis		(agriculture/ industrie/services)	
1913	6,4	15,7	14,0	35,8	20	38/33/28	39,3
1929	6,6	11,6	9,4	42,2	18	32/37/31	41,2
1938	4,5	10,7	9,2	32,2	14	32 /32 /36	41,2
Croissance du PNB				France	Royaume-Uni	Allemagne	États-Unis
(taux de croissance annuel moyen, en %)		1913-1929		+ 1,4	+ 0,7	+ 1,2	+ 3,1
		1929-1938		– 0,4	+ 1,9	+ 3,8	– 0,7

PIB total (indice)		France	Royaume-Uni	Allemagne	États-Unis
Base 100 en 1913 pour chaque pays (en $ 1990)	1913	100	100	100	100
	1919	75,3	100,9	72,3	115,8
	1929	134,4	111,9	121,3	163,0
	1938	129,7	132,5	151,9	154,5
PIB par habitant (en $ 1990)	1913	3 452	4 868	3 833	5 307
	1919	2 785	4 980	2 763	5 687
	1929	4 666	5 255	4 335	6 907
	1938	4 424	5 983	5 126	6 134
Exportations Valeur totale, (en millions de $ 1990)	1913	11 292	39 348	38 200	19 196
	1929	16 600	31 990	35 068	30 368
Productivité du travail (PIB par heure de travail, en 1990, par heure)	1913	2,85	4,40	2,09	5,12
	1929	4,15	5,54	2,89	7,52
	1938	5,35	5,98	3,79	8,64

Source : Annuaire statistique rétrospectif, INSEE, 1966, et A. Maddison, L'Économie mondiale, 1820-1992.
Analyses et statistiques, Paris, OCDE, 1995.

2. La dépendance financière

Par paliers successifs, le franc perd son rayonnement international : alors qu'il assurait en 1914 – loin derrière la livre sterling – le tiers des transactions financières mondiales, sa part s'abaisse à moins d'un dixième vingt-cinq ans plus tard. La monnaie-papier a été émise inconsidérément. États-Unis et Royaume-Uni ne garantissent plus les emprunts officiels français en mars 1919. La Banque de France ne dispose plus des réserves en devises ou en métaux précieux nécessaires pour émettre les billets et ne peut avancer beaucoup d'argent aux gouvernements en butte à des problèmes de trésorerie. Les « plafonds », maxima fixés par la loi à l'émission de billets et aux avances de la Banque de France, ont beau être relevés en 1919, puis 1925, cela ne suffit pas. Le crédit de l'État s'effrite auprès des épargnants, méfiants depuis que leurs rentes ont perdu plus des trois cinquièmes de leur valeur. Toutes les banques spéculent à la baisse contre le franc jusqu'en 1926, achetant livres sterling et dollars. La hausse des prix se combine ainsi à la dépréciation monétaire. Le fiasco de la Ruhr a démontré que le pays ne pouvait se passer d'un règlement international. Des accords entre les ministres des Finances américains, anglais et français rééchelonnent les dettes interalliées en 1923, puis en 1926. Mais le Parlement ne les ratifie qu'en 1929…

Simultanément, les Anglo-Saxons tentent une remise en ordre monétaire : le système du *Gold Exchange Standard* (conférence de Gênes, 1922). Il se fonde sur le rôle de monnaie de réserve donné à la livre et au dollars, garantis par une valeur déterminée en or (parité-or) ; le cours des autres monnaies est fixé par rapport à ces dernières. Leur convertibilité, réduite aux lingots, permet de limiter les mouvements de panique des particuliers. Le franc français, attaqué, est stabilisé à 120 francs pour une livre en décembre 1926, après le retour de Poincaré : la Banque de France reçoit l'autorisation d'intervenir sur les marchés des changes (achat ou vente d'or ou de devises étrangères) pour défendre la monnaie. Après un long débat, le « franc de quatre sous » est dévalué le 25 juin 1928 aux quatre cinquièmes de son poids en or de 1914 – dévaluation par rapport à 1914, mais revalorisation compte tenu de son niveau réel après-guerre. Les spéculations à la hausse du franc, attirant les capitaux, renforcées par les achats d'or effectués par la Banque de France, se multiplient alors : il joue à nouveau le rôle de monnaie de réserve. Pour peu de temps. Surévalué de 20 %, surtout après les dévaluations de la livre (1931) et du dollar (1934), détachés de l'or, le « franc fort » pénalise les exportations. Une nouvelle attaque en 1934-1935 fait voler en éclats le « bloc-or » formé avec les pays fidèles à l'étalon-or (Belgique, Italie…). Blum doit procéder en septembre 1936 à une dévaluation « à chaud », trop faible et tardive, suivie par une série d'autres : en mai 1938, le gouvernement Daladier fixe le franc à moins d'un dixième de son poids-or de 1914. Effectuée « à froid », cette décision sous-estime sciemment sa valeur réelle.

Pour l'opinion, la dégringolade du franc reflète l'impuissance de la nation. Pourtant, santé économique et monétaire ne vont pas toujours de pair. Le « franc faible » des années 1920 coïncide avec une vive croissance et une balance des paiements excédentaire. Elle ne l'est plus à partir de 1932, année où freinage économique et déficit budgétaire se conjuguent aux effets pervers du « franc fort ». Les Français et leurs dirigeants (sauf Paul Reynaud) se crispent sur la valeur de la monnaie, l'un des attributs symboliques de la France victorieuse.

II. Des structures économiques et sociales rigides

A– La croissance économique déséquilibrée des années 1920

1. Un dynamisme incontestable

➜ **Des taux de croissance élevés**

La croissance française, après l'impulsion de la « Belle Époque » et une décélération logique de 1913 à 1924, repart de plus belle ensuite. L'économie française retrouve fin 1922 son niveau de 1913 et le dépasse de plus de 30 % en 1929 – progression parmi les plus fortes des pays industrialisés (*cf. tableau*). Cependant, la décennie 1920 se caractérise par une alternance marquée de périodes d'expansion rapide et de stagnation, voire de récession (1921-1922,1925-1927). La production a chuté par rapport à l'avant-guerre (d'au moins un quart en 1919) : l'économie subit alors une crise de conversion des productions de guerre inutilisables en temps de paix ; les pénuries (main-d'œuvre, matières premières) et la désorganisation des transports empêchent d'utiliser à plein les capacités productives, en légère augmentation en regard de 1914. La demande extérieure s'appuie sur la croissance mondiale (sauf en 1920-1921) et sur le coût réduit des produits français, vu la faiblesse du franc. De 1924 à 1927, les exportations, en particulier de biens manufacturés vers les pays industrialisés et les marchés émergents (Europe centrale, Amérique latine, fractions de l'Empire colonial) l'emportent largement. Pour la première fois depuis un demi-siècle, la balance commerciale devient nettement excédentaire. Mais ce mécanisme s'inverse à nouveau après la fixation du « franc Poincaré » qui facilite les importations. Il suffit que s'effondre en 1930 la demande mondiale en produits de luxe ou de semi-luxe, domaine de prédilection des Français, pour aggraver le déséquilibre commercial.

La demande intérieure est stimulée au début des années 1920. Si l'économie dirigée disparaît rapidement, à la demande des entrepreneurs soucieux de retrouver leur autonomie, le financement de la reconstruction (Crédit national) compense la baisse des dépenses de l'État et assure des investissements importants : bâtiment et travaux publics, transports, équipement. Les indemnités pour dommages de guerre, certes lentement versées, ont été assez généreusement calculées. Le pouvoir d'achat des salariés – une fois l'inflation déduite des salaires nominaux – s'accroît en début et en fin de décennie ; pourtant, ses bénéficiaires, sensibles aux flambées de « vie chère » et aux incertitudes monétaires, le perçoivent mal. Après le "pic" de 1919 (500 000 chômeurs secourus), la disparition du chômage, partiel (sous-emploi) ou total, assure aux salariés un revenu plus élevé et régulier. Cela encourage donc jusqu'en 1927 la consommation des ménages (confection, alimentation, loisirs...). Puis, la pression fiscale indirecte touche les revenus des classes moyennes et populaires.

→ Un effort de modernisation industrielle

L'industrialisation du pays se situe dans le droit-fil de l'impulsion donnée depuis 1900. La croissance industrielle est plus rapide que celle des autres secteurs : en dépit des destructions et des récessions, la production industrielle a augmenté de 40 % entre 1913 et 1929 – la récupération de l'Alsace-Lorraine n'explique pas tout. En 1929, le secondaire (activités extractives et BTP inclus) compte pour 45 % du PIB, contre 25 % pour l'agriculture, et 30 % pour les services. La population active industrielle, avec bien du retard par rapport aux autres pays occidentaux, a rejoint celle de l'agriculture, tout comme la population urbaine dépasse celle des campagnes au seuil des années 1930. Comme, malgré l'immigration, la population active totale n'augmente guère, cette augmentation découle d'un transfert de ruraux (70 000 par an en moyenne dans les années 1920) : artisans, journaliers ou jeunes agriculteurs non encore installés se dirigent vers les industries dynamiques.

Après 1920, s'approfondit en France la « deuxième industrialisation », fondée sur l'emploi de l'acier, de l'électricité et du moteur à explosion. La productivité progresse de 2 à 3 % l'an. La productivité par heure de travail s'accroît encore plus vite que celle par travailleur, en raison de la diminution de l'horaire légal (application progressive de la loi d'avril 1919 limitant la journée de travail à 8 heures, soit 48 heures hebdomadaires, sans diminution de salaire). Cela s'explique tout d'abord par la diffusion de l'innovation (l'application d'une découverte scientifique ou technique à l'échelle industrielle), concernant les produits ou les procédés. Ainsi apparaissent des matériaux nouveaux (aluminium, alliages spéciaux, textiles artificiels) et des objets créés ou profondément améliorés (moteurs électriques, automobiles, avions, radio…). Dans le second cas, un processus de production original transforme nettement la qualité, le volume ou le coût de fabrication d'un bien existant (verre, montage ou usinage des métaux…). Les gains de productivité s'expliquent aussi par la faiblesse de la mécanisation (machines à vapeur, moteurs électriques, machines-outils) dans certaines branches au début du XXᵉ siècle.

Enfin, l'effort a porté sur une nouvelle organisation du travail. Depuis la fin du XIXᵉ siècle, les patrons avaient lutté contre la double activité (ouvriers-paysans), les changements fréquents d'établissement (*turn-over*) et l'importante autonomie subsistant dans le travail usinier ou la fixation des salaires. Les entrepreneurs dynamiques imposent une réorganisation de la structure administrative de leur firme, comme le souhaitait H. Fayol avant la guerre. Les idées de l'ingénieur américain Taylor, diffusées vers 1910, consistent à différencier, à l'échelle de l'atelier, les tâches de conception (les ingénieurs du « bureau des méthodes ») des travaux d'exécution, réalisés par des « manœuvres (ou ouvriers) spécialisés ». Leurs gestes analysés et mesurés par le chronométrage servent à déterminer le salaire suivant le nombre de pièces obtenu (le « travail en miettes » étudié par G. Friedmann). Grâce aux aciers à coupe rapide, les machines-outils, desservies par des personnes rapidement formées, autorisent de moindres tolérances de fabrication et rendent les éléments interchangeables.

Plus globalement, l'« Organisation scientifique du travail » (OST) s'inspire du constructeur automobile américain H. Ford, qui a réorganisé les flux de produits dans l'usine : une circulation plus fluide des pièces (mise en ligne des productions, travail à la chaîne, convoyeurs) et une disposition logique des ateliers (le dernier effectuant le montage final) permettent de diminuer manutentions et frais de stockage, autorisant la production en grande série. En contrepartie de ce « fordisme technique » qui accélère le rythme ouvrier, le « fordisme social » devrait transformer ces travailleurs mieux payés en consommateurs potentiels, assurant le succès de la production de masse.

Les entrepreneurs français retiennent surtout de la rationalisation les aspects techniques, sans l'appliquer entièrement. Amorcée dans les usines d'armement, elle touche la construction automobile, surtout après 1925. L'aventureux A. Citroën convertit son usine d'obus au quai de Javel et importe une chaîne de montage américaine pour réaliser, dès 1919, la Torpédo type A, première voiture française de moyenne série. Il promeut de spectaculaires campagnes publicitaires (illuminant la tour Eiffel des lettres géantes de son nom) ; il expérimente la traction avant en 1934. Dans son sillage, mais prudemment, s'engagent Panhard, Renault, voire Peugeot. Dès 1920, la France produit 40 000 voitures, comme en 1913, retrouvant ainsi le deuxième rang mondial, et 250 000 en 1929, entraînant des industries qui lui sont liées : la sidérurgie, les équipements électriques (bougies Marchal) ou pneumatiques (Michelin). D'autres moyens de transport voient leur production rationalisée, comme la bicyclette ou les camions que fabrique Berliet dans son usine géante de Vénissieux près de Lyon. Bien que moins touchées par l'OST, les industries d'équipement progressent rapidement : BTP, infrastructures de communication, constructions mécaniques et électriques, chimie, raffinage du pétrole (encouragé par la naissance de la CFP et la loi de 1928 encadrant ce secteur stratégique). Ces branches nouvelles ou modernisées poussent la croissance : en 1929, la transformation des métaux dépasse en valeur le textile. Or la géographie industrielle du pays ne subit que quelques inflexions.

Si le Nord demeure la première région industrielle, forte de ses industries extractives (charbon), métallurgiques et agroalimentaires, il est concurrencé pour les produits de base par une Lorraine en plein essor (abondant minerai de fer phosphoreux à présent utilisable). La guerre a revigoré le triangle Le Creusot/Saint-Étienne/Lyon (métallurgie, textile, chimie). Le pôle alsacien retrouvé dispose d'une puissante industrie textile (coton), chimique (engrais) et mécanique de précision. Paris, au cœur d'activités très diversifiées et d'un exceptionnel réseau de transports, conserve ses entreprises traditionnelles à haute valeur ajoutée (orfèvrerie, ameublement, confection de luxe, imprimerie, agroalimentaire...) ; depuis 1900, la capitale y adjoint au nord et à l'est (Saint-Denis, Aubervilliers, Ivry...) de vastes usines de construction mécanique, électrique et un semis de sous-traitants, fixant pour des décennies le nouveau visage des banlieues industrielles. À côté de ces régions anciennement actives, la seconde industrialisation a favorisé le développement des vallées alpines et, secondairement, du piémont pyrénéen (électrométallurgie, aluminium).

→ L'émergence de grandes entreprises

La petite et moyenne entreprise (PME), encouragée par la loi de 1925 sur la SARL (société à responsabilité limitée), domine le tissu industriel et commercial français, même si sa part baisse. Il importe de distinguer l'entreprise, entité juridique définie par son nom et son statut social, de l'établissement, unité physique de production ou de service matérialisée par des bâtiments, des murs, des biens d'équipement... : une entreprise peut comporter plusieurs établissements. Jusqu'aux années 1920, la multitude d'établissements industriels minuscules diminue au profit d'établissements de taille moyenne – mais encore modeste (moins de 100 salariés). Par rachat, faillite ou fusion, s'amorce un processus de concentration financière, sans que cela modifie forcément la taille des établissements concernés.

Dans la grande industrie, en plus de la croissance interne des firmes, une première vague de fusions se déroule au tournant des années 1920-1930 dans le secteur des produits de base et d'équipement : mines, métallurgie (Pont-à-Mousson, tubes d'acier ; Péchiney, aluminium ; Alsthom, matériel ferroviaire), chimie (Usines du Rhône et Poulenc). Cette concentration « horizontale » dans une même branche s'accompagne d'un mouvement d'intégration « verticale », vers l'amont (une firme sidérurgique contrôlant une compagnie minière) ou l'aval. De grands patrons dynamiques, issus des grandes écoles ou ingénieurs, tel E. Mercier (Compagnie générale d'électricité), accentuent cet effort. Émergent également des *holdings*, sociétés de portefeuille détenant des participations dans d'autres sociétés, industrielles ou non. Souvent initiées par une société-mère (Schneider dans la sidérurgie, Saint-Gobain pour le verre), elles exercent rarement un strict contrôle sur la production ou la vente comme aux États-Unis et souffrent d'un défaut de cohérence. En dépit d'un lien accru avec les banques, l'assise financière des entreprises, grandes ou petites, manque de solidité (difficultés pour financer les projets ou organiser la succession du fondateur). Le développement économique de la France des années 1920 reste inégal et partiel.

2. Les blocages

→ Le poids de la France rurale

Le retard français en matière d'infrastructures se comble lentement. Les communes raccordées au réseau électrique passent de 17 % en 1919 à 85 % en 1932 – encore faut-il payer l'abonnement et la consommation. Les chemins de fer d'intérêt local, prolongeant le plan Freycinet, triplent leur longueur entre 1913 et 1936. Le réseau des chemins vicinaux et des routes départementales est dense et entretenu. L'État encourage la modernisation agricole par le biais des Chambres d'agriculture (1924), organismes paritaires (syndicats agricoles/fonctionnaires) dotés de crédits pour diffuser de nouvelles méthodes culturales. Les caisses mutuelles de crédit agricole créées avant la guerre sont regroupées en 1920 dans une caisse nationale avec des aides publiques à l'investissement, mais aux ressources assez faibles.

Pourtant, les conditions de logement n'évoluent guère : certes, la cuisinière tend à remplacer l'âtre ; la pièce unique au sol en terre battue et aux structures précaires, jouxtant souvent l'étable, a en majorité disparu dès l'avant-guerre au profit de constructions plus solides dotées de chambres mieux isolées. Mais moins d'une ferme sur cinq dispose de l'eau courante en 1930. Les brassages de population pendant le conflit, une alimentation plus diversifiée, les indemnités de guerre, la vente par correspondance (prêt-à-porter ou modèles d'habits, catalogues *Manufrance*) et le démarchage à domicile suscitent des envies de consommation. Elles se heurtent aux habitudes d'épargne liées à l'irrégularité des revenus : l'exploitant tente d'atteindre une taille critique, censée le rendre indépendant.

La guerre a provoqué des vides chez les paysans (un homme sur cinq éliminé ou hors d'état de travailler) et, à plus long terme, le départ des veuves. Ceux qui restent peuvent agrandir leur propriété : le prix de l'hectare a diminué avec l'inflation et l'offre de terres arables. Les années 1920 marquent l'apogée de l'exploitation familiale paysanne en faire-valoir direct : les toutes petites (moins de 5 ha) et très grandes exploitations (plus de 100 ha) reculent, au profit des moyennes. En 1929, 55 % des exploitations ne disposent d'aucun ouvrier agricole permanent et un quart n'en a qu'un seul. La part des exploitants propriétaires et des fermiers s'accroît (respectivement 52 % et 14 % de la population active agricole en 1929) au détriment des salariés agricoles (30 %) et des métayers (4 %). Pourtant, la propriété demeure morcelée ; le remembrement des parcelles tarde.

Le solde commercial constamment déficitaire de l'agriculture révèle ses carences et sa faible productivité. Les productions animales l'emportent à présent sur les végétales, stimulant les cultures fourragères (choux, betteraves, navets, plutôt que prairies artificielles), mais très en deçà des efforts danois ou anglais.

Les écarts se sont creusés entre les régions spécialisées et les régions isolées, ou déjà peu favorisées par leur sol et leur climat. Le premier groupe se compose des aires ayant su se reconvertir depuis la « grande dépression » de la fin du XIXᵉ siècle (produits laitiers en Poitou-Charentes, céréales en Champagne, vin en Languedoc, viande bovine dans le Charolais), de celles proches des centres urbains (couronne maraîchère autour de Paris, grandes cultures du Nord, qui compte pour 10 % de la valeur agricole française) ou des couloirs de communication (primeurs du Comtat, fleurs de la Côte d'Azur). Elles ont bénéficié des travaux de Pasteur (maladies, conservation des aliments), des recherches agronomiques sur la sélection des espèces animales, l'hybridation des végétaux (blé, puis betterave industrielle, maïs après 1945) et de la rotation complexe des cultures (assolement quadriennal blé/avoine/betterave/fourrage favorable au bétail). Les progrès passent par l'amendement des sols : marnage d'abord (incorporation à la terre de marnes, argiles riches en calcaire), chaulage ensuite (ajout de chaux, plus efficace), engrais chimiques. La charrue « brabant », aux labours plus profonds, s'y diffuse lentement. L'on compte très peu de tracteurs à moteur. Si la faux a partout remplacé la faucille, les récoltes manuelles prédominent. Baisse du prix des machines et hausse des salaires agricoles conduisent les gros exploitants du Nord et de l'Est à mécaniser, sans motoriser (moissonneuses et faucheuses tirées par des chevaux, rares batteuses à vapeur).

Dans le deuxième ensemble (Ouest, Sud-ouest, massifs montagneux), persiste une polyculture consommatrice de surtravail familial, aux rendements médiocres, de plus en plus associée à l'élevage (vaches, porcs). L'antique araire subsiste dans certaines régions rudes (Massif central). Leurs habitants, bien que la pression démographique se soit relâchée, disposent de faibles surplus.

Le monde rural n'est pas immobile, mais ne peut offrir de réels débouchés à l'industrie : les agriculteurs achètent peu de machines ou d'engrais artificiels. Leurs familles, à l'exception du cœur du Bassin parisien, du Nord, des campagnes périurbaines et des axes fluviaux, restent à l'écart des circuits commerciaux, faute de véritables revenus monétaires. Certains agriculteurs s'efforcent de mieux maîtriser l'émiettement de la distribution (maquignons, négociants, marchés locaux) : le mouvement coopératif lancé au début du siècle (éleveurs laitiers, viticulteurs) groupe les achats de semences ou d'engrais et limite les « intermédiaires », mais s'avère souvent inefficace vu l'étroitesse des marchés. Les producteurs ont pu profiter des prix assez élevés des denrées non réquisitionnées jusqu'en 1926. Au-delà, la tendance à la baisse des cours mondiaux (blé, viande, vin) impose sa loi au marché français, soumis au « *dumping* » des pays neufs. Le renforcement douanier n'y change rien, pas plus que la protection des exploitants propriétaires contre les revendications salariales. Les sénateurs appliquent lentement aux salariés agricoles la législation sociale commune (durée et accidents du travail, allocations familiales). Comme à la fin du xixᵉ siècle, une crise majeure menace.

➜ **Rigidités de la population active**

A. Sauvy a longtemps insisté sur le malthusianisme français : la stagnation de la population signifierait une faible demande, un manque de dynamisme patronal et une mentalité de rentier rebelle aux innovations. L'entre-deux-guerres est effectivement marqué par une stagnation du volume de la population active qui ne retrouve pas les niveaux de 1911 (pas plus de 20 millions de personnes). Le nombre d'actifs féminins baisse dès la fin du conflit, notamment dans le secondaire. La main-d'œuvre, surtout industrielle, manque pour les tâches ingrates (manœuvres, salariés agricoles), comme pour les plus qualifiées, notamment dans les industries motrices. Aux facteurs démographiques s'ajoutent les réticences culturelles des Français pour le monde industriel et la préférence pour les services, en particulier de l'État.

La formation professionnelle recèle des lacunes (exagérées), portant sur le niveau de qualification et son adéquation aux transformations du travail. En dépit d'écoles techniques patronales, de cours du soir syndicaux et de classes d'enseignement professionnel, l'essentiel repose encore sur l'apprentissage à l'usine, « sur le tas ». La loi Astier (1919) impose aux nouveaux apprentis des cours professionnels gratuits. Mais cela ne peut couvrir les besoins liés à l'OST, créateurs de qualifications nouvelles (outilleurs, régleurs). Les cadres intermédiaires de l'industrie font défaut. Le salariat, contrairement aux autres pays industrialisés, n'est pas majoritaire. Presque un Français sur deux répond à l'idéal du petit producteur autonome que prône la IIIᵉ République, si l'on regroupe la paysannerie indépendante, l'artisanat, le petit commerce, les professions libérales et le patronat.

➜ **Les archaïsmes du secteur industriel**

▶ **Des structures émiettées.** Le dualisme entre grandes entreprises et PME ne s'est qu'en partie réduit au fil des années 1920. La formation de la « grande entreprise moderne », dotée de services clairement déterminés et d'une organisation hiérarchisée, retarde. Même Rhône-Poulenc ne supporte pas la comparaison avec les géants allemands (IG Farben) ou britannique (ICI). La multiplication à l'échelon national des ententes ou des cartels (« comptoirs »), destinés à se répartir le marché d'un produit (charbon, acier, textile…), traduit une certaine frilosité. E. Chadeau a montré que l'industrie aéronautique souffre d'un manque de concentration car le ministère des Armées préfère multiplier les prototypes pour favoriser la concurrence, au détriment des séries longues, rentables. Toutefois, contrairement aux analyses critiques des décideurs des « Trente Glorieuses » ou des historiens anglo-saxons, l'importance des PME ne signifie pas nécessairement arriération économique, mais souvent adaptation aux structures émiettées du marché français (M. Lescure) ; une minorité figure d'ailleurs à la pointe de l'innovation.

▶ **La perte de compétitivité.** La France souffre après 1918 de la faiblesse de ses industries de transformation, par rapport à l'importance prise par les produits de base. Malgré le dynamisme de la confection ou de la « mode », l'industrie textile enregistre une nette baisse de ses effectifs et sa production globale est inférieure en 1929 à celle d'avant la guerre. Les autres industries traditionnelles connaissent une croissance lente. Les exportations industrielles diminuent dès 1928 : les progrès sont insuffisants pour affronter un retournement majeur de la conjoncture.

B– La dépression des années 1930

1. Les origines controversées de la « crise de 1929 » en France

Aux yeux des contemporains, le krach de la Bourse de New York (le 24 octobre 1929, « Jeudi noir ») sanctionne la spéculation américaine et l'excessive industrialisation des pays voisins. La France resterait longtemps protégée. Ce sentiment paraît conforté par le maintien des indices de production industrielle jusqu'en 1930, la santé du franc et le faible chômage. La demande intérieure liée aux programmes d'investissement (loi Loucheur de 1928 sur les habitations à bon marché) et à la hausse du pouvoir d'achat soutient jusque-là l'activité. Mais, dès l'été 1930, les prix s'effondrent, la production industrielle et les exportations chutent, les actions boursières se déprécient, les impôts rapportent moins et, après 1933, le franc est menacé. La récession, d'abord insidieuse, s'avère plus durable qu'ailleurs. Les Français prennent brutalement conscience du marasme en 1931.

Certains analystes (J. Marseille) montrent la précocité de la crise française, arguant du repli de certaines branches dès 1928 (textile) ou de leur stagnation en 1929 (automobile, sidérurgie). La crise aurait essentiellement des raisons internes, liées aux contradictions de la croissance française des années 1920. D'autres (R. Boyer) mettent davantage en avant le « décalage » entre l'accroissement de la productivité et celui des salaires. Il faut insister aussi sur la fragilité des exportations de produits de luxe ou de semi-luxe frappés par la contraction de la demande mondiale, l'ampleur du protectionnisme et la surestimation du franc. La baisse des investissements est aggravée par l'anémie boursière, l'étroitesse des marges bénéficiaires des entreprises et l'interruption du versement des « réparations » (juin 1931). Le repli sur l'Empire est illusoire. Enfin, la baisse de l'activité globale et la crise du monde rural amoindrissent la demande intérieure, alors que les politiques publiques fourmillent de contradictions.

2. De graves difficultés sectorielles

La dépression agricole est précoce. Jusqu'en 1934, une série de bonnes récoltes amplifie en France la surproduction chronique de blé, vin, betteraves à sucre ou pommes de terre, plus chers que leurs concurrents étrangers. En cinq ans, les cours diminuent du quart à la moitié, notamment en 1934-1935. Les agriculteurs ont alors perdu plus de 20 % de leur pouvoir d'achat.

La production industrielle répercute la diminution de la demande mondiale avec un certain retard. Son indice global (SGF-INSEE) passe de 133 en 1930 à 98 en 1932, 100 en 1934, 96 en 1935, 109 en 1937 et 100 en 1938. Les embellies (1933, 1936-1937) restent très timides. Apparaissent touchés les produits de base, les constructions mécaniques. Les branches modernes maintiennent leur croissance (réduite) grâce à des protections : soit par leur position de monopole ou de service public (gaz, eau, électricité), soit par les subventions ou les commandes étatiques (chantiers navals, constructeurs d'avions). L'automobile, après de fortes difficultés (Citroën racheté en 1934 par Michelin), reprend sa progression. Les entreprises engagées à l'exportation, vite atteintes, ont réagi plus énergiquement. Les firmes plus grandes ont bénéficié des faillites de PME (1932-1935), qui ont subi un étouffement progressif (diminution des horaires, absence d'investissements, matériel obsolète) jusqu'à la fermeture, partielle ou définitive.

Le tertiaire n'est pas épargné. Le petit commerce semble plus protégé, par ses archaïsmes, que le secteur bancaire, où surviennent des faillites retentissantes. L'État doit assurer le sauvetage de la Banque nationale de crédit (1932), dont il contrôle la gestion, alors que réapparaissent les déficits publics.

3. Des remèdes inadaptés

Sous-estimée au début, la récession est combattue par des méthodes diverses, dont les contradictions, autant que les rigidités françaises, freinent l'efficacité. Le recul de l'activité diminue les rentrées fiscales : les ambitieux programmes de Poincaré et Tardieu (« politique de la prospérité », Plan d'outillage national) sont largement abandonnés. Or, opinion et hommes politiques croient que le déficit budgétaire cause la crise, et non l'inverse. Il faut distinguer les actes des discours : beaucoup prétendent réduire les dépenses, tout en étant contraints de soutenir l'économie.

➜ De 1931 à 1935

D'abord, l'objectif des responsables politiques consiste à limiter la quantité de biens sur le marché. Pour freiner les importations, il suffit de relever les tarifs douaniers sur les denrées agricoles (1931) et les biens industriels (1932) importés, d'ajouter en 1931 une surtaxe de change de 15 % à l'encontre des pays ayant dévalué, voire des contingentements. Cela risque de provoquer, en cas de reprise, des difficultés. La diminution du déficit commercial observée en cinq ans s'effectue au détriment de la croissance. Pour relever les cours, le gouvernement verse des primes à l'arrachage des vignes ou contraint à distiller le vin et la betterave, transformés en alcool qu'il rachète. Il fixe pour 1933 un prix "plancher" du blé afin de favoriser son stockage, escomptant de mauvaises récoltes. Confrontés à une nouvelle moisson abondante, les agriculteurs se débarrassent de leurs céréales à moitié prix (« blé-gangster »). L'État limite donc les superficies cultivées en blé, puis libère brutalement le marché (1934), sans succès sur les cours. Rien n'a été tenté pour moderniser les structures économiques en dehors de l'encouragement à signer par branche des accords de cartel.

Le retour à l'équilibre budgétaire passe par une réduction des dépenses puisque la ponction fiscale est honnie du contribuable-électeur. Parmi les programmes engagés en 1929-1931, figurent surtout l'augmentation des traitements des fonctionnaires, longtemps bloqués, et la création d'une retraite pour les anciens combattants. Leur pouvoir d'achat s'est accru de près de 20 % depuis le début des années 1930 en raison de la baisse des prix. Le thème de l'agent de l'État « parasite », protégé du chômage, revient en force. La réduction budgétaire est entamée par É. Daladier, C. Chautemps (1933) et surtout G. Doumergue (1934) : amputation des salaires dans la Fonction publique, prélèvements sur les pensions des combattants – limités par leurs protestations.

P. Laval en juin 1935 systématise la politique de « déflation », pour ponctionner la masse monétaire et abaisser les prix de détail français. Il obtient du Parlement de gouverner par décrets-lois financiers : il diminue de 10 % les dépenses de l'État (traitements, dette), en contrepartie partielle d'une baisse identique des loyers, des tarifs du gaz et de l'électricité. En dépit de sa logique, cette politique est condamnée par le refus de dévaluer, par la contraction de la demande et par la brièveté de son expérience, dont l'impopularité compte dans la victoire du « Rassemblement populaire ».

→ Du printemps 1936 au printemps 1938

Porté au pouvoir dans l'espoir de résoudre la crise, inspiré par le *New Deal* de Roosevelt, le Front populaire annonce une politique de « reflation » visant à accroître le pouvoir d'achat populaire, donc la consommation, et à relancer la production et l'emploi, sans dévaluer. Or, écartant l'hypothèse d'une économie dirigée (nationalisations, contrôle des changes...) pour ne pas effaroucher les classes moyennes, il dispose d'une faible marge de manœuvre. La prise de contrôle de la Banque de France et des industries d'armement par l'État ne saurait suffire. L'ampleur des dispositions sociales de l'été 1936, plus forte que prévue en raison des grèves de mai-juin, provoque une tension inflationniste. Pour aussi justifiées qu'elles soient en regard de la condition ouvrière et du retard en matière de négociation collective, les mesures prises alors renchérissent d'un quart le coût du travail. Les accords Matignon signés le 8 juin 1936 entre patronat et syndicats sous l'égide du gouvernement prévoient des hausses de salaires de 7 à 15 %, imposent la réduction de la semaine de travail de 48 à 40 heures (sans possibilité de régler des heures supplémentaires) ainsi que deux semaines de congés payés. Ce qui peut être absorbé par les grandes entreprises jouant sur un effort de productivité ne peut l'être aussi aisément par les PME. Elles transfèrent la hausse des coûts sur les prix au détail ; l'inflation, relancée, annihile rapidement les augmentations de salaire. L'appareil de production français, engourdi, ne peut répondre à l'accroissement de la demande, d'où l'appel aux importations. L'application stricte en 1937 de la loi des 40 heures, censée répartir le travail pour les sans-emploi, freine la production : les chômeurs, souvent dépourvus de qualification, ne peuvent compenser la pénurie d'ouvriers professionnels. Les réticences des patrons, à l'autorité contestée par de multiples grèves résiduelles, et les craintes des détenteurs de capitaux se réfugiant à l'étranger aggravent les difficultés. Blum proclame en février 1937 une « pause » dans les réformes : le retour à l'orthodoxie budgétaire signale son échec économique.

➜ 1938-1939 : quelle reprise ?

Il faut attendre l'automne 1938 pour assister à une poussée de la production industrielle, qui retrouve l'année suivante les sommets atteints en 1929 ; les investissements, les exportations et l'emploi reprennent. L'échec cuisant de la grève générale du 30 novembre 1938, déclenchée par la CGT contre les décrets-lois de P. Reynaud revenant sur le principe des 40 heures, marque une étape importante. Quelle est, dans la reprise, la part de la « politique de l'offre » prônée par ce dernier, qui vise à rassurer les investisseurs, abaisser par une dévaluation nette le coût des marchandises exportées, assouplir la réglementation du travail ? Est-ce cela ou bien le réarmement accéléré en mai 1938 qui donne une issue à la dépression ? Un tel retour au libéralisme économique signifie-t-il que les Français ont alors pris conscience de la nécessité de rompre avec des structures protectrices ? Rien n'est moins sûr.

C – Déclassements et frustrations

1. La revendication d'un statut

➜ Fermeture professionnelle

Certaines classes moyennes, s'organisant, revendiquent un « statut » : professions libérales (avocats 1920, médecins 1927), journalistes (1935) ou ingénieurs. La Confédération des syndicats médicaux français se dote d'une charte défendant la médecine libérale (liberté du choix du médecin par le malade et de la prescription par le médecin, paiement à l'acte, par entente avec le patient). Elle lutte ainsi contre la loi de 1928 sur l'assurance maladie obligatoire qui prévoit des honoraires tarifés par les caisses. Les associations professionnelles d'ingénieurs, issues des anciens élèves des écoles (Polytechnique, Centrale, Arts et Métiers ou, plus récents, Instituts techniques supérieurs), font reconnaître (1934) le titre d'ingénieur, auquel ne peuvent prétendre les « ingénieurs maison » ayant gravi les degrés de la qualification au sein d'une firme. La crainte d'un déclassement hante les artisans ou les boutiquiers s'estimant menacés par l'arrivée dans les centres-villes des magasins à prix unique et affiché (Prisunic à Paris en 1927, Monoprix) ou des magasins à succursales multiples. Ils obtiennent d'ailleurs une restriction de ces installations durant les années 1930.

→ Priorité au « travail national »

Une poussée xénophobe saisit alors les Français (y compris les ouvriers syndiqués), qui réclament le contingentement des entrées et le rapatriement des travailleurs étrangers, accusés d'entretenir le chômage. Durcissement des règles de séjour, pressions sur les chefs d'entreprise, licenciements sélectifs et menaces (militants politiques) font chuter le nombre d'étrangers de 2,9 millions en 1931 à 2,4 en 1936. L'on retient l'image des mineurs polonais du Nord renvoyés par convois, malgré une intégration entamée et des enfants français. Pourtant, le patronat souhaite plutôt conserver les étrangers. D'où la loi de 1932 sur la « protection de la main-d'œuvre nationale », susceptible d'applications nuancées. La xénophobie atteint aussi les professions libérales, qui obtiennent une protection légale contre la « pléthore » de leurs effectifs : médecins (1933) et avocats (1934) limitent l'accès des naturalisés à leur profession.

2. Un exemple : la volonté d'autonomie de la paysannerie

Après le développement du mouvement agrarien à la Belle Époque, dirigé par les notables conservateurs ou républicains, le mécontentement paysan s'exprime de manière plus indépendante. Les deux grandes unions ne constituent pas vraiment un syndicat car elles regroupent tous les agriculteurs, sauf les salariés, et agissent comme un groupe de pression, en encourageant le mouvement coopératif. Leurs dirigeants sont des rentiers du sol, jusqu'à ce que les grands exploitants du Bassin parisien en prennent le contrôle et créent un Comité d'action paysanne (1933). Ils cherchent à homogénéiser le monde agricole en réclamant le soutien de l'État à une « classe paysanne » artificielle. Leur action s'appuie sur une idéologie corporatiste (J. Le Roy Ladurie) qui défend la paysannerie contre le capitalisme et les partis « collectivistes ». Ils entendent renforcer les Chambres d'agriculture. Antiparlementaristes, ils créent en 1934 un « Front paysan » pour lutter contre leur déclassement supposé. Mais la crise radicalise les campagnes. Certains poussent le corporatisme jusqu'à admirer le modèle fasciste de Mussolini. Henri d'Halluin, dit Dorgères, organise les Comités de défense paysanne (1928), ligue dotée d'un service d'ordre, les « Chemises vertes », multipliant les actions hostiles au régime.

Ces forces bruyantes n'ont pas l'exclusivité de la représentation paysanne : les syndicats d'ouvriers agricoles, de métayers, de petits exploitants, créés au tournant du siècle par les « abbés démocrates » (Lemire dans le Nord, Trochu en Bretagne) gagnent en audience. La Jeunesse agricole catholique (JAC), fondée en 1929 pour reconquérir les campagnes au catholicisme, forme des réseaux de militants socialement engagés, aux relations parfois délicates avec la hiérarchie ecclésiastique. SFIO et PCF suscitent des syndicats paysans qui critiquent les grands propriétaires absentéistes et préservent les exploitations familiales revivifiées par le mouvement coopératif. La Confédération nationale paysanne que dirige le socialiste Compère-Morel est présente dans le Centre et le Languedoc. Le communiste Renaud Jean nuance le schéma de collectivisation intégrale des terres et fonde en 1923 la Confédération générale des paysans-travailleurs, implantée dans l'ouest du Massif central. Mais l'audience de ces mouvements demeure faible, même si le programme agraire du Front populaire est bien accueilli dans le Bassin parisien, au-delà des régions rurales traditionnellement à gauche (Sud-Est, Sud-Ouest, nord du Massif central).

Il est symptomatique que toutes ces organisations agricoles dépassent largement les ouvrières : à peine un million en 1913 contre près de 2 en 1930 – soit plus du quart des actifs agricoles. La hantise du déclassement, parmi les classes moyennes indépendantes ou salariées, explique maintes réactions, qu'il ne faut pas attribuer au seul conservatisme. La brutalité des mutations et l'intrusion de la modernité (émergence des cultures de masse, tels le cinéma et la radio) perturbent les schémas de pensée et les stratégies familiales préétablies. La langueur démographique révèle la difficulté à envisager des projets, même si "l'ascenseur social" n'est pas complètement en panne. Les Français souhaitent-ils se doter d'instruments collectifs à la mesure des nouveaux enjeux ou, plus largement, remettre en cause un « modèle républicain » apparemment triomphant en 1919 ?

III. L'épuisement du régime parlementaire ?

A– L'essoufflement des partis traditionnels

1. À gauche

Outre les petites formations de centre gauche à vocation électorale (socialistes indépendants, républicains-socialistes…), forces d'appoint gouvernementales, deux partis dominent la gauche parlementaire : les radicaux et la SFIO. Ils prennent racine dans un terreau commun : héritage de la philosophie des Lumières, « principes de 1789 » à vocation universelle, humanisme fondé sur l'éducation, laïcité, soutien à la République (régime transitoire pour les socialistes). S'y ajoutent, après la guerre, pacifisme, volonté de réconciliation avec l'Allemagne et anticommunisme. Toutefois, ces partis présentent de notables différences et sont traversés de courants antagonistes.

➜ **Influence et faiblesses du radicalisme**
Devenu une véritable organisation politique en 1901, le Parti radical (« républicain radical et radical-socialiste ») apparaît en 1918 indissolublement lié à la IIIᵉ République.

Son poids politique étudié par Serge Berstein demeure : certes, son électorat s'érode, passant d'un tiers des voix au 1er tour des législatives en 1914 à un quart en 1919, puis il se stabilise à moins de 20 % en 1924-1932, pour s'affaisser au-dessous de 15 % en 1936. Le radicalisme, implanté dans le Sud-Ouest, le Massif central, la vallée du Rhône, l'est du Bassin parisien (cf. carte électorale, p. 153), a cédé du terrain dans les villes. Mais le nombre de ses élus, bénéficiant de la « discipline républicaine » (désistements de la gauche modérée), ne baisse pas en proportion : plus de 250 sièges à la Chambre avant 1914, mais autour de 150 encore entre 1919 et 1932 ; il ne perd sa première place à gauche, dépassé parla SFIO, qu'en 1928 (en voix) et 1936 (en sièges). Son influence s'accroît au Sénat, grâce au mode de scrutin qui valorise son enracinement rural. Les radicaux conservent leur première place au Parlement : ils participent entre les deux guerres à trois gouvernements sur quatre et en dirigent près du tiers.

Par-delà les différences, les radicaux sont unis par quelques croyances. Leur réformisme se fonde sur la raison et le progrès, qui prend sa source dans un minimum d'aisance, condition de la dignité humaine. Leur refus de la lutte des classes les fait accuser de conservatisme social. Mais le radical est aussi méfiant face aux « monopoles », aux « féodalités industrielles » qui écrasent les « petits » et peuvent, exceptionnellement, justifier certaines nationalisations. Ce « culte du petit » se fonde sur l'idée de promotion sociale individuelle, notamment par l'école laïque, seule apte à former le citoyen. L'Église (catholique) ne doit plus diriger collectivement les consciences, même si tous les radicaux ne sont pas athées. Ils estiment incarner la République. Leur implantation provinciale tempère leurs tendances jacobines. Leur patriotisme volontiers belliciste s'estompe.

Or le radicalisme souffre d'avoir réalisé l'essentiel de son programme : défense de la République, école primaire obligatoire (donc gratuite) et laïque, séparation de l'Église et de l'État, promotion de la petite propriété. Certes, des théoriciens comme Léon Bourgeois infléchissent l'individualisme des radicaux pour tenter de trouver une troisième voie entre collectivisme et libéralisme : le solidarisme. L'État doit intervenir pour promouvoir les assurances sociales, la vie associative et les mutuelles. Le radicalisme bénéficie aussi du rayonnement du philosophe Alain, qui pousse à son terme l'individualisme radical (1925, *Éléments d'une doctrine radicale*) : l'autorité politique établie doit être contrôlée. Dans la pratique, le mouvement sera souvent loin de répondre à cette exigence…

Les programmes radicaux proposent des réformes administratives, un impôt sur le capital, autorisent les syndicats de fonctionnaires, veulent que la loi de séparation de l'Église et de l'État touche l'Alsace-Moselle. Le projet majeur concerne la gratuité de l'enseignement secondaire – appliquée par Tardieu à partir de 1930 – et la fusion progressive entre les écoles primaires supérieures et le premier cycle des lycées, jusqu'alors réservé aux élites (« École unique » : Jean Zay). Mais le thème de la révision constitutionnelle est abandonné pour ne pas perdre le Sénat. La défense sourcilleuse du parlementarisme pénalise la réflexion sur la réforme de l'État. La forte présence du « lobby colonial » chez les radicaux freine toute évolution dans l'Empire. Le souhait d'une intervention publique se heurte à l'attachement à la propriété. Emportés par leur rhétorique, ils méconnaissent l'économie et entravent, par condescendance misogyne, le vote féminin.

La souplesse de l'organisation radicale joue alors en sa défaveur, à cause d'un divorce entre un sommet, conservateur, et les militants, guère plus de 100 000. À la base, les 800 à 1 000 comités du parti sont coiffés par une fédération départementale, souvent fictive. Le comité exécutif pléthorique (plus de 2 000 personnes) désigné par le congrès annuel se réunit une fois par mois et élit un bureau national et un président : le maire de Lyon Édouard Herriot (1919-1927, 1931-1935), puis Édouard Daladier (1927-1931 et 1935-1938).

Puissante machine électorale, le radicalisme dispose de maints canaux d'influence, qui passent par la presse provinciale en plein essor : plus de 400 journaux le soutiennent, dont La Dépêche (Toulouse) ou Le Progrès (Lyon), et pèsent sur le choix des candidats. Le radicalisme puise ses forces dans les comités locaux, lieux de débats populaires souvent vivaces, certaines loges maçonniques (Grand Orient de France) et les groupements dreyfusistes (Ligue des droits de l'homme, Ligue de l'enseignement). Sans qu'on puisse totalement l'identifier à elles, le parti radical bénéficie du soutien des classes moyennes indépendantes et des professions intellectuelles. Des PME traditionnelles et le monde viticole (Comité républicain du commerce et de l'industrie) le financent, souhaitant une entente avec la droite modérée plutôt qu'avec les socialistes. Le lien des radicaux avec l'appareil d'État (Intérieur, Agriculture, Instruction publique ou Colonies) leur permet d'en faire profiter leurs administrés, au point d'aboutir au clientélisme.

Le fort ancrage provincial des élus radicaux a enraciné la culture politique républicaine. Proches de leurs mandants, dont ils reformulent les souhaits à Paris, ils courent le risque de l'immobilisme. Ils pensent, à tort, que l'équilibre atteint dans les années 1920 entre modernisme et tradition s'avère immuable. Captant les voix de la gauche non radicale dans le Midi sous l'appellation de « radical-socialiste », ils éliminent ce dernier terme pour ne pas effaroucher l'électorat modéré dans le Nord. Le radicalisme oscille entre le centre droit et les socialistes : d'où le conflit entre Herriot, que l'expérience du Cartel a échaudé, et Daladier, soucieux de maintenir la tradition du « bloc des Gauches » et de rénover le parti. L'absence de réflexion doctrinale, réclamée dès la fin des années 1920 par les « Jeunes Turcs » du parti (Jacques Kayser, Pierre Cot, Pierre Mendès France, Bertrand de Jouvenel), jointe à l'inefficacité devant la crise, affecte considérablement son prestige.

→ La SFIO, « synthèse de la tradition républicaine et du marxisme » (J.-M. Mayeur) ?

Après Tours, la SFIO récupère rapidement des adhérents (50 000 en 1921, 110 000 en 1928, 200 000 fin 1936) et surtout un poids électoral (1,7 et 1,9 million d'électeurs en 1928 et 1936). Ce renouveau s'explique par le maintien des références révolutionnaires, l'opposition au Bloc national, le soutien critique sans participation au Cartel des gauches : ils permettent à la SFIO de réintégrer maints « déçus du communisme », au rythme du reflux de la vague révolutionnaire. Profitant de la réorganisation menée par le secrétaire général Paul Faure, Léon Blum dirige le groupe parlementaire socialiste et *Le Populaire*. Conservant son bastion du Nord/Pas-de-Calais, la SFIO se renforce dans le Sud-Ouest, le Sud-Est, le Centre, au détriment du parti radical ; mais elle décline dans l'agglomération parisienne au profit du PCF. Cela signifie que sa base se tertiarise (petits fonctionnaires, employés), alors que son influence demeure faible chez les ouvriers de la grande industrie (sauf Nord et Rhône). Elle bénéficie de la dynamique du « Rassemblement populaire », avant que ses ambiguïtés doctrinales et surtout l'échec du gouvernement Blum n'atteignent sa popularité.

Les structures nationales ont peu de moyens d'intervention ; les fédérations départementales jouent un rôle essentiel dans les candidatures et les débats. Le projet de la SFIO (1921) se réclame des idéaux marxistes (lutte des classes, volonté d'une révolution sociale, refus de toute participation à un gouvernement « bourgeois » avec les radicaux), mais marque quelques adaptations sous l'influence d'A. Thomas et de L. Jouhaux. L'énergie, les chemins de fer, les organismes de crédit ou d'assurance nationalisés seraient gérés par patronat, salariés et État – et non plus collectivisés. Mais le courant guesdiste repousse en 1922 ces nouveautés pour ne pas donner prise aux accusations de réformisme proférées par le PCF. D'autres mesures immédiates portent sur la démocratisation politique (vote des femmes, suppression du Sénat) et éducative (gratuité de l'enseignement secondaire), sur la régulation des marchés agricoles ou sur les assurances sociales. Le pacifisme, profond, s'exprime nettement chez P. Faure et le Syndicat national des instituteurs d'André Delmas. Par la suite, la crise conduit le parti à préciser son programme économique (« reflation », nationalisations…).

La SFIO est traversée par trois courants. Le premier, majoritaire, dirigé par L. Blum et P. Faure, s'il conserve l'objectif révolutionnaire, entend réduire la violence inhérente à la « conquête du pouvoir ». En attendant, face au régime parlementaire, il faut procéder par étapes, en fonction des résultats électoraux : si la gauche et, à l'intérieur de celle-ci, la SFIO, est majoritaire, cette dernière doit assumer l'« exercice du pouvoir » pour veiller aux intérêts de la classe ouvrière, mais dans un système capitaliste. Si la gauche a la majorité, mais que la SFIO vient au second rang, elle doit soutenir le gouvernement sans y participer. Si la gauche n'est pas majoritaire, aucun soutien n'est envisageable. Ces distinctions subtiles ne mettent toutefois pas à l'abri des interrogations lorsqu'il s'agit de voter telle mesure sociale.

Les deux autres tendances restent minoritaires : la gauche, animée par des responsables de la fédération de la Seine influencés par le trotskisme (Zyromski, Pivert), milite pour une conquête rapide du pouvoir, veut se rapprocher du PCF, puis prône un « Front populaire de combat ». La « Gauche révolutionnaire », fondée en 1935, se fait exclure du parti en 1938, donnant naissance à un éphémère parti socialiste ouvrier et paysan.

Le troisième courant, à droite de la SFIO, animé par Pierre Renaudel, Paul Ramadier, Adrien Marquet et Marcel Déat, provoque des débats plus dangereux pour les majoritaires ; remettant en cause la doctrine révolutionnaire, ils pointent du doigt les contradictions des dirigeants. À la fin des années 1920, les analyses du Belge Henri de Man (*Au-delà du marxisme*, trad. 1929) ont contesté les références marxistes. Ses idées, favorables à une planification économique, rencontrent un écho dans la SFIO (groupe « Révolution constructive » : R. Marjolin, G. Lefranc) et la CGT (courant planiste). Marcel Déat explique (*Perspectives socialistes*, 1930) que la crise économique prolétarise des classes moyennes qu'il faut éviter de rejeter vers le fascisme par une attitude trop sectaire. L'État doit contrôler plutôt qu'exproprier, laissant la gestion aux syndicats ou aux coopératives. Adrien Marquet, lui, réhabilite la nation et l'autorité. Blum redoute une dérive vers l'extrême droite. Comme se repose avec acuité la vieille question de la participation à un ministère radical, à laquelle le groupe parlementaire et les « néo-socialistes » sont favorables, ces derniers sont exclus en 1933 pour avoir soutenu Daladier. Mais l'aspiration à un renouveau demeure. Largement anticommuniste mais aiguillonnée par le PCF, la SFIO peine à tirer les leçons de sa participation à l'Union sacrée et à accepter sa pratique et son électorat réformistes.

2. À droite

Certains traits communs caractérisent les formations de la droite parlementaire – qu'elles partagent parfois avec les ligues : anticommunisme, défense de l'ordre social, de la famille et des valeurs chrétiennes, attachement à la monnaie, nationalisme plutôt défensif, hostilité aux abandons de souveraineté, volonté de réduire les empiètements de l'État. Cependant, ces partis sont avant tout des groupements de notables (adhérents directs ou assemblés en comités), à visées électorales, et non des lieux d'éducation militante. L'individualisme de ces personnalités et la diversité des cultures régionales rendent quasi impossible une discipline nationale, sauf lorsque des intérêts majeurs leur semblent menacés. Ils ne comptent guère plus de 20 000 membres, mais disposent d'influents réseaux. Les milieux d'affaires, notamment par l'intermédiaire de l'Union des intérêts économiques, financent la droite. La plupart des publications nationales la soutiennent, qu'il s'agisse de la presse d'opinion ou de journaux d'information à grand tirage, diffusant une idéologie conformiste. Son ascendant électoral se situe alors au nord d'une ligne Pau-Genève : régions traditionnellement conservatrices (ouest de la France, sud du Massif central, couronne du Bassin parisien), mais aussi d'autres plus récemment conquises, par nationalisme (Nord-Est, Jura, Paris *intra-muros*).

La droite qui joue le jeu institutionnel depuis le début du XXe siècle comporte deux grandes familles : la droite parlementaire et les « modérés ». La première se compte dans les rangs de la Fédération républicaine, fondée en 1903 par des républicains « progressistes » (Méline) qui refusaient toute entente avec les radicaux. Ils ont été rejoints par des catholiques conservateurs ralliés au régime. Plus importante en voix (au moins les deux cinquièmes de l'électorat, soit 2 à 3 millions) qu'en sièges (entre 100 et 150), elle accepte dans les années 1920 le parlementarisme, qu'incarne son président depuis 1925, Louis Marin. La Fédération a des liens privilégiés avec la Fédération nationale catholique du général de Castelnau, implantée dans l'Ouest, soucieuse de défendre les élites traditionnelles rurales et l'Église. Toutefois, ce parti est divisé entre cléricaux et partisans d'une certaine retenue confessionnelle, entre briandistes et nationalistes (Marin, le sidérurgiste lorrain de Wendel), entre libéraux et autoritaires (Taittinger, Henriot, Vallat). Son hétérogénéité s'accuse dans les années 1930, lorsque ce dernier groupe remet en cause le régime et prône des solutions antiparlementaires.

En fait, le rôle politique essentiel est joué par les « modérés », issus du ralliement sincère à la IIIᵉ République et acceptant de gouverner avec les radicaux dégagés de toute alliance socialiste ; d'où un jeu de balance qui favorise les retournements de majorité. Généralement laïcs, les modérés craignent la remise en cause du libéralisme économique à la française : déséquilibre budgétaire, dévaluation, interventionnisme de l'État. Ils se font les relais des milieux d'affaires. La plupart des hommes de centre droit se retrouvent dans l'Alliance démocratique, que préside Pierre-Étienne Flandin depuis 1933. Divisée au Parlement, l'Alliance compte un électeur sur cinq et souvent entre 100 et 150 députés. Elle alimente régulièrement la République en gouvernants de valeur, parmi la vieille génération du « bloc des Gauches » (Barthou, Poincaré, Leygues) ou parmi les jeunes, aux positions plus tranchées (Tardieu, Reynaud, Flandin). Certains, tel Tardieu déçu de ne pouvoir moderniser la vie politique en créant un grand parti libéral, critiquent le parlementarisme. Mais la transformation majeure pour les droites concerne leurs relations avec le catholicisme, que l'on ne peut plus identifier aussi nettement avec elles.

La mutation que connaît le catholicisme français de l'entre-deux-guerres perturbe les clivages classiques. Le pape Pie XI, souhaitant mener en France une entreprise essentiellement religieuse, encourage un « second ralliement » des catholiques à la République, après celui des années 1890. Il ne s'agit plus seulement de lutter contre les menées laïques du Cartel (défense du Concordat) ou de « reconquérir » le pouvoir, mais de rechristianiser la population, indépendamment du régime. Pie XI critique la primauté donnée par Charles Maurras au politique et à la raison sur l'action proprement confessionnelle. Incomprise par une minorité qui entend restaurer le lien entre l'Église et l'État, voire entre l'Autel et le Trône, la condamnation de l'Action française en décembre 1926 conduit la majorité des catholiques militants à s'orienter vers l'action sociale. Se développe une reconquête destinée à des populations spécifiques, dans la foulée de l'Association catholique de la jeunesse française (ACJF) fondée par Albert de Mun et Léon Harmel à la fin du siècle précédent : Jeunesse ouvrière chrétienne (JOC, 1927), Jeunesse agricole catholique (JAC) et Jeunesse étudiante chrétienne (JEC) en 1929. Le réveil religieux, déjà sensible avant et pendant la Grande Guerre, s'exprime par la formation de forces sociales qui écloront après 1945. La presse confessionnelle (quotidien *La Croix*) atténue ses attaques antirépublicaines. Ce renouveau s'appuie sur la qualité des écrivains chrétiens (Claudel, Bernanos, Mauriac) et sur une intense réflexion concernant la modernité et la science (P. Teilhard de Chardin, J. Maritain, l'abbé Breuil). Cette mutation a une traduction politique, l'affirmation d'un courant démocrate-chrétien à partir des noyaux dispersés créés avant la guerre (*Semaines sociales*). Ainsi naît en 1924 le Parti démocrate populaire, à l'image du puissant Parti populaire italien de Don Luigi Sturzo. Classé au centre droit, implanté en Alsace-Lorraine et dans l'Ouest, il ne compte que 10 à 20 députés. Il existe aussi, à gauche, fortement teinté d'égalitarisme social, un groupe très minoritaire animé par Marc Sangnier, qui après avoir fondé le *Sillon* (condamné par le pape en 1910), dirige *La Jeune République*.

Cependant, le renouvellement des formations traditionnelles tarde. Certains, fascinés par des idéologies de la rupture, franchissent le pas. La fracture plus nette entre gauche et droite après 1935 conduit cette dernière à prendre un virage antilibéral par peur du Front populaire (itinéraires de Tardieu, Laval ou Henriot).

B – L'antiparlementarisme

1. Un sentiment qui se diffuse

→ Scandales et corruption

Les signes de collusion entre milieux politiques et économiques, même s'ils ne sont guère plus fréquents qu'avant, choquent davantage. On attend du régime qu'il se conforme à l'idéal méritocratique qu'il proclame. Or le début des années 1930 voit se multiplier les « affaires » (Hanau 1928 ; Aéropostale 1930 ; Oustric, 1931). Crise économique et surchauffe boursière fragilisent des opérations hasardeuses, sinon frauduleuses. Les politiciens, qualifiés de « vendus », sont accusés de protéger les brebis galeuses. L'archétype en est l'affaire Stavisky. Ce dernier, escroc notoire, parvient à nouer des relations avec des politiciens ; il crée en 1932 une banque, le Crédit municipal de Bayonne, avec le député-maire de cette ville. Il émet des bons, « garantis » par des biens volés. La manipulation apparaît fin 1933, mais le procès est reporté – l'Action française accuse le procureur, beau-frère du président du Conseil radical C. Chautemps. Lorsque Stavisky en fuite est retrouvé mort le 8 janvier 1934, la thèse officielle de son « suicide » ne prend pas. S'ensuit une virulente campagne de presse de la part des ligues, relayées par la droite : Chautemps doit se retirer, alors que se multiplient les manifestations en janvier 1934. Son successeur Daladier renvoie le préfet de police de Paris, Chiappe, trop favorable aux ligues. Le 6 février, le jour de l'investiture de Daladier à la Chambre, les manifestations convoquées place de la Concorde par des associations d'anciens combattants et l'extrême droite dégénèrent : si les Croix-de-Feu et les associations se tiennent à l'écart, une minorité de ligueurs, pour se diriger vers le Palais-Bourbon, attaquent violemment la police, qui riposte : on relèvera 15 morts. Daladier, pourtant investi de la confiance des députés, démissionne le lendemain, lâché par les radicaux. Sans qu'on puisse parler de complot antirépublicain, un président du Conseil a été contraint de partir sous la pression de la rue.

Toutefois, il serait faux de croire à une corruption généralisée et au discrédit de tous les hommes politiques (témoin R. Poincaré). Ceux d'envergure nationale ont dû abandonner toute activité professionnelle. La carrière politique, bâtie sur l'accomplissement successif ou simultané des mandats locaux (conseiller municipal, maire, conseiller général), puis nationaux (député ou sénateur), se professionnalise. L'ouverture aux classes moyennes a nécessité la création d'indemnités parlementaires. Ces hommes doivent vivre de leur action politique : beaucoup ne sont plus des rentiers, ni des fonctionnaires retrouvant leur travail en cas de défaite. La rémunération des maires est insuffisante, la structuration des partis trop faible pour salarier des « permanents ». En contrepartie, on peut être tenté de monnayer son pouvoir.

→ Les insuffisances du fonctionnement politique

Elles proviennent des distorsions entre les vœux des citoyens, nostalgiques d'une supposée unité nationale, et les réalités de la vie politique. Les multiples renversements de ministères raccourcissent la durée de vie des gouvernements (42 entre 1920 et 1940, soit un tous les six mois, voire un tous les trois mois dans les années paroxystiques 1924-1926 et 1932-1936 !) Ce qui apparaît aux politiciens comme les péripéties du débat démocratique passe auprès des électeurs pour une faiblesse scandaleuse. L'on en comprend peu le sens puisqu'il s'agit fréquemment de remanier une liste et non d'affirmer de nouvelles politiques. Gage de continuité, certains ministres marquent leur fonction de leur empreinte : A. Briand (Affaires étrangères), Georges Leygues (Marine), Albert Sarraut (Colonies), É. Daladier (Guerre), Henri Queuille (Agriculture), C. Chautemps (Intérieur).

D'autre part, majorités électorale et parlementaire ne coïncident pas vraiment. Ainsi, la victoire du Cartel des gauches en 1924 aboutit deux ans après au retour du modéré Poincaré ; la progression de la gauche en 1932 se traduit par un gouvernement des centres dirigé par le radical Herriot, vite contraint de démissionner ; la Chambre du Front populaire élue en 1936, basculant à droite, confie la présidence du Conseil à Daladier en 1938, puis au centre droit Reynaud, avant de donner en 1940, dans des circonstances dramatiques, les pouvoirs constituants à Pétain.

Les majorités parlementaires reposent sur des alliances passagères où les partis du centre droit et du centre gauche jouent un rôle majeur (« concentration des centres »). Ils dominent au Sénat, élu au suffrage universel indirect par un collège formé de députés, conseillers généraux et d'arrondissement et délégués des conseils municipaux. Partis-charnières, ils fournissent la plupart des ministres et présidents du Conseil. Pourtant, en 1919 et 1924, apparaît un système combinant pour les législatives scrutin majoritaire et représentation proportionnelle à un tour avec listes départementales. Cela favorise la naissance de coalitions plus larges (« Bloc national », « Cartel des gauches »), donnant l'impression d'une bipolarisation. Outre le flou des étiquettes politiques en province (candidats « républicains »), l'absence de réel accord programmatique empêche toute stabilité. Le retour au scrutin uninominal majoritaire à deux tours dans les limites de l'arrondissement en 1928, 1932 et 1936, n'incite pas aux regroupements. Au premier tour, ce mode de suffrage favorise les notables locaux, au détriment du débat d'idées, et encourage la multiplicité des candidatures. Au second tour, il pousse à l'élection des plus modérés, grâce aux reports de voix. Le manque de structuration de la vie politique aggrave ces mécanismes. La loi reconnaît depuis 1910 les groupes parlementaires, par grandes tendances politiques. Mais la discipline de vote existe peu, pour respecter la liberté individuelle de l'élu. Ainsi, les parlementaires radicaux renversent des gouvernements dans lesquels ils figurent (ministère Briand-Caillaux en 1926, ministère Blum en 1937), voire qu'ils dirigent (Herriot en 1932)... Les lois constitutionnelles de 1875 ne prévoient aucun chef pour le gouvernement : seul l'usage individualise la fonction de président du Conseil, également titulaire d'un portefeuille ministériel jusqu'en 1934. Le principe de la solidarité gouvernementale ne fonctionne guère : les ministres, représentant leur parti, vont jusqu'à faire chuter le gouvernement. La presse d'opinion dénonce tel dirigeant par de violentes campagnes inspirées par ses adversaires, parfois du même parti : de quoi accroître la défiance envers les élus. La question de l'exécutif renforce le thème de « l'homme providentiel », rôle joué en leur temps par Clemenceau, Poincaré, Doumergue ou de La Rocque...

2. Réformer l'État ?

Liée au souvenir du bonapartisme, de la crise du 16 mai 1877, du boulangisme et des ligues, toute initiative pour renforcer l'exécutif est mise en échec par les Assemblées, méfiantes vis-à-vis des personnalités trop affirmées. Clemenceau ne peut accéder à la présidence de la République en 1920. Pourtant, les textes de 1875 dotent le chef de l'État de réels pouvoirs (droit de dissolution, politique extérieure et militaire...), que minorent l'interprétation donnée par le successeur de Mac Mahon (la « Constitution Grévy ») et une pratique d'un demi-siècle. Lorsque Alexandre Millerand, président de la République, propose en 1923 une réforme constitutionnelle en sens opposé (discours d'Évreux), il est acculé à la démission. Son successeur, Gaston Doumergue, redevenu président du Conseil en 1934, charge alors A. Tardieu de rédiger un projet constitutionnel permettant au président de la République de dissoudre la Chambre sans l'accord du Sénat, ou autorisant les décrets-lois en matière financière. Mais Doumergue tarde à faire adopter ces dispositions, rejetées par les radicaux, sauf les décrets-lois. Initié durant la Grande Guerre, ce procédé permet au gouvernement de prendre des mesures qui ont force de loi, à condition de les faire rapidement entériner par le Parlement. Utilisés ensuite en cas d'urgence (1926-1928, 1934, 1935, 1938-1940), ils nécessitent l'accord préalable des Assemblées, qui refusent toujours à la gauche de les employer (Blum chute ainsi en 1937).

À défaut de gagner en pouvoirs, la présidence du Conseil se dote de moyens propres : Conseil national économique consulté sur les grandes questions (Herriot, 1925), secrétariat général du gouvernement (1934), conseillers regroupés dans un cabinet à l'hôtel Matignon, outils statistiques (rôle du démographe Alfred Sauvy)...
Cela va dans le sens d'une « réforme de l'État », thème dominant après 1932. Certains veulent faciliter l'intervention économique et sociale du gouvernement (planisme), donner plus de poids aux « partenaires sociaux » (dans le Sénat) ou à des « experts » (courant technocratique du Redressement français animé par E. Mercier, ou groupe « X-crise » de l'École polytechnique), organiser les professions dans un cadre corporatiste. En matière politique, d'aucuns prévoient des référendums à l'initiative des électeurs ; d'autres souhaitent rationaliser le travail parlementaire (pour mieux contrôler le gouvernement), limiter le poids des commissions au sein des assemblées ou promouvoir l'indépendance de la justice. Apparue au milieu des années 1920, cette floraison de projets est caractéristique des « non-conformistes des années 1930 » (J.-L. Loubet del Bayle), cherchant une « troisième voie » entre droite et gauche. Mais ils ont du mal à avoir une traduction politique car, après une phase de réflexions convergentes, la radicalisation des années 1936-1938 va les éloigner. Certains iront jusqu'à rejeter la République.

C – La IIIe République face à l'extrême droite

Il faut distinguer la critique du régime parlementaire de l'opposition irréductible à la République : beaucoup à droite souhaitent renforcer l'exécutif sans être antirépublicains. Mais des glissements ont pu s'opérer, notamment durant les années 1930.

1. L'Action française

Des ligues nationalistes issues de l'affaire Dreyfus, seule demeure vraiment l'Action française. Elle jouit dans la première moitié des années 1920 d'une influence certaine, liée au prestige de son maître à penser Maurras. Promoteur d'un « nationalisme intégral », ce mouvement fondamentalement hostile à la Révolution française, mais rationaliste, insiste sur les valeurs de la tradition catholique et de la grandeur nationale que la monarchie seule peut restaurer. De faible poids politique, il dispose d'un journal de qualité (*L'Action française*), d'un bras armé, les « Camelots du roi », qui pratiquent l'intimidation et l'agitation de rue – jusqu'à la bastonnade. Il attire toujours quantité d'étudiants et d'intellectuels trouvant la République trop faible ou anticommunistes (écrivains, historiens, journalistes), mais subit un irrémédiable revers lorsque la papauté le condamne. Il faut toute l'autorité pontificale pour imposer cette sanction. Si le courant maurrassien perdure, sa traduction politique subit une grave éclipse. À ces opposants de toujours, s'ajoutent des organisations prenant exemple sur l'Italie fasciste ou, plus tard, sur l'Allemagne nazie.

2. Une tentation fasciste très minoritaire

Zeev Sternhell a voulu montrer comment le fascisme français s'enracine dans la « droite révolutionnaire ». Il existe bien dans le pays des précurseurs théoriques de Mussolini, hostiles au libéralisme, antiparlementaristes, adeptes d'un pouvoir fort, militaristes, farouchement nationalistes, xénophobes (voire antisémites). Mais ces idées ne recouvrent pas l'ensemble des caractéristiques du fascisme ; leur diffusion, restreinte, se heurte à l'ancienneté de l'implantation républicaine, au poids des radicaux dans les classes moyennes et au respect des élites traditionnelles. Après la guerre, la fierté nationale est moins déçue qu'en Allemagne ou en Italie. Les organisations d'anciens combattants canalisent les mécontents tout en restant globalement fidèles à la République. En dépit du goût pour les défilés paramilitaires, des rejets ou attractions qu'ils ont pu susciter, il ne faut pas confondre ligues et mouvement ancien combattant, ni nationalisme et fascisme.

Des mouvements ligueurs contestataires surgissent dans la décennie 1920, mais surtout 1930. Leur objectif : occuper la rue pour faire pression sur le Parlement – contrairement aux partis, à la finalité essentiellement électorale – en général lorsque la gauche est au pouvoir. En 1924, Pierre Taittinger fonde les Jeunesses patriotes (branche cadette de la vénérable Ligue des patriotes), dont les uniformes et bérets bleus rappellent les « chemises noires » de Mussolini ; mais elles rentrent vite dans le rang, absorbées en 1926 par la Fédération nationale catholique. D'autres fleurissent ensuite, telles la Ligue des contribuables et, plus importantes, les Croix-de-Feu, créées en 1927 pour regrouper les anciens combattants décorés, dirigées par le lieutenant-colonel en retraite François de La Rocque en 1931. Ce dernier élargit le mouvement aux enfants de Croix-de-Feu (1932), puis l'ouvre à tous l'année suivante (Regroupement national et Volontaires nationaux) : il le transforme en ligue (15 000 membres en 1930, 60 000 fin 1933, plus de 100 000 en 1935). Avant tout soucieuse d'ordre, elle pèse en faveur de la droite conservatrice. La Rocque rassemble en 1935 toute la nébuleuse Croix-de-Feu sous le nom de Mouvement social français, avant que la dissolution des ligues décrétée par Blum (18 juin 1936) n'oblige l'ancien officier à le métamorphoser en parti, le Parti social français (PSF). Il évolue dans un sens légaliste. Son programme centré sur le nationalisme, le refus des extrémismes, l'autorité, les valeurs catholiques, la réforme de l'État, l'entente patron-ouvrier, attire au point de former avant la guerre le premier parti de France (plus d'1 million d'adhérents en 1938), sans que cela ait une traduction parlementaire en l'absence d'élections générales. Son succès souligne la vivacité d'une droite autoritaire, mais respectueuse de la République.

Ces mouvements politiques ne répondent pas aux caractéristiques du fascisme énoncées par R. Rémond (renouveler les élites par une violence populaire régénératrice et fonder un État totalitaire encadrant sous la direction du chef tous les aspects de la vie). En revanche, après l'éphémère Faisceau fondé en 1925 par un dissident de l'Action française, Georges Valois, et dissous trois ans plus tard, peuvent être qualifiés de fascistes deux partis créés en 1933 sur le modèle italien, insistant sur l'antisémitisme : le francisme, dirigé par Marcel Bucard, et la Solidarité française, menée par le commandant Jean Renaud, aidés financièrement par le patron François Coty. Leur audience demeure marginale (10 000 à 20 000 adhérents) : ce ne sont pas des partis de masse fascistes, bien qu'ils en possèdent les signes extérieurs (uniformes, saluts, parades des services d'ordre, culte du chef, violence). Plus sérieuse – mais postérieure à la « menace fasciste » du 6 février – apparaît la fondation en 1936 du Parti populaire français (PPF) par Jacques Doriot, transfuge du PCF. Assez puissant (plus de 200 000 adhérents à son apogée), le PPF tient un discours vague, anticapitaliste et anticommuniste. Il attire par l'énergie de son tribun des militants, parfois venus d'extrême gauche, soucieux de passer à l'action, et des intellectuels (Pierre Drieu la Rochelle, Alfred Fabre-Luce), sans que Doriot se dise fasciste, ni qu'on puisse parler d'un parti de masse. Les difficultés à en constituer réellement un poussent certains à l'action terroriste, soutenue par Mussolini. La « Cagoule » (en fait l'OSARN), organisation clandestine paramilitaire anticommuniste fondée en 1936 par Eugène Deloncle, multiplie les attentats provocateurs (contre la CGPF) et les assassinats politiques (contre des réfugiés socialistes italiens) dans l'espoir, déçu, que l'on recoure à l'armée pour maintenir l'ordre.

Plus dangereuses pour la démocratie s'avèrent les campagnes des journaux d'extrême droite : outre les pamphlets de *L'Action française*, l'hebdomadaire *Je suis partout* (Robert Brasillach, Lucien Rebatet), ouvertement favorable au fascisme, mais aussi *Gringoire* (Henri Béraud), prêtent leur plume à la xénophobie et à l'antisémitisme. La presse nationaliste aussi se laisse emporter, sous le Front populaire, dans des articles brutaux : en sont victimes les socialistes Roger Salengro, accusé à tort de désertion en 1914-1918 et poussé au suicide en novembre 1936, ou L. Blum attaqué car juif.

À voir dans le cas de la France une répétition des drames italien et allemand, la gauche française mesure mal le trouble de l'opinion et surestime le danger intérieur fasciste, ce qui réactive le réflexe de défense républicaine. Ainsi naît en mars 1934 le Comité de vigilance des intellectuels antifascistes (CVIA) animé par Rivet, Alain et Langevin au nom des principaux courants de la gauche. Mais le thème du « complot communiste » facilité par les faiblesses coupables des gouvernements trouve aussi un large écho. L'enracinement du PCF paraît en fournir la preuve.

D– L'implantation communiste : une « contre-société » ?

Paradoxe que le sort de la SFIC (appelée après 1922 Parti communiste français) : partant d'une situation majoritaire dans le mouvement ouvrier, elle s'affaiblit considérablement pendant les années 1920 par une série d'épurations, tandis que son mode de fonctionnement semble étranger aux traditions ouvrières françaises. Pourtant, à partir d'un noyau militant durablement marqué par les méthodes staliniennes, le PCF devient dans la deuxième moitié des années 1930 un réel parti de masse, récupérant les idéaux de la République jacobine. Il s'implante pour un bon demi-siècle dans des aires entières, modelées dans une sorte de « contre-société » (Annie Kriegel), et devient un puissant facteur d'intégration et de promotion pour le monde ouvrier, suscitant phobies et enthousiasmes.

1. Les scissions (1921-1924)

L'hétérogénéité de la SFIC naissante apparaît vite. Dès 1921, la IIIᵉ Internationale critique les dirigeants français pour leur « opportunisme ». En 1922, son envoyé, J. Humbert-Droz, fait exclure la « droite » du parti cherchant à renouer avec la SFIO. La suit une partie du « centre » (Frossard), soucieux de conserver une relative autonomie par rapport à Moscou. La « gauche » du parti, plus libertaire, subit le même sort, avant que ne vienne le tour en 1924 de ceux accusés de sympathies trotskistes (Souvarine, Monatte), à l'image de l'épuration menée par Staline en URSS, puis d'autres encore en 1929-1931.

À ce rythme, les effectifs fondent (60 000 en 1924, 30 000 en 1934). Attaquant la « République bourgeoise », le PCF mène de violentes campagnes contre l'« impérialisme français » dans la Ruhr ou au Maroc. La tactique « classe contre classe » met droite et gauche traditionnelles sur le même plan : il faut exalter l'imminence de la révolution, protéger l'URSS de Staline, « patrie du socialisme », et arracher l'ouvrier de la SFIO à son parti, « social-traître ». Par l'intermédiaire de la CGT(U), les communistes multiplient les grèves dures (1925), dont l'échec diminue l'influence. La peur des gouvernements et l'antibolchevisme accentuent la répression contre le PCF, dont les dirigeants sont arrêtés (1929). Contraint à une certaine clandestinité, le parti change de nature et renforce son organisation, sous la férule de ses secrétaires généraux : Treint, Sémard (1924-1929), puis l'éphémère « groupe Barbé-Celor » (1929) et enfin Maurice Thorez de 1930 à 1964.

2. La « bolchevisation » et l'isolement (1924-1934)

Staline, pour construire « le socialisme dans un seul pays », crée des instruments dociles, éléments de sa stratégie mondiale. Au lieu des sections organisées sur une base territoriale comme dans la SFIO, les « cellules » reposant sur l'entreprise (2/5ᵉ du total en 1935) - regroupées en « rayons », puis en fédérations à l'échelon régional - structurent le militantisme communiste. Le « centralisme démocratique », conçu pour favoriser la discussion de la base au sommet, et inversement, avant que la décision n'impose l'unité d'action vis-à-vis de l'extérieur du parti, se transforme en « centralisme bureaucratique », où les directives d'un sommet omniscient sont appliquées par les militants : d'où le poids du Comité central et surtout de son organe restreint, le Bureau politique - les délégués aux congrès étant sérieusement canalisés. Les dirigeants, formés à Moscou, surveillés après 1931 par le délégué du Komintern Eugène Fried, constituent l'armature permanente d'un parti de « révolutionnaires professionnels » largement issu du monde ouvrier. Les responsables du PCF « bolchevisé » (M. Thorez, Jacques Duclos, Benoît Frachon, J. Doriot) tranchent par leurs origines sur ceux des autres formations. La conviction qu'un modèle d'État prolétarien rompant avec le « vieux monde » naît en URSS justifie le combat des militants, alors même que la « crise de 1929 » semble prouver la défaite du capitalisme. En réalité, les considérations soviétiques priment. Toutefois, en dépit de témoignages critiques (A. Gide, *Retour de l'URSS*, 1936), des « purges » staliniennes massives des années 1930 et du pacte germano-soviétique, ils gardent confiance en l'URSS. Le discours révolutionnaire du PCF trouve un écho auprès des ouvriers des grandes usines (métallurgistes, OQ qui fournissent les cadres du mouvement, OS) et chez les cheminots (entretien). L'implantation communiste accompagne la croissance des banlieues industrielles parisiennes du nord et de l'est, donnant naissance à la « ceinture rouge » autour de la capitale. La multiplication des lotissements précaires génère pour les « mal lotis » des frustrations qu'exploite le PCF. Sa conquête des mairies dès 1925 (Saint-Denis, Ivry, Nanterre) lui permet de mettre en place logements sociaux, secours, associations municipales, infrastructures de loisirs (stades, piscines), fêtes. D'autres l'avaient fait, mais cette politique systématique permet de fixer les déracinés, ruraux ou étrangers, de leur donner des valeurs communes, « transformant un rejet en fierté » (Annie Fourcaut). Le PCF contrôle aussi l'Association républicaine des combattants (ARAC). Il commence à peser en Seine-et-Oise, Moselle, dans le Nord, l'ouest du Massif central et en Provence.

Mais le sectarisme d'un parti homogénéisé par la force diminue ses soutiens : autour de 7 % aux législatives de 1924 et 1932, 9 % en 1928, très concentrés géographiquement. De 26 députés en 1924, le PCF passe ensuite à une dizaine. La crise facilite la chasse aux militants : le Parti est exsangue en 1933-1934. Certains élus le quittent par respect pour la « discipline républicaine » avec radicaux et socialistes. D'autres critiquent ses stratégies : la scission la plus grave est l'œuvre de J. Doriot, responsable des Jeunesses communistes, député-maire de Saint-Denis, excellent orateur. Il propose une unité d'action au sommet avec la SFIO en février 1934. Thorez le fait exclure en juin – tout en reprenant bientôt sa proposition. Malgré ces faiblesses, le PCF peut revendiquer le titre de « parti de la classe ouvrière », dont il façonne l'identité, créant des mythes (le militant dévoué à la cause, le « métallo »…). Il attire incontestablement, par son intransigeance ou les espoirs qu'il soulève, une large fraction des intellectuels français.

3. Le « tournant » de 1934 et le rassemblement populaire

Depuis 1932, Thorez, qui veut faire admettre les spécificités françaises au Komintern, propose la tactique du « front unique à la base » pour créer une unité d'action avec les militants socialistes, contre leur propre direction. En réaction au 6 février 1934, une manifestation des seuls communistes fait 9 morts le 9 février. Celles du 12 février, convoquées séparément par la gauche, fusionnent leurs cortèges sous la pression de la base. Cependant, les méfiances l'emportent longtemps et la perception du danger nazi est tardive chez les dirigeants communistes. Il faut l'accord du Komintern pour que le PCF change de tactique en juin 1934 (entente au sommet avec la SFIO et les radicaux). Staline se rapproche de la France, dont il approuve les efforts militaires. Thorez suggère en octobre 1934 un « rassemblement » ou « front populaire » alliant classes moyennes et ouvrière par l'intermédiaire des organisations censées les représenter. Il insiste sur le patriotisme du PCF, dans la tradition jacobine. Il favorise les désistements aux municipales de mai 1935 et les rencontres avec les autres organisations de gauche : pacte d'unité d'action avec la SFIO (27 juillet 1934), manifestations conjointes sur une base « antifasciste » (14 juillet 1935), programme commun de Rassemblement populaire (12 janvier 1936), comportant peu de « réformes de structure » pour ne pas effaroucher l'électorat radical. L'unification de la CGT et de la CGT(U) au congrès de Toulouse (mars 1936) crée une dynamique syndicale qui bénéficie surtout aux ex-« unitaires », non sans surenchères. Le PCF accroît son audience (plus de 300 000 adhérents en 1937), double ses voix et sextuple ses députés aux législatives d'avril-mai 1936. Prônant la modération (Thorez, le 8 juin 1936 : « Il faut savoir terminer une grève. [...] Tout n'est pas possible ! »), il soutient globalement, malgré ses critiques (non-intervention en Espagne, « pause » dans les réformes), les gouvernements de Front populaire jusqu'en 1938.

Mais le PCF s'oppose de plus en plus aux gouvernements d'Union nationale à direction radicale, quant à leur politique sociale – il encourage les grèves de novembre 1938 – et, surtout, étrangère, suivant les volte-face de Staline. Le PCF condamne les accords de Munich, puis justifie le pacte germano-soviétique par refus de la « guerre capitaliste » (malgré les hésitations de nombreux communistes, dont les sentiments antinazis sont pris à rebours). Il vote cependant les crédits militaires après l'attaque allemande du 2 septembre 1939, mais refuse de dénoncer l'invasion soviétique en Pologne. Les députés du PCF sont déchus de leurs mandats en janvier 1940, le Parti interdit et ses dirigeants, dont certains refusent de porter les armes, incarcérés ou contraints de fuir. Une telle répression, en pleine guerre, trouble l'opinion. Pourtant, la "greffe" du communisme français a pris : même si, jusqu'en 1934, le PCF vilipende la IIIᵉ République, la sensibilité de son électorat aux thèmes républicains et son évolution tactique ne permettent pas de le ranger avec les adversaires du régime.

La France dans la Seconde Guerre mondiale

I. La déroute de 1940

A– Chronique d'une défaite brutale

1. La « drôle de guerre »

Ainsi se nomme la période pleine d'ambiguïtés s'étendant de la déclaration de guerre (3 septembre 1939) à l'attaque allemande à l'Ouest (10 mai 1940) : l'adversaire n'apparaît pas aussi nettement qu'en 1914. Le pacte germano-soviétique trouble l'opinion, dont une partie voit resurgir le spectre du bolchevisme, comme le PCF, dissous le 26 septembre, désorganisé et désorienté. Les prises de position des politiciens « munichois », la force du courant pacifiste, l'ampleur des crises politiques brouillent la perception du danger immédiat, même après l'entrée en guerre, et divisent le gouvernement. L'inaction imposée aux troupes par l'absence d'initiatives hitlériennes directes contre la France jusqu'au printemps 1940 (pour des raisons météorologiques) et les proclamations rassurantes de Daladier anesthésient encore davantage la population. En effet, les Alliés ne peuvent éviter l'écrasement conjoint de la Pologne, contrainte à capituler le 6 octobre 1939, victime de la *Blitzkrieg* allemande et de l'intervention massive de l'Armée rouge le 17 septembre : les Britanniques sont en train de créer leur armée de terre et les Français, en dehors de quelques escarmouches en Sarre, demeurent retranchés derrière la ligne Maginot. Les dirigeants alliés, traumatisés par les hécatombes de l'été 1914, attendent que leur effort de réarmement et leur supériorité à long terme portent leurs fruits. Hitler, débarrassé de tout ennemi de revers, a le temps de ramener ses troupes vers l'Ouest pour préparer ses offensives. Les Franco-Britanniques, financièrement solidaires depuis le 12 décembre 1939, cherchent à affaiblir le IIIe Reich par des stratégies périphériques : soutien enthousiaste à la Finlande qui tient tête à l'URSS (décembre 1939-mars 1940), volonté de couper la « route du fer » suédois vers l'Allemagne en débarquant un corps expéditionnaire dans le port norvégien de Narvik (avril-mai 1940). Mais la défaite finlandaise et la rapide occupation par l'Allemagne du Danemark, puis de la Norvège (avril 1940), ruinent ces espoirs. Les critiques s'amplifient contre Daladier, également ministre de la Guerre et des Affaires étrangères : la Chambre s'abstient massivement lors du vote de confiance le 20 mars. Paul Reynaud, jugé plus énergique, le remplace le lendemain, mais son gouvernement, toujours partagé entre partisans d'un compromis et bellicistes, ne dispose que d'une étroite majorité. Rien ne change, sinon l'engagement réciproque avec le Royaume-Uni de ne pas conclure d'armistice séparé avec l'Allemagne. Contrairement à la *Wehrmacht*, les forces franco-anglaises manquent d'unité de commandement ; même au sein de l'armée française, des divergences existent, notamment entre son commandant en chef, le général Gamelin, partisan de la défensive, et le général Georges, dirigeant les armées du Nord-Est. Le potentiel de résolution, perceptible chez les Français à l'automne 1939, a été gaspillé.

2. L'attaque allemande

Le 10 mai, Hitler lance une offensive générale sur les Pays-Bas et la Belgique neutres, mettant l'accent sur les nœuds de communication. Comme prévu, croyant y voir une répétition élargie du plan Schlieffen de 1914, les Alliés viennent au secours des Belges (plan Dyle) et des Néerlandais (plan Breda). Mais, simultanément, conformément au plan Manstein, Hitler concentre 9 divisions blindées dans les Ardennes (réputées « infranchissables » par Pétain), à la charnière du dispositif français, entre les troupes montées vers le Nord-Ouest et la ligne Maginot, rangée de fortifications établies entre 1930 et 1935 uniquement face à la frontière allemande. Mal protégée, la Meuse est franchie le 13 près de Sedan et, le 15, les blindés de Guderian, appuyés par des bombardements aériens, réalisent une percée qui s'élargit rapidement. Obliquant vers l'Ouest dans un mouvement tournant, les divisions allemandes, dont la vitesse de déplacement et la concentration créent la panique dans les rangs français, atteignent la Manche le 20 mai. Deux jours auparavant, Reynaud avait remanié son ministère, prenant le portefeuille de la Guerre et confiant au maréchal Pétain la vice-présidence du Conseil. Dès le 10 mai, Winston Churchill avait remplacé Chamberlain dans ses fonctions de Premier ministre britannique.

Les contre-offensives lancées du 21 au 25 par le nouveau généralissime Weygand échouent, faute de coordination et de tactique adaptée : le 28, les Belges capitulent. Profitant d'une erreur d'Hitler qui freine ses troupes, les armées franco-anglaises du Nord, encerclées, peuvent se replier sur Dunkerque pour évacuer ce qui peut l'être : jusqu'au 3 juin, dans des conditions épouvantables, 350 000 hommes (dont plus de 100 000 Français) gagnent l'Angleterre. S'engage alors la « bataille de France ». Le 4 juin, Weygand reconstitue une ligne de défense s'étirant de la Somme à l'Aisne, dans un état d'infériorité numérique (de un à deux) et de désorganisation tel que le front craque dès le 6. Le surlendemain, la situation est devenue désespérée et le haut commandement, pris de vitesse, apparaît totalement dépassé : le 10 juin, le gouvernement quitte Paris pour la Loire, puis Bordeaux, tandis que Weygand donne l'ordre de repli général le 12 ; Paris, « ville ouverte », est occupée le 14. Dans cette atmosphère confuse, certaines unités résistent héroïquement alors que d'autres, proches, s'évanouissent avec leurs officiers. Les mouvements de troupes sont gênés par l'« exode » devenu massif de 7 à 8 millions de civils bombardés, en détresse sur les routes, fuyant la Belgique, le nord de la France et Paris devant l'avancée des Allemands. Ces derniers s'enfoncent vers l'Ouest, le long de l'axe rhodanien et du littoral atlantique, d'autant plus facilement que le nouveau président du Conseil Pétain annonce le 17 juin, avant d'avoir discuté de l'armistice, qu'il faut « cesser le combat », multipliant ainsi le nombre des prisonniers.

3. Armistice ou capitulation ?

Le gouvernement, peu à la hauteur de la situation, est violemment partagé entre les tenants de la capitulation, qui engage la seule armée, et ceux de l'armistice, que devraient assumer les responsables politiques. Les premiers (Reynaud, le ministre de l'Intérieur Mandel, le tout récemment promu général Charles de Gaulle, sous-secrétaire d'État à la Guerre depuis le 6 juin) veulent continuer le combat aux côtés de l'Angleterre, depuis l'Afrique du Nord, appuyés sur l'Empire et la flotte. Les seconds (Pétain, Weygand, Chautemps) entendent éviter le déshonneur militaire d'une capitulation et protéger la population en négociant les conditions d'un armistice. Autour de Laval, un groupe de parlementaires fait pression en ce sens. Churchill a beau assurer la France de son total appui, les partisans de cette solution semblent les plus nombreux. Touché par le défaitisme, se croyant minoritaire, Reynaud remet sa démission le 16 juin : Pétain le remplace immédiatement. Pourtant, certains hauts responsables pensent gagner l'Afrique du Nord : en fin de compte, 27 parlementaires seulement (Daladier, Zay) quittent Bordeaux à bord du *Massilia* le 21 juin ; ils seront arrêtés à leur arrivée le 24 et accusés d'avoir pris la fuite... Depuis Londres, de Gaulle prononce le 18 juin à la radio un « appel », sur le moment peu entendu, mais destiné à passer à la postérité comme le geste fondateur de la Résistance française ; convaincu que la bataille de France ne met pas fin à une guerre d'ampleur mondiale, il invite militaires et techniciens à le rejoindre. Pour l'heure, en dépit de la pertinence de l'analyse, une telle position ne semble guère réaliste ; rares sont les Français, dans l'ensemble abasourdis par la déroute, désireux de poursuivre les combats.

Ils écoutent davantage Pétain, nom glorieux et rassurant auquel ils se raccrochent. Son message du 20 juin désigne les motifs de la défaite : « trop peu d'enfants, trop peu d'armes, trop peu d'Alliés » – affirmations largement erronées ; selon lui, « l'esprit de jouissance l'a emporté sur l'esprit de sacrifice » : c'est insister sur la responsabilité des dirigeants de la IIIe République, mais aussi de la population gagnée par le désordre moral. Soucieux de conforter les hiérarchies traditionnelles, hostile au communisme et au Front populaire, antiparlementariste, Pétain, après avoir réglé la question de l'armistice, espère bien profiter de la situation pour imposer un nouveau régime jetant les bases du « redressement français ».

B – L'armistice

Entrant immédiatement en contact avec les Allemands, le Maréchal charge une commission dirigée par le général Huntzinger de négocier les conditions de l'armistice, prélude à la conclusion d'une paix. L'accord, signé le 22 juin dans le wagon de Rethondes, entre en vigueur le 25. Entre-temps, un autre armistice a été négocié avec l'Italie, entrée en guerre contre la France le 10 juin sans succès militaire. Les conditions, savamment dosées par Hitler pour éviter que ne repose sur l'Allemagne le poids d'une administration totale du pays, se révèlent très dures, même si persiste la fiction d'une souveraineté du gouvernement français sur l'ensemble du territoire.

L'armée d'armistice, réduite à 100 000 hommes, sert à maintenir l'ordre. 1,8 million de soldats français demeurent prisonniers de guerre en Allemagne. Le matériel militaire doit lui être donné sans que la France puisse le reconstituer. Sa flotte, désarmée, rejoindra ses ports d'attache, mais le Reich ne peut l'utiliser. L'armée allemande occupe les trois cinquièmes de la France (la partie la plus industrielle et urbanisée), dans lesquels l'administration française s'engage à collaborer avec la puissance occupante en se conformant à ses réglementations. Point infamant, Vichy doit livrer les ressortissants allemands réfugiés que l'occupant lui désignera. Une indemnité d'occupation quotidienne de 20 millions de *Reichsmark* est versée au titre des frais d'entretien de la *Wehrmacht* en France ; le mark, surévalué de 20 % par rapport au franc, bénéficie d'un taux de change très avantageux.

En outre, la division du territoire en deux zones, « occupée » et « libre », ne résiste pas à l'épreuve des faits. La France métropolitaine est en réalité découpée en cinq : une zone « rattachée » au commandement militaire allemand de Bruxelles (Nord), une « annexée » au Reich, au mépris des conventions d'armistice (Alsace-Lorraine), une « interdite » au retour des réfugiés ou « réservée » pour une éventuelle colonisation « aryenne » (Nord-Est et bande littorale), le reste de la zone « occupée » et enfin la zone « libre » au sud de la « ligne de démarcation ». Leurs limites, contrôlées par les Allemands, constituent autant de moyens de pression sur Vichy : restreindre l'accès à chacune d'entre elles permet de décourager toute velléité d'opposition, voire de réduire les approvisionnements. Perçu alors par beaucoup de Français comme un moyen de temporiser ou de retrouver un semblant de vie normale, l'armistice se révèle un piège redoutable.

C – Comment expliquer la défaite ?

Les effets de l'anémie démographique française ne sont pas tels que le pays ne puisse constituer une armée suffisante. Certes, toute guerre prolongée tournerait à son désavantage, faute de réserves, face aux 65 millions d'Allemands. Mais, en septembre 1939, la France parvient à mobiliser 5,7 millions d'hommes, soit 2,8 millions de soldats (contre respectivement 3,5 et 2,6 millions pour l'Allemagne). Pourtant, la « première armée du monde » en 1918 a perdu de son tranchant. À quoi attribuer un tel retournement ?

1. Des doctrines figées

Le haut commandement français (dont Pétain) privilégie une stratégie défensive, adaptée au rythme du fantassin. Les chars sont conçus comme soutiens dispersés de l'infanterie et non regroupés en forces blindées autonomes appuyées par l'aviation. À l'abri de la ligne Maginot, forts de l'aide anglo-saxonne et de la supériorité maritime, bien approvisionnés, les Français pourraient tenir plus longtemps que les Allemands. Les critiques, formulées notamment par le colonel de Gaulle (*Vers l'armée de métier*, 1934), demeurent peu écoutées, alors même que Hitler adopte en Allemagne le principe des *Panzerdivisionen*. Les officiers français, nourris des enseignements de la Grande Guerre, auront du mal à raisonner à la vitesse des divisions mécanisées et à prévoir la logistique nécessaire (télécommunications, essence).

2. Une république faible ?

La débâcle de 1940 conduit la droite antirépublicaine à accuser le précédent régime d'impréparation. Les budgets militaires ont-ils été négligés, en particulier sous le Front populaire ? Indéniablement, après les efforts financiers consentis (« paix armée » de 1918 à 1925 et construction de la ligne Maginot), l'on observe un certain relâchement, entretenu par les espoirs de désarmement international et les difficultés budgétaires. Mais le gouvernement Blum relance dès 1936 des programmes d'équipement militaire, devenus productifs à compter de 1938. En dépit de choix techniques et politiques discutables (où Pétain a sa part de responsabilité), l'on ne saurait parler de déséquilibre des forces en 1939 ; les seules faiblesses réelles concernent la lutte antiaérienne et l'aviation, où les bombardiers allemands (*Stukas*), associés aux attaques des blindés, dominent leurs adversaires. Cependant en nombre, sinon en qualité, chars (3 000) et pièces d'artillerie (15 000) s'équivalent.

Plus grave, apparaît l'irrésolution face à l'Allemagne nazie ; fermeté et conciliation traversent opinion et forces politiques, y compris chez les futurs maîtres de Vichy... Hantés par les hécatombes et confortés par la victoire, les Français répugnent à l'offensive ; les buts de guerre demeurent confus. La nécessité de conserver le soutien du Royaume-Uni, le poids du pacifisme et la crainte de l'URSS contrebalancent le patriotisme, vivace, le peu de sympathie suscitée par les régimes fascistes et la volonté, surtout après 1938, de s'opposer aux coups de force nazis. À partir de quand accepter des sacrifices, alors que le pays n'apparaît pas directement menacé ? Il est facile *a posteriori* de critiquer l'inaction gouvernementale lorsque Hitler remilitarise la Rhénanie en mars 1936 ; mais combien alors étaient prêts à affronter le risque de guerre, d'autant que l'on ignorait l'accélération des agressions hitlériennes de 1938-1939 ? Une riposte énergique aurait fait reculer les troupes allemandes, nettement inférieures. Pour combien de temps, et avec quelle réprobation internationale à l'encontre d'une France ne disposant pas des moyens de ses ambitions ?

II. Régime de Vichy et « Révolution nationale »

A – La mise à mort de la IIIe République

Une fois que le camp des « défaitistes » est parvenu à faire accepter l'armistice, il reste à Pétain et Laval (vice-président du Conseil depuis le 26 juin) à abattre la IIIe République. Le gouvernement Pétain comprend tous les partis politiques, communistes exclus, mais sa majorité glisse vers la droite (présence de Raphaël Alibert, proche de l'Action française) et les non-parlementaires affluent. Il s'installe le 1er juillet, avec la plupart des membres des Assemblées, dans la station thermale de Vichy, pour des raisons pratiques (nombreux hôtels, proximité de la ligne de démarcation) et idéologiques (éloignement des grandes villes radicales comme Lyon, situation au centre de gravité de la France). Ce choix, provisoire, dure après l'échec des tentatives pour retrouver la capitale parisienne. Tirant parti de sa popularité, le Maréchal entend, à l'instigation de Laval, profiter de la situation pour que les élus de la IIIe République eux-mêmes l'autorisent à rédiger une nouvelle Constitution. Proposé au gouvernement le 4 juillet, ce texte relie habilement l'octroi des pleins pouvoirs au Maréchal, largement approuvé, et le changement de régime, plus contesté. Le projet (amendé) est finalement voté le 10 par 570 députés et sénateurs réunis ; seuls 20 s'abstiennent et 80 le rejettent : les parlementaires présents (communistes et passagers du *Massilia* exclus) ont cédé aux manœuvres de Laval, à la peur et aux effets de la déroute, dont ils se sentent confusément coupables.

B – Un nouveau régime

À 84 ans, Pétain dispose de tous les pouvoirs. Même si son âge ne lui permet pas d'exercer une activité soutenue et si certains choix manquent de cohérence, il contrôle les décisions essentielles : il n'est pas le simple objet des manipulations de son entourage. Sa dictature s'exprime, après l'ajournement du Parlement, qui n'est plus réuni, par des actes constitutionnels. Le chef de « l'État français » (le mot de République et ses symboles sont honnis), également chef du gouvernement, nomme à tous les emplois publics, dirige l'armée et la justice, choisit les ministres (responsables devant lui seul) et gouverne par décret. Il peut même désigner son successeur : Laval le 12 juillet 1940 puis, après sa disgrâce et son arrestation le 13 décembre 1940, le munichois P.-É. Flandin, puis l'amiral Darlan le 9 février 1941 et à nouveau Laval le 17 avril 1942, sous la pression allemande. Le culte voué au Maréchal, sincère au départ, est systématiquement encouragé (discours, effigies, chanson « Maréchal, nous voilà… »). Les associations de « poilus », fidèles au « vainqueur de Verdun », regroupées en une Légion française des combattants (août 1940), doivent former l'ossature du renouveau. Les fonctionnaires doivent prêter serment à sa personne.

C – La « Révolution nationale »

1. Les principes

La trilogie « Travail, Famille, Patrie » remplace aux frontons des mairies et des écoles la devise républicaine « Liberté, Égalité, Fraternité ». La « Révolution nationale » rassemble une série d'idées disparates. Dans une perspective traditionaliste, il s'agit de restaurer les valeurs chrétiennes et de soutenir l'Église catholique (enseignement, cérémonies, cultes). L'État français encourage le retour aux formes de travail préindustrielles (artisanat, boutique, petite paysannerie) pour lutter à la fois contre le socialisme et, en théorie du moins, le capitalisme anonyme des grandes firmes. Opposé à la vision marxiste de l'histoire, le régime prône le rapprochement des classes dans les corporations – sans aller jusqu'au corporatisme intégral. Le monde rural, et surtout agricole, est exalté (« La Terre ne ment pas », a dit Pétain). La famille, voulue nombreuse, doit redevenir la base du corps social. Le nationalisme de Vichy, passéiste et exclusif, vise à renforcer la patrie en luttant contre les éléments susceptibles de faire disparaître ses racines (« l'Anti-France »). C'est la société issue de la Révolution française qui est avant tout attaquée, quitte à nier les droits de l'individu. Dans les faits, l'État français tente de supprimer les fondements de la République et de restaurer les valeurs supposées menacées.

2. La mise en pratique (1940-1942)

→ Lutter contre la République

Cela revient d'abord à épurer l'administration de ses membres trop liés à la gauche ou à la franc-maçonnerie. Plus discrètement, le nouveau régime élimine progressivement les traces du système électif, remplaçant les conseils généraux élus par des commissions administratives nommées, désignant les maires des villes ou suspendant les conseils municipaux urbains dont il écarte les personnalités "indésirables". Les résistants sont pourchassés, voire condamnés à mort (de Gaulle en août 1940). Certains des dirigeants de la IIIᵉ République (Blum, Daladier, Reynaud), jugés « responsables de la défaite » et arrêtés, subissent en février 1942 un procès à Riom, interrompu par les Allemands car il tournait à la confusion des accusateurs… Vichy dissout les sociétés secrètes (francs-maçons) et les confédérations syndicales ouvrières et patronales (novembre 1940), prohibant grèves et « lock-outs ». La presse est soumise à la censure et au secrétariat général à l'Information. Les partis politiques sont interdits d'expression publique, puis de réunions privées (1941). Mais Pétain ne crée pas de parti unique comme en Italie ou en Allemagne ; il préfère encourager son culte : la Légion française des combattants, forte d'un demi-million de membres, doit promouvoir la « Révolution nationale » et signaler les réfractaires aux autorités – source évidente de dérives dénonciatrices. Elle se dotera même d'une milice paramilitaire dirigée par Joseph Darnand, le service d'ordre légionnaire.

➜ Exclure

Les réfugiés politiques espagnols ou allemands, déjà internés dans des camps depuis plusieurs années, subissent les effets de la convention d'armistice. Plus gravement, 15 000 Français naturalisés depuis 1927 – dont 6 000 juifs – sont déchus de leur nationalité : beaucoup, avec d'autres juifs étrangers, seront internés sans jugement dans des « camps spéciaux » de sinistre mémoire. Le garde des Sceaux Alibert promulgue le 3 octobre 1940 un « statut des juifs » de nationalité française, sans que les Allemands l'aient demandé. Définissant les personnes « juives » par la présence de trois grands-parents « de race juive », il les écarte de l'administration (armée, justice, enseignement…), des médias et des métiers culturels, ainsi que des élections. Darlan crée en mars 1941 un Commissariat aux questions juives, dirigé par Xavier Vallat, puis par un antisémite forcené, Louis Darquier de Pellepoix. En juin-juillet 1941, un *numerus clausus* leur limite l'accès au lycée et à l'Université, aux professions libérales et commerciales. Loin d'accroître la cohésion nationale, ces exclusions, bien que répondant aux souhaits de certaines professions, finissent par perturber les Français.

➜ Forger un ordre nouveau

Cette volonté se combine aux nostalgies passéistes. Promouvant la « mère au foyer » (allocation de salaire unique, octobre 1940), Pétain encourage la famille nombreuse ; tout ce qui la perturbe est poursuivi : l'avortement est très sévèrement puni et le divorce restreint (avril 1941). L'activité productive est remodelée grâce aux Comités d'organisation (août 1940), animés par René Belin (ancien dirigeant de la CGT confédérée devenu ministre du Travail), mais largement sous influence patronale. Émerge ensuite une Corporation paysanne (décembre 1940), à l'avantage de fait des gros exploitants. Une charte du Travail d'inspiration corporatiste crée les comités sociaux d'entreprise (octobre 1941), sans grande portée. Encadrer la jeunesse, c'est selon Pétain préparer les sources du renouveau : l'enseignement est épuré (fermeture des écoles normales d'instituteurs supposées révolutionnaires, restriction de l'accès aux grandes classes de lycée, encouragements matériels à l'école privée, révision des manuels scolaires). Vichy développe des organisations pour les jeunes (proches du scoutisme), en particulier les chantiers de jeunesse, substituts en janvier 1941 d'un service militaire interdit (travaux à la campagne pour neuf mois). Enfin, il crée à Uriage une « école de cadres » afin de susciter une nouvelle élite… qui basculera dans la Résistance en 1942. Toute une propagande martèle ces thèmes à l'envi et sous tous les supports médiatiques.

3. L'échec de la révolution nationale

Pourtant, dès 1941, la « Révolution nationale » fait long feu : Pétain lui-même, dans son discours du 12 août 1941 « sent se lever depuis quelques semaines un vent mauvais ». Cela tient à des raisons internes et externes. Les dirigeants de Vichy sont mus par des aspirations contradictoires. Une partie (Weygand, Alibert) est issue de la droite traditionaliste et du courant réactionnaire proche de Maurras, qui voyait dans les événements de 1940 une « divine surprise ». Une autre provient de la gauche pacifiste et syndicale (Belin). Certains, frustrés d'avoir été écartés du pouvoir lors de l'avènement du Front populaire, se rallient à Vichy par arrivisme (Laval). Un courant important, soutenu par Darlan, regroupe des "technocrates" soucieux de moderniser l'économie et la société sous leur direction (P. Pucheu, J. Bichelonne, F. Lehideux). Les directives manquent de cohérence. Le décalage est grand entre une idéologie décentralisatrice promouvant les provinces et une pratique autoritaire où les hauts fonctionnaires, notamment les préfets, dirigent l'essentiel.

Par ailleurs, la structure du pouvoir est dédoublée entre le Maréchal et son dauphin, vice-président du Conseil. Des dissensions opposent les membres du gouvernement, que Pétain n'aime pas réunir en entier, préférant recourir à des conseils plus restreints en fonction des sujets. Mais son activité réduite par l'âge ne peut prétendre trancher toutes les questions, d'où un certain engorgement et des ordres contradictoires. Enfin, maintes rivalités persistent avec l'entourage immédiat du Maréchal (son médecin, son directeur de cabinet Du Moulin de la Barthète...) : les coteries abondent à Vichy. En fait, la « Révolution nationale » passe progressivement au second plan, tandis que la question des rapports avec l'Allemagne l'emporte : il est vain, sinon dangereux, de prétendre instaurer un nouveau régime comme si guerre et Occupation n'existaient pas...

III. France et Allemagne, de l'armistice à la capitulation

A – La Collaboration

Multiforme, la Collaboration qualifie la position de ceux qui prônent des contacts avec l'occupant, en fonction d'objectifs divers. L'on distingue habituellement la Collaboration d'État, pratiquée à Vichy par un gouvernement soucieux d'obtenir par la diplomatie des aménagements aux conventions d'armistice, du collaborationnisme, attitude idéologique consistant à souhaiter la victoire du modèle nazi en France. Mais il existe des degrés dans la Collaboration, entre celle recherchée et subie, entre accord idéologique et nécessité professionnelle.

1. La collaboration d'État

Scellée par la spectaculaire poignée de mains entre Hitler et Pétain à Montoire le 24 octobre 1940, la Collaboration avec l'Allemagne que Laval et le Maréchal sollicitent repose sur un espoir et une illusion. Vichy suppose obtenir des concessions allemandes et éviter la « polonisation » du pays en échange d'une aide à Hitler, sans toutefois s'engager ouvertement dans la guerre. Estimant inévitable la victoire nazie, les dirigeants français croient pouvoir marchander leurs atouts pour atténuer les rigueurs de l'Occupation, comme ils s'y emploient dans la commission de Wiesbaden, voire occuper une meilleure place dans l'Europe allemande. Ils pensent alléger le fardeau des frais d'Occupation, amorcer le retour des prisonniers et récupérer une partie de la souveraineté territoriale. D'autre part, contrairement aux souhaits de son ambassadeur à Paris, Otto Abetz, le Führer ne veut pas traiter d'égal à égal avec un vaincu : il entend seulement éviter que colonies et marine de guerre françaises ne tombent aux mains des Anglo-Saxons et limiter le coût d'une administration directe de la France. Le reste n'est que mirage.

De fait, les relations franco-allemandes connaissent plusieurs phases en fonction de l'évolution du conflit et, secondairement, des nuances apportées par Laval, Pétain ou Darlan :

- De juillet à décembre 1940, Laval s'engage pleinement dans la Collaboration économique, mais l'absence de résultats tangibles, les jalousies de Pétain et l'opposition d'une partie des responsables autour du maréchal Weygand provoquent son renvoi : l'intermède Flandin met la Collaboration en veilleuse.
- De février 1941 à avril 1942, l'amiral Darlan tente de restaurer la puissance maritime et impériale française au détriment de l'Angleterre, en envisageant une collaboration militaire avec l'Allemagne. Il accorde à cette dernière de fortes concessions dans les protocoles de Paris (28 mai 1941) : ainsi, la possibilité d'utiliser des bases aériennes et maritimes dans l'Empire, ce qui l'expose aux représailles britanniques. Ces conventions, en partie appliquées en Syrie, ne sont pas ratifiées. La victoire des Français libres appuyés par les Anglais en Syrie contre les forces de Vichy rend caduque une telle politique. Hitler, pour qui le champ de bataille méditerranéen devient secondaire après l'invasion de l'URSS le 22 juin 1941, entend seulement que la France soutienne la mobilisation de ses forces. La Collaboration s'enlise, Darlan ne peut plus conduire les négociations. Sous la pression nazie, Pétain, afin de poursuivre le chemin qu'il s'était tracé, doit rappeler Laval.
- D'avril à novembre 1942, l'influence de Pétain décline. Laval, promu « chef du gouvernement », relance la Collaboration en proclamant son anticommunisme (discours du 22 juin 1942 : « Je souhaite la victoire de l'Allemagne parce que, sans elle, le bolchevisme s'installerait partout »). Les négociations qu'il mène le conduisent à devancer tous les désirs nazis et à faire assumer par l'administration française les conséquences de ses décisions. Il contribue à l'effort de guerre allemand, devenu total après l'échec de la guerre-éclair en URSS : l'envoi de travailleurs volontaires français en Allemagne étant insuffisant (moins de 100 000), Fritz Sauckel en exige 250 000 ; Laval imagine en juin 1942 le mécanisme de la « relève », libérant un prisonnier français pour trois travailleurs envoyés. En septembre, une loi facilite la mobilisation de la main-d'œuvre. Pire, il organise avec le secrétaire général de la police René Bousquet la déportation

des juifs étrangers (y compris les enfants, ce que ne demandaient pas les nazis). En zone occupée, à compter de juillet 1942, la police française arrête en masse ces réprouvés (13 000 lors de la « rafle du Vél' d'Hiv » à Paris les 16-17 juillet 1942), avant de les regrouper dans le camp de Drancy près de Paris, prélude à la déportation vers les camps d'extermination (Auschwitz). Ils sont rejoints peu après par ceux déjà internés en zone « libre ». Même si la « solution finale » (janvier 1942) conduisant à l'extermination systématique des juifs d'Europe (la « Shoah ») demeure alors secrète et si ceux de nationalité française sont en principe épargnés, le gouvernement ne peut ignorer le sort qui attend les déportés. Au total, un quart des 300 000 juifs présents en France en 1940 périt ainsi (dont les deux tiers d'étrangers) : sur ces 75 000 déportés, à peine 2 500 survécurent. Cependant, nombre de juifs parviennent à se dissimuler ou à fuir, avec l'aide d'organisations de Résistance ou de complicités : dès l'été 1942, une partie de l'opinion s'indigne d'ailleurs des rafles (condamnées par certains archevêques, tel monseigneur Saliège à Toulouse).

– Après novembre 1942, Vichy apparaît comme de plus en plus soumis aux volontés de l'occupant. En effet, la *Wehrmacht* envahit la zone sud le 11 novembre 1942 après le débarquement allié au Maroc, pour prévenir toute tentative sur le sol français. Après avoir un temps résisté aux Anglo-Saxons sur ordre de Pétain, les troupes d'Afrique du Nord se rendent ; Darlan, présent par hasard, se rallie et en devient le gouverneur, tandis que les Allemands débarquent en Tunisie. Le 27, la flotte de guerre se saborde à Toulon plutôt que de tomber entre les mains d'Hitler (mais pas l'arme aérienne…). D'un coup, l'État français ne peut plus guère espérer jouer de rôle, sinon celui d'un régime policier auxiliaire des nazis dans leur chasse aux résistants. La livraison à l'Allemagne de biens agricoles et industriels (automobiles, avions) s'intensifie et les frais d'occupation sont alourdis. La « Relève » – au demeurant plus assurée par la contrainte que par le volontariat – se révélant inopérante, Laval instaure le 16 février 1943 le Service du travail obligatoire (STO) : les jeunes nés en 1920-1922 doivent partir travailler deux ans en Allemagne. Près de 250 000 s'y résoudront, portant à 700 000 le nombre des ouvriers français présents en Allemagne en 1944, auxquels il faut ajouter le million de prisonniers restants. Devant la multiplication des refus (les « réfractaires ») et la relative inefficacité de ces recrues, le ministre allemand de l'Armement, Albert Speer, préfère les laisser travailler en France, en dispensant du STO tous ceux qui œuvrent dans des entreprises produisant pour l'essentiel à destination de l'Allemagne. Ces derniers sont environ 1 million, plus un autre million employé dans des usines non « protégées », mais livrant à l'ennemi : au total, plus de 3,5 millions de Français œuvreraient pour l'Allemagne en 1944.

La Collaboration s'accentue entre la police française, bientôt appuyée par les 10 000 à 20 000 hommes de la Milice (créée en 1943 par Darnand), et les forces de répression allemandes (l'*Abwehr*, service de renseignements militaire, la *Gestapo*, police secrète d'État, et les SS, troupes de choc des nazis) : la traque des résistants s'amplifie. Priorité est donnée à la lutte contre les « dissidences ». Les "figures" de la IIIe République (Blum, Reynaud...) sont déportées. Les miliciens multiplient les assassinats politiques (M. Sarraut, J. Zay, G. Mandel), et la répression la plus brutale, avant que certains ne finissent dans la division SS Charlemagne sur le front de l'Est.

La dérive policière de Vichy s'accélère après l'épisode du 13 novembre 1943, où un discours de Pétain visant à redonner à l'Assemblée un pouvoir constituant est interdit par les Allemands, maîtres du jeu. Laval doit prendre dans son gouvernement trois collaborationnistes parisiens : Darnand (Maintien de l'ordre), Henriot (Information), puis Déat (Travail). Les collaborationnistes infiltrent ce qui reste de l'appareil d'État.

Après les débarquements de Normandie et de Provence (15 août 1944), la progression des armées alliées et l'action de la Résistance dissolvent le régime : Pétain et Laval, se considérant prisonniers, sont emmenés par les Allemands à Sigmaringen en août 1944, puis arrêtés en 1945 après la défaite allemande. La Collaboration, voulue par l'État français mais non par les nazis, fut un marché de dupes.

2. La collaboration idéologique et économique

Les groupes fascistes des années 1930 et certaines individualités anticommunistes ralliées à l'ordre nouveau manifestent bruyamment leur enthousiasme pour la victoire allemande. Installés à Paris où ils jouissent du soutien financier d'Abetz, ils critiquent le régime de Vichy, jugé trop tiède. Ces « collaborationnistes », intellectuels comme Robert Brasillach, Lucien Rebatet (*Je suis partout*) ou Pierre Drieu la Rochelle, et chefs de parti comme Déat (Rassemblement national populaire) ou Doriot (Parti populaire français), sont en proie à d'intenses rivalités personnelles. Ces derniers partis ne comptent guère plus de 20 000 membres chacun à leur apogée, plus une poussière de groupuscules concurrents. Hitler les utilise surtout comme propagande et moyen de pression sur Pétain, sans souhaiter directement leur accession au pouvoir – sauf à la fin. Certains pratiquent la collaboration militaire en s'engageant dans les Waffen SS (Doriot). Ainsi, les collaborationnistes suscitent une initiative commune, la Légion des volontaires français contre le bolchevisme (LVF) qui reçoit l'appui de Pétain en 1943 et part lutter sur le front de l'Est, forte d'à peine 3 000 hommes.

Outre cette infime minorité activiste, la Collaboration est affaire d'opportunisme politique, social ou économique. Partant du postulat de la victoire allemande ou du simple constat de la présence de l'occupant, certains veulent en tirer parti pour satisfaire leurs objectifs politiques (certains autonomistes bretons) ou leurs intérêts (trafiquants). Une large part du Paris des spectacles continue à se produire devant des parterres d'officiers allemands et certains artistes célèbres vont saluer les hiérarques nazis outre-Rhin. Beaucoup font comme si l'Occupation n'existait pas. Cependant, la marge n'est pas si grande entre le chef d'entreprise soucieux de maintenir son activité dans des conditions difficiles et celui orientant délibérément sa production vers les fournitures à la *Wehrmacht*, puisque cette dernière demeure le principal client solvable et contrôle l'accès aux matières premières. Que dire du fonctionnaire appliquant des consignes iniques ? Les positions évoluent souvent au fil du conflit : on peut être vichyste et germanophobe, voire résistant ; nombre de cadres gaullistes appartiennent initialement à la haute fonction publique sous Vichy. À quel niveau situer la responsabilité individuelle ? Il sera délicat d'estimer le degré de Collaboration après la guerre.

B – Des résistants à la Résistance

L'existence d'un gouvernement à Vichy (reconnu par les Américains) et la popularité rassurante de Pétain (le « maréchalisme ») brouillent les cartes : ceux qui refusent la défaite, où qu'ils se trouvent, doivent compter avec ces données. Leurs motivations apparaissent multiples : sursaut patriotique rejetant l'humiliation de la déroute pour les premiers, révolte idéologique et humaniste contre les fascismes de la part de communistes, socialistes, libéraux ou chrétiens, refus de travailler pour l'Allemagne ou de s'y rendre (réfractaires au STO), indignation devant la répression de l'occupant et de ses sbires... En conséquence, les résistants appartiennent à toutes les catégories sociales, à tous les partis démocratiques ou toutes les confessions, même si les ruraux y sont proportionnellement moins nombreux que les citadins, les paysans que les ouvriers. Globalement, la masse des résistants penche plutôt à gauche, tandis que leurs cadres appartiennent aux classes dirigeantes, dans un large spectre politique allant des nationalistes conservateurs aux communistes ; les notables traditionnels font largement confiance à Vichy, ce qui déconsidérera après la guerre les « modérés ». Le passage du refus individuel à l'organisation collective prend du temps et se pose en termes différents selon que l'on se trouve ou non sur le sol français, et à quel endroit. Naissent ainsi au moins deux grands courants, l'un à l'extérieur, la « France libre », l'autre à l'intérieur du territoire, qui ne se reconnaissent que fort lentement.

1. De Gaulle et la « France libre » (1940-1944)

Légitimé par les Britanniques mais pas par les Américains, pour qui il est un ambitieux ne représentant pas le gouvernement légal de la France, le « premier des résistants » manque singulièrement de moyens. Seuls quelques hommes l'entourent, souvent inconnus (à l'exception du juriste René Cassin). L'appel du 18 juin, peu entendu, était avant tout destiné aux militaires français. Or, sur les dizaines de milliers encore présents en Angleterre, moins de 10 000 répondent favorablement durant l'été 1940. Pourtant, Churchill, reconnaissant de Gaulle « chef des Français libres », lui permet de disposer de troupes autonomes : les FFL (Forces françaises libres, plus tard la « France combattante »), fortes de 40 000 hommes début 1941, sont engagées en Libye au printemps 1941 (général Leclerc) ; le général Kœnig parvient à retarder victorieusement l'*Afrikakorps* de Rommel en juin 1942 à Bir-Hakeim. Le capitaine Passy organise un deuxième Bureau (futur Bureau central de renseignement et d'action, BCRA, aux compétences élargies) unifiant depuis Londres les services d'espionnage de la dissidence gaulliste. Maurice Schumann anime avec talent une émission de radio à la BBC intitulée « Honneur et Patrie ». Toutefois, cela ne saurait suffire. Peu à peu, certaines colonies d'Afrique noire (Tchad, Cameroun, Congo...) se rallient, mais pas toutes (Sénégal). L'impulsion décisive est donnée par le débarquement allié en Afrique du Nord. Pourtant, c'est le général Giraud, fidèle à Vichy mais résistant, que mettent en avant les Américains, après l'assassinat fin 1942 de Darlan, devenu pour quelques mois responsable de cette partie de l'Empire dans une grande ambiguïté. Il faut toute l'énergie du général de Gaulle pour sortir vainqueur de son bras de fer avec Giraud (rencontre d'Anfa en janvier 1943), grâce au ralliement progressif des troupes coloniales et à l'appui clair qu'il obtient au printemps 1943 de la Résistance intérieure non communiste.

Effectivement, sur le terrain politique, contrairement à Giraud, de Gaulle s'affirme alors nettement républicain. Cependant, il dirige fermement le Conseil de défense de l'Empire, devenu le Conseil national français en 1941. Il condamne à parts égales la IIIe République et l'État français. Sa prétention à incarner seul la légitimité du pays et son caractère autoritaire, initialement conservateur, suscitent maintes difficultés, non seulement avec les Alliés, mais aussi avec la Résistance intérieure, qu'il méconnaît. Il faut attendre début 1942 pour que s'établissent des contacts, par l'intermédiaire de l'ancien préfet Jean Moulin. La Résistance en métropole a besoin de l'aide, jusque-là parcimonieuse, des Alliés et d'un interlocuteur privilégié avec eux, qui ne saurait être que le « premier résistant ». Parallèlement, de Gaulle doit jouer de cette reconnaissance pour peser sur Roosevelt et écarter Giraud, ce qui le conduit à promouvoir la démocratie, accepter des réformes économiques et sociales et intégrer dans sa perspective politique mouvements de résistants et partis. Afin d'éviter une administration américaine directe des territoires libérés (AMGOT), il lui appartient de jeter les bases d'un nouvel État depuis Londres, puis Alger. Là, naît le 3 juin 1943 le Comité français de libération nationale (CFLN), incarnation de la souveraineté française, doté de deux présidents pourvus d'attributions différenciées, militaire et politique (respectivement Giraud et de Gaulle). Ce dernier écarte définitivement fin 1943 son adversaire– qui a longtemps maintenu la législation antirépublicaine de Vichy – avec l'appui des mouvements de Résistance, représentés ensuite au CFLN. Le Comité s'entoure d'une Assemblée consultative ; il dispose, à partir des troupes d'Afrique, des FFL, d'évadés et de volontaires en nombre croissant, d'une véritable armée symbolisée par la croix de Lorraine, engagée sur le front italien (général Juin). Le 3 juin 1944, le CFLN devient le Gouvernement provisoire de la République française, présidé par de Gaulle, qui rétablit la légalité républicaine le 9 août 1944.

2. La lente unification de la résistance intérieure (1940-1944)

Actes isolés au départ en raison du choc de la défaite et de la désorganisation sociale, les protestations et l'action contre l'occupant se structurent progressivement sous diverses formes : filières d'évasion (Espagne, Bretagne) pour les prisonniers de guerre en fuite, les aviateurs tombés lors des opérations de parachutage d'armes, les résistants "grillés", les suspects, les juifs ou les réfractaires, fourniture de faux papiers, opérations de renseignement et de transmission d'informations (radio), propagande patriotique ou politique, sabotages des moyens de communication, voire attentats et actions armées contre les troupes ou personnalités allemandes...

➜ Les types d'organisations

Le résistant C. Bourdet en distingue trois :

– le **réseau**, groupement secret et cloisonné d'un nombre restreint, du moins au départ, de membres ayant des objectifs précis : renseignement pour Londres sur les plans de défense allemands (Confrérie Notre-Dame du colonel Rémy), sabotages professionnels (cheminots de Résistance Fer)...

– le **mouvement**, association plus large visant à conquérir l'opinion par la distribution de tracts ou de journaux clandestins, l'organisation de manifestations publiques (commémoration de fêtes nationales)... Ainsi sont fondés fin 1940 en zone occupée Défense de la France (Philippe Viannay), Libération-Nord (Christian Pineau, Robert Lacoste), l'Organisation civile et militaire (OCM), Ceux de la Libération (CDLL) ou Ceux de la Résistance (CDLR) ; pour la zone « libre », naissent en 1941 Combat (Henry Frenay), Libération-Sud (Emmanuel d'Astier de la Vigerie), Francs-Tireurs (Jean-Pierre Lévy).

– le **maquis**, regroupement militaire dans des zones reculées (forêts, massifs montagneux) destiné à abriter les réfractaires du STO et, éventuellement, livrer des combats ; ces derniers tournent quelquefois au désastre devant l'action conjointe de l'armée allemande et de la Milice (aux plateaux des Glières et du Vercors, en mars et juin 1944), mais contribuent parfois, lorsque les rapports de force s'avèrent plus favorables, à la libération de régions entières avant la venue des Alliés, comme dans le Limousin (G. Guingouin) ou la Bretagne intérieure.

➜ Les autres modalités de Résistance

Elles vont de la complicité plus ou moins active, jamais anodine (ignorer, prévenir, transporter, nourrir, recueillir...), à la reconstitution d'une force militaire à partir du reste des troupes d'armistice (Organisation de Résistance de l'armée, ORA), en passant par une opposition « intellectuelle » qui s'exprime par exemple dans la revue les *Cahiers du témoignage chrétien* (novembre 1941) ou dans la publication d'œuvres dissidentes (*Le Silence de la mer* de Vercors en 1942 aux éditions de Minuit). Les femmes, bien que très minoritaires dans l'effectif (guère plus de 15 %) et surtout la direction des mouvements, jouent un rôle aujourd'hui reconnu, notamment par leur activité quotidienne – en dehors des figures remarquables de Lucie Aubrac (Libération-Sud) ou Bertie Albrecht (Combat).

➜ La position des communistes

Ils ont contribué avec les gaullistes à forger la "geste résistante", non sans brouiller une réalité mouvante. Il faut distinguer la ligne proclamée par le PCF dans *L'Humanité* clandestine (après l'échec d'une demande de reparution auprès des autorités allemandes en 1940) des positions effectives, plus variées. La première (Jacques Duclos), fidèle aux ordres de Staline, critique les dirigeants de la IIIᵉ République, condamne également Vichy et Londres, et souhaite la paix, sans évoquer l'Allemagne : cette ligne "neutre", de plus en plus délicate à tenir, dure jusqu'à l'invasion de l'URSS en juin 1941. Une deuxième position, accordant la priorité à la lutte antinazie, s'exprime à travers des voix d'abord clairsemées (Charles Tillon), puis prenant de l'ampleur au printemps 1941 (« grève patriotique » des mineurs du Pas-de-Calais en mai 1941) dans un parti divisé qui règle encore des comptes. L'attaque allemande contre l'URSS lève ces ambiguïtés : le PCF, accoutumé à une certaine clandestinité, disposant de militants dévoués et efficaces, parfois aguerris dans les Brigades internationales au moment de la guerre d'Espagne, contribue à renforcer la Résistance. Retrouvant les accents des patriotes jacobins de l'an II, il met en place en mai 1941 un Front national de lutte pour l'indépendance de la France destiné à regrouper tous les résistants de l'intérieur, sans distinction de couleur politique – mais contrôlé par l'appareil du PCF. Son bras armé est constitué des Francs-tireurs et partisans français (FTPF), créés en février 1942. Le PCF est plus enclin à une action urbaine immédiate (assassinats de militaires allemands – tel celui perpétré dans le métro en août 1941 par Pierre Georges, futur colonel Fabien –, sabotages) ; mais cette stratégie, au demeurant peu efficace à court terme, trouble l'opinion qui a peur des représailles nazies (exécution de 27 otages à Châteaubriant en octobre 1941) et inquiète aussi les autres mouvements, qui préfèrent rester autonomes. Il n'empêche que, localement, l'influence communiste grandit dans la Résistance intérieure, surtout après 1942.

➜ Les difficultés extrêmes des résistants

Elles ont des causes externes (isolement, faiblesse des moyens, écran trompeur formé par Vichy, délation, persécution menée par la Gestapo, la SS ou la Milice, aveux sous la torture), comme internes (inexpérience de la clandestinité, imprudences, trahisons, inimitiés personnelles ou politiques, surtout parmi la première génération de résistants, divergences tactiques). Ainsi, certains privilégient la propagande destinée à informer et encourager la population (Défense de la France) tandis que d'autres (CDLL) estiment ce point secondaire, préférant nourrir la lutte des armées alliées. Mais, de fait, les grands mouvements sont progressivement contraints de jouer sur tous les fronts et de se doter aussi d'une organisation militaire ou d'action spécialisée. Un autre clivage sépare ceux, vite accusés de mollesse (ORA), qui préfèrent attendre le débarquement allié, de ceux (communistes notamment) qui souhaitent en découdre plus vite avec l'ennemi et ses auxiliaires français, par des actions préparant une grande mobilisation populaire. Des querelles de pouvoir divisent les chefs de la

Résistance intérieure, à l'ombrageuse susceptibilité ; en outre, ils admettent fort bien de Gaulle en tant que « symbole », mais refusent de lui être subordonnés.

L'évolution du conflit (invasion de la zone sud, renforcement des exigences allemandes) met fin à la fiction du « bouclier » que pouvait représenter Vichy, d'autant que Pétain reste dans la métropole. Le jeu apparaît alors plus clair. Une partie des cadres ou des soutiens du régime, comme Maurice Couve de Murville ou François Mitterrand, basculent dans la Résistance (les « vichysto-résistants » selon J.-P. Azéma) : ceux qui, notamment à droite, étaient d'accord avec certains objectifs de la « Révolution nationale » ne peuvent plus considérer en 1942 que Pétain protège les Français ou prépare la revanche. Le STO, largement condamné, fournit des troupes de réfractaires que les mouvements ont du mal à encadrer, sinon protéger, faute d'armes. Les réquisitions qu'ils mènent provoquent des tensions avec les habitants : l'hiver 1943-1944 est difficile pour ces hommes, parfois gagnés par le découragement ou l'indiscipline, fragiles lorsque, trop voyants, ils dépassent la cinquantaine. En ville aussi, une impitoyable répression (arrestations, déportations, exécutions) fait alors des ravages : le groupe Manouchian de FTP-MOI (main-d'œuvre immigrée), recherché sur la célèbre « Affiche rouge », est éliminé fin 1943. Se développe ainsi une féroce guerre civile franco-française, qui laissera des traces durables.

→ L'unification de la Résistance intérieure

Les divergences de vues ne vont pas bloquer ce processus, contrairement à ce qui se passe dans d'autres pays (Yougoslavie, Grèce), source de guerres civiles. Bon gré, mal gré, l'accord se fait autour de la lutte contre l'occupant et d'un humanisme progressiste (« l'esprit de la Résistance »), en dépit de sensibilités politiques diverses (communistes et sympathisants au Front national, syndicalistes ou socialistes à Libération-Nord et Sud, conservateurs et démocrates-chrétiens dans Combat ou CDLL, officiers et hauts fonctionnaires de droite dans l'OCM, etc.).

L'impulsion décisive vient de Jean Moulin, envoyé clandestinement par de Gaulle en France (janvier 1942). Délégué général du chef de la « France libre », il unifie les trois mouvements de la zone sud en janvier 1943 dans les Mouvements unis de Résistance (MUR), qui fusionnent leurs troupes dans l'Armée secrète, commandée par le général Delestraint. Au Nord, le processus échoue malgré l'action de Pierre Brossolette, l'envoyé de Londres. Les mouvements parviennent difficilement à accepter que les anciennes formations politiques jugées en faillite, réduites au silence par Vichy, réintègrent les organes de décision. Ainsi les MUR s'élargissent-ils à des groupements de la zone nord en janvier 1944 pour former le Mouvement de libération nationale (MLN), afin de renforcer le poids politique des résistants. Si SFIO, PCF et le petit PDP démocrate-chrétien prennent une part active à la lutte, les autres partis ne brillent guère par leur engagement. Or de Gaulle a besoin de ces organisations connues des Alliés pour consolider sa légitimité. L'action inlassable de J. Moulin aboutit à un compromis : le Conseil national de la Résistance (CNR), fondé le 27 mai 1943, comprend un représentant des principaux mouvements de chaque zone (y compris le Front national), des partis (PCF, SFIO, radicaux, PDP, Alliance démocratique et Fédération républicaine) et des syndicats (CGT, réunifiée grâce à l'accord du Perreux, et CFTC). Organe de coordination et non de décision, il reconnaît de Gaulle comme chef politique et Giraud comme commandant militaire. L'arrestation de J. Moulin, trahi lors de la rencontre de Caluire le 21 juin 1943, puis torturé par Klaus Barbie (chef de la Gestapo de Lyon), ne remet pas en cause l'homogénéisation de la Résistance : il est remplacé à la tête du CNR par le militant catholique Georges Bidault. Le CNR établit le 15 mars 1944 un plan d'action immédiate, mais aussi un programme pour la paix future, dont le contenu ouvre de larges perspectives de réformes économiques et sociales allant bien au-delà de la reconstruction du pays. Il se dote d'une sorte d'état-major, le COMAC (Commission d'action militaire).

La Résistance intérieure, avec près de 300 000 membres actifs, accroît son audience et son efficacité au printemps 1944 : la presse clandestine se diffuse largement (400 000 exemplaires pour *Défense de la France*, plus de 100 000 pour *Combat* ou *Francs-Tireurs*, ce qui constitue un exploit vu les pénuries de papier et la répression). Sabotages et renseignements gagnent en nombre et en précision. L'« armée des ombres » grossit, menant plus des opérations de guérilla urbaine ou rurale que des combats d'ampleur, faute d'armement lourd. Les groupes militaires se fédèrent partiellement en février 1944 dans les Forces françaises de l'intérieur (FFI) dirigées par le général Kœnig depuis Londres, dotées de commandements régionaux et locaux à la large autonomie. Enfin, de Gaulle prépare soigneusement la Libération en choisissant les cadres de la relève politique ; mais il ne peut toujours faire valoir ses vues ni prévaloir ses fidèles, car les comités départementaux de Libération, chapeautés par le CNR, promeuvent des hommes souvent issus des mouvements. Retenons que les conflits majeurs entre deux légitimités, celles de la France dissidente et de la France résistante, ont pu être évités, grâce à leur pragmatisme et aux contradictions des vichystes. Mais de grandes incertitudes demeurent sur le statut de la France à libérer, qui dépendra largement de l'attitude des populations devant le chef de la « France combattante » et de l'intelligence politique de ce dernier.

IV. Les Français sous l'Occupation

L'exode durable, le morcellement du territoire, les difficultés pour franchir la ligne de démarcation ou correspondre, l'absence des prisonniers, la désorganisation des circuits économiques et les retombées de la guerre conduisent les Français à se préoccuper avant tout de leur survie.

A – Le souci du ravitaillement

Il absorbe toutes les énergies, surtout en ville, sauf pour une minorité de nantis. En effet, le blocus naval des Alliés, la coupure avec l'Empire et les prélèvements massifs des Allemands (acteurs et bénéficiaires du « marché noir » grâce aux transferts financiers), joints à la diminution des productions (d'un quart pour l'agriculture et de moitié pour l'industrie en 1943-1944), expliquent les pénuries. L'intervention nécessaire des pouvoirs publics (ministère du Ravitaillement, Comités d'organisation) consiste à taxer les prix et répartir les contingents. Le rationnement introduit en août 1940 est progressivement étendu à toutes les denrées de première nécessité, alimentaires ou non (charbon, vêtements, chaussures…), parfois remplacées par des *ersatz*. Ainsi les cartes d'alimentation, attribuées selon l'âge, le sexe ou le travail (« J3 » pour les adolescents), donnent des rations très insuffisantes : la croissance des enfants en est gravement affectée. Les queues se multiplient devant des magasins presque vides et le rutabaga (chou-navet) symbolise la nourriture des années sombres. Maintes familles se privent pour envoyer des colis aux prisonniers en Allemagne. Beaucoup de citadins (ouvriers, petits fonctionnaires, personnes âgées ou isolées) qui n'ont pas conservé de parents à la campagne ont faim, froid, et doivent recourir à des palliatifs (le « système D »). Les agriculteurs, plus avantagés, accroissent leur autoconsommation pour ne pas livrer des produits requis à bas prix, ou en conservent pour le « marché gris » une part destinée aux achats individuels à des tarifs un peu plus élevés que les prix officiels, tout comme certains commerçants. Mais les exploitations souffrent du manque de main-d'œuvre, d'outils et d'engrais. D'autres, servant d'intermédiaires en gros avec les Allemands, s'enrichissent scandaleusement par le « marché noir », qui implique un changement d'échelle du trafic. Cependant, si les Français souffrent inégalement, tous voient leurs conditions de vie s'aggraver nettement dès 1941, ce qui affaiblit le régime.

B – L'évasion ?

Les préoccupations de tous les jours encouragent au repli sur soi ou au recours aux distractions de masse : le sport, la radio et surtout le cinéma connaissent un succès certain, qui prolonge l'action culturelle du Front populaire. Œuvres d'évasion certes pour l'essentiel, mais aussi créations de qualité jalonnent les années noires, qu'il s'agisse d'auteurs connus – films de Marcel Carné (*Les Visiteurs du soir* en 1942, *Les Enfants du paradis*), pièces de Claudel (*Le Soulier de satin*, 1943) et Montherlant (*La Reine morte*, 1944) – ou de jeunes talents (cinéastes comme H.-G. Clouzot, R. Bresson, J. Becker, écrivains tels J.-P. Sartre et A. Camus). Comme beaucoup de leurs compatriotes, peu s'engagent dans la Résistance active.

C – « L'opinion française sous Vichy » (P. Laborie)

L'historien P. Laborie a montré comment les Français, très majoritairement attentistes, glissent d'un maréchalisme diffus – plus sensible à la personne de Pétain protecteur qu'à sa politique, plus indulgent pour le Maréchal que pour son entourage – à l'espoir d'une Libération pour l'essentiel œuvre des Alliés. Même si le thème du « double jeu » de Pétain rencontre un certain écho, l'Occupation et la Collaboration sont condamnées, surtout après 1941. Mais l'activité militaire de la Résistance intérieure, estimée peu efficace, voire dangereuse pour les populations, semble plutôt crainte (d'autant que s'y mêlent des sentiments anticommunistes, en particulier dans les campagnes), alors que les résistants eux-mêmes bénéficient de larges complicités. Multiplication des tracasseries administratives, couvre-feu, extinction des lumières pour éviter les repérages aériens, perquisitions, rafles, inquiétude des représailles diffusent l'angoisse, qu'attise la proximité accrue du conflit.

L'intensification des bombardements alliés au printemps 1944 prépare l'opération *Overlord*, sans la laisser deviner. Les raids aériens touchent le littoral de la Manche et de l'Atlantique (Le Havre, Rouen, Brest, Saint-Nazaire), les agglomérations du Nord et de l'Ouest (Paris, Orléans), puis plus méridionales (Lyon) et les nœuds de communication. Mais ils font près de 50 000 victimes et, peu sélectifs, détruisent autant les habitations que les usines ou les gares. Cela alimente la psychose (alertes multiples, nuits dans les abris ou les caves, deuils), voire un malaise vis-à-vis des Anglo-Saxons. Attendu et craint, le débarquement, conforme à la stratégie frontale des Américains, ramène les batailles sur le sol métropolitain.

V. Les défis à relever : la « drôle de victoire »

A – La libération du territoire

Maîtrise aérienne et sabotages accrus ayant paralysé les communications allemandes, le débarquement de plus de 100 000 hommes (Américains, Anglais, Canadiens et Français) commandés par le général américain Eisenhower se déroule le 6 juin 1944 sur cinq sites au nord-ouest de Caen. Ils parviennent à implanter une tête de pont (port artificiel), après une lutte acharnée. Malgré la prise de Cherbourg et la supériorité matérielle, la vive résistance allemande freine l'avance des Alliés : c'est seulement fin juillet qu'ils percent les défenses ennemies à Avranches, amorçant un mouvement tournant vers l'Est, qui provoque le repli allemand mi-août. Alors qu'Eisenhower pensait éviter Paris, la montée en puissance de la Résistance dans la capitale et l'insurrection décidée le 18 août par les FFI dirigés par Rol-Tanguy, soutenus par le CNR, l'oblige à aider les émeutiers, en situation délicate face à la supériorité des troupes de von Choltitz : il lance sur Paris la 2ᵉ DB du général Leclerc, qui y parvient le 24. Le commandant allemand, gardant son sang-froid, signe sa reddition le 25 et, le lendemain, les principaux chefs de la Résistance, de Gaulle en tête, descendent les Champs-Élysées dans un immense enthousiasme populaire. Paris s'est libérée par la fusion des deux Résistances, au prix d'assez lourdes pertes.

L'action de la Résistance intérieure, en retardant la concentration des troupes d'Hitler et en livrant des renseignements précis, a accéléré la progression des Alliés, qui demeurent toutefois l'acteur essentiel de la Libération du territoire, si l'on excepte Paris et quelques régions (Corse). Les appels à l'insurrection nationale lancés par la Résistance intérieure, notamment communiste, n'ont pas rencontré l'écho ni le succès escomptés. De Gaulle estime plus prudent, militairement et politiquement, de ne déclencher les soulèvements qu'au rythme de la reconquête alliée.

À la fin du mois d'août, les Alliés ont regagné l'espace entre Loire et Seine, jusqu'à Dijon, prélude à la jonction avec les armées américaines et françaises (de Lattre de Tassigny) débarquées victorieusement en Provence et remontant la vallée du Rhône. Fin septembre, à l'exception de quelques « poches » (ports du Nord-Ouest), les troupes allemandes ont quitté le sol français. Dans l'intervalle, certaines, harcelées, se sont livrées à des actions abominables contre les populations : remontant du Sud-Ouest, la division SS *Das Reich* pend 99 otages à Tulle le 8 juin, exécute ou brûle 642 civils à Oradour-sur-Glane le surlendemain et multiplie les massacres. En dépit de la contre-offensive un temps victorieuse de von Rundstedt durant l'hiver 1944-1945 dans les Ardennes belges, la défaite des nazis est inéluctable : en mars 1945, le Rhin est franchi, puis l'Elbe fin avril. L'Italie du Nord et presque toute l'Europe orientale sont perdues. L'Armée rouge, progressant à travers la Pologne, prend Berlin (2 mai). Hitler s'est suicidé entre-temps, le 30 avril. L'Allemagne capitule sans conditions le 7 mai à Reims et le 8 à Berlin : le général français de Lattre de Tassigny se trouve parmi les vainqueurs, consacrant la réintégration du pays dans le camp allié.

B – La reconquête de la souveraineté

1. De Gaulle s'impose

Très vite, le général de Gaulle entend trancher la question : débarqué en France le 14 juin, il sait se faire reconnaître en Normandie et connaît un succès populaire à Rennes et surtout à Paris, qui consacre définitivement sa légitimité. Loin de proclamer une « IVe République », il affirme la continuité de l'État en sa personne, Vichy ne constituant qu'une parenthèse. Il déjoue les manœuvres de Laval visant à ressusciter les assemblées de la IIIe République. Il parvient en septembre 1944 à faire reconnaître officiellement le GPRF par Roosevelt, qui abandonne l'idée d'une administration directe alliée. De Gaulle impose ses vues au CNR et évite une vacance du pouvoir. Rapidement, les autorités nommées par Pétain démissionnent pour laisser la place aux commissaires de la République et au personnel désignés par de Gaulle. Ce dernier, parcourant la France, soumet progressivement les CDL et les chefs locaux de la

Résistance, non sans brusquerie. Il y est aidé par l'attitude conciliante de la plupart d'entre eux : s'ils ne veulent pas se laisser déposséder des fruits de la victoire, ils reconnaissent la légitimité du nouveau gouvernement d'Union nationale qui mêle habilement les composantes de la Résistance et les partis.

2. L'attitude du PCF

Le PCF, à l'apogée de son prestige, consolide son influence par la surenchère patriotique (le châtiment des « collabos ») et le contrôle de responsabilités publiques. Présent dans le GPRF, il dispose des Milices patriotiques, sorte de police populaire constituée en 1944, et d'une large influence parmi les FFI et dans les Comités départementaux et locaux de Libération. Son attitude a été controversée. P. Buton a montré comment échouent ses deux tentatives pour prendre le pouvoir, lors de « l'insurrection nationale » (1944) et pour écarter De Gaulle (fin 1945-1946). Pourtant, sa direction reconstituée finit par accepter, sous l'influence de Thorez revenu de Moscou et conformément aux visées de Staline, la dissolution des milices patriotiques, l'intégration dans l'armée régulière et le désarmement des FTP : la perspective d'une nouvelle guerre civile a été écartée. Mais le second conflit mondial, outre ses drames humains et matériels, a aussi révélé les divisions françaises : la joie de la Libération n'est pas sans mélanges.

C– Les séquelles du conflit

1. Les pertes humaines

Bien que le bilan démographique de la Seconde Guerre mondiale en France n'ait rien à voir avec la saignée de la guerre de 1914-1918, le traumatisme humain n'en est pas moins réel : aux 600 000 décès directs (dont 200 000 au moins dans les camps de concentration ou en captivité) et aux 300 000 départs d'étrangers, il convient d'ajouter un excédent des décès naturels sur les naissances, estimé à 500 000 en cinq ans (personnes affaiblies par les privations, sous-alimentées et malades, surmortalité infantile). Pourtant, la reprise durable de la fécondité à partir de 1942 limite ce dernier phénomène, que les « classes creuses » du précédent conflit auraient dû, au contraire, amplifier. Le tableau ci-dessous montre la complexité des situations et l'importance des victimes civiles.

De fait, la main-d'œuvre manque, d'autant que certains immigrés des années 1920 (Polonais, par exemple) reviennent chez eux et que le retour des prisonniers de guerre demeurés en Allemagne (1,5 million) prend de longs mois.

Pertes françaises liées à la Seconde Guerre mondiale

Militaires et assimilés		Civils	
Militaires tués en 1939-1940	123 000	Déportés raciaux	83 000
Prisonniers décédés en Allemagne	45 000	Requis morts en Allemagne	(?) 40 000
Alsaciens-Lorrains tués dans la *Wehrmacht*	31 000	Victimes des bombardements	67 000
Pertes des FFL	11 700	Victimes des opérations terrestres	58 000
Pertes des FFI	8 000	Exécutés à la Libération	(?) 10 000
Engagés dans la *Wehrmacht*	(?) 2 000	Massacrés par les Allemands	6 000
Armée de la Libération	43 000		
Fusillés	25 000		
Résistants morts en déportation	27 000		
Total	316 000		264 000

Source : A. Sauvy, Histoire de la population française, t. 4 : De 1914 à nos jours, PUF, rééd. 1995.

2. Des destructions massives

Elles apparaissent beaucoup plus graves qu'en 1918 : les trois quarts du pays ont été peu ou prou touchés. Le parc immobilier, déjà insuffisant, compte 2,5 millions d'immeubles détruits ou endommagés, surtout dans l'Ouest et le Nord (Nantes, Brest, Caen, Le Havre, Rouen, Dunkerque...). Un million de ménages n'ont plus d'abri en 1945 et beaucoup habiteront plusieurs années des baraques précaires. Beaucoup d'infrastructures de transport sont inutilisables : la moitié au moins des ponts, des voies de chemin de fer, du matériel ferroviaire roulant, les quatre cinquièmes des locomotives et des camions, le tiers des gares ; l'essence manque, mal remplacée par le gazogène ; à part Cherbourg, aucun grand port ne subsiste au nord de la Loire. Les pénuries de charbon s'aggravent durant le rigoureux hiver 1944-1945 ; production et importations de houille ont chuté de moitié par rapport à 1938 : mines surexploitées, freinages volontaires de la production, épuisement des hommes. La métallurgie souffre du manque de combustible et d'investissements. La production française ne peut répondre à l'immensité des besoins : l'indice industriel est en 1945 au deux cinquièmes de sa valeur de 1938. La recherche scientifique, parfois brillante avant la guerre (travaux de Frédéric Joliot-Curie sur la radioactivité), accuse à présent un retard dû au manque de moyens et à l'exil de savants. Le capital productif, déjà vétuste, sort affaibli des prélèvements des Allemands (sur les machines modernes), du manque d'entretien et des destructions. Il faudrait investir deux ou trois fois le revenu national annuel de 1938. La production agricole (blé, pommes de terre, cheptel) a baissé de plus du tiers par rapport à 1938, faute d'approvisionnements et d'engrais.

Rationnement et marché noir survivent à la capitulation allemande jusqu'en 1948-1949 (pain, lait, sucre, viande), alors que les prix s'envolent en 1944, accentuant une tendance antérieure : de 1938 à 1945, les prix de gros et de détail quadruplent tandis que le coût de la vie triple, touchant beaucoup les salariés.

3. Une inflation durable

Elle résulte du marché noir, de l'excessive émission monétaire, même après 1944 en raison de l'ampleur des déficits publics, du recours aux importations et aux emprunts extérieurs, souvent libellés en dollars, la monnaie de référence. L'épargne forcée, faute d'offre de produits, conduit nombre de Français à accumuler – dans les fameuses « lessiveuses » – des liquidités qui ne peuvent trouver emploi. La désorganisation des circuits économiques exige l'aide extérieure, alors que les dernières opérations militaires coûtent le tiers du budget. Le GPRF réclame des États-Unis dons alimentaires et prêts, en partie obtenus. Cependant, la politique de réduction drastique de la masse monétaire suggérée en avril 1945 par le ministre de l'Économie P. Mendès France, mais difficile à appliquer dans ce contexte de privations, se heurte à celle, plus laxiste mais probablement plus réaliste, proposée par le ministre des Finances René Pleven. De Gaulle, vu l'instabilité régnante, tranche en faveur de ce dernier. Mais contrôle des prix et réquisitions, source de mécontentements en ville comme à la campagne, sont maintenus.

4. L'épuration

La guerre civile laisse des traces indélébiles, mais les actes de "vengeance" occasionnent moins de victimes qu'ailleurs. Du printemps à l'automne 1944, les personnes collaborant activement avec l'occupant font l'objet de règlements de comptes sommaires (« cours martiales », tribunaux maquisards, voire absence de jugement), à l'ampleur fortement exagérée : le nombre d'exécutions ne dépasse pas 9 000 (dont plus de la moitié avant le 6 juin), chiffre hors de proportion avec les exactions de l'autre camp. Cette justice expéditive s'exerce surtout contre les adeptes de la collaboration politique ou policière ou contre les femmes accusées d'avoir eu des relations sexuelles avec l'ennemi, tondues et humiliées.

Pour éviter tout dérapage, le gouvernement institue en septembre 1944 des commissions chargées de vérifier les accusations contre les suspects, préventivement arrêtés, avant que leur cas ne soit tranché par des cours de justice spéciales (magistrats et jurys populaires). Selon J.-P. Azéma, la moitié des 320 000 dossiers instruits jusqu'en 1948 est classée sans suites. Sur les 160 000 restants, 45 % ont été acquittés, 25 % frappés d'indignité nationale, les autres condamnés à la prison (16 %), aux travaux forcés (8 %) ou à mort (4 %, dont 1 500 peines effectivement exécutées, sur 6 763). La Haute Cour juge pendant l'été et l'automne 1945 les responsables de Vichy : Pétain, qui s'est constitué prisonnier, est condamné à mort, ainsi que Laval ou Darnand – le Maréchal est gracié à cause de son âge. Certains artistes et écrivains sont inquiétés (Sacha

Guitry) ou mis à l'écart, voire exécutés (Brasillach). Après enquêtes et, parfois, jurys d'honneur, le gouvernement procède à des révocations administratives, plus symboliques que réelles, sauf dans la police, pour ne pas se priver de cadres indispensables au redressement. Mais le personnel politique est renouvelé. L'épuration économique est très timide, en dehors d'industriels en vue et de la presse, qui passe sous contrôle des résistants. Les condamnations ont plus affecté les humbles (miliciens ou collaborationnistes) et les intellectuels, tandis que les possédants, peaufinant leur défense, ont été davantage acquittés. Sur le moment, l'opinion trouve la justice lente et partiale, mais préfère dans sa grande majorité oublier le passé immédiat. Faute d'avoir su définir la Collaboration et la réelle responsabilité de l'État français, l'épuration engendre des frustrations qui joueront longtemps dans la mémoire nationale : soit pour la grossir et agiter le spectre de la conjuration bolchevique, soit pour accuser ses faiblesses et instiller le doute sur l'action passée ou future de certains dirigeants.

Par souci d'unité, les nouveaux responsables politiques renvoient au pays une image d'unanimité nationale autour de la Résistance (à part les traîtres de Vichy, servant d'exutoire national), que la réalité impose de nuancer. L'ampleur de la tâche à accomplir nécessitait probablement de tels choix : le mérite de la minorité des résistants actifs a été de réintégrer le pays dans le concert des vainqueurs et de lui forger une conscience ; épousant l'aspiration des Français au renouveau, les membres du CNR proposent un modèle de développement économique et social non malthusien, où l'intervention de l'État est largement acceptée, mais qui ne se réalisera pas toujours selon les prévisions.

La IVe République, de l'espoir au sabordage (1946-1958)

I. La difficile fondation de la IVe République (1945-1946)

A- Aspirations et forces politiques à la Libération

Les Français attendent en 1945 un renouveau institutionnel qui comblerait un certain vide juridique et effacerait les mauvais souvenirs laissés par la IIIe République. Mais la guerre ne semble pas avoir véritablement transformé le champ politique : le général de Gaulle, au nom de l'unité nationale, répugne à créer une formation autour de sa forte personnalité, populaire mais controversée. La crainte de la prépondérance communiste, le poids du passé et les querelles de personnes empêchent les différents mouvements de Résistance de fonder un véritable parti qui reprendrait leurs idéaux. Naît alors autour de chefs de Libération-Nord, de l'OCM et du MLN, l'Union démocratique et socialiste de la Résistance (UDSR), qui demeure un petit parti en dépit de dirigeants connus (R. Pleven, F. Mitterrand). Seul le Mouvement républicain populaire (MRP) apparaît comme un grand parti directement issu de la Résistance. Fondé en novembre 1944 par G. Bidault, Robert Schuman et Pierre-Henri Teitgen, il représente le courant démocrate-chrétien, embryonnaire avant la guerre. Il capte un électorat (23,9 % des voix aux législatives de 1945) souvent plus conservateur que ses dirigeants, disposés à la réconciliation européenne et au keynésianisme. Communistes et socialistes dominent aussi la vie politique à la Libération. Fort de son rôle dans la Résistance intérieure (il se surnomme non sans exagération le « parti des 75 000 fusillés »), du prestige que l'URSS tire de sa victoire sur Hitler et de ses 900 000 adhérents proclamés, le PCF occupe la première place en 1945 (26,2 % aux législatives de 1945) ; fortement marqué par le stalinisme, sa tactique est légaliste, surtout après le retour de Thorez. La SFIO (23,4 % aux législatives de 1945) bénéficie de sa forte participation à la Résistance et du travail d'épuration mené par Daniel Mayer contre certains dirigeants suspectés de faiblesses à l'égard de Pétain ; mais la SFIO hésite entre une doctrine marxiste, réaffirmée, et une pratique nettement réformiste qui nécessiterait un renouvellement doctrinal ; L. Blum, sa figure historique, s'efface au profit de Guy Mollet, maire d'Arras, nouveau secrétaire général (1946).

Les autres partis, aux structures lâches, ont un faible poids électoral. Malgré la présence d'un courant modernisateur (P. Mendès France), les radicaux, oscillant entre centre gauche et centre droit, apparaissent très liés au régime précédent et à la défaite. Certains résistants radicaux (Henri Queuille, Maurice Bourgès-Maunoury) tentent pourtant d'effacer l'image de dirigeants complaisants par rapport à Vichy. Les « modérés » ou « indépendants » (conservateurs) sont répartis autour de personnalités (P. Reynaud, Joseph Laniel), parfois issues de la Résistance, ou s'étant détachées progressivement de Vichy. La droite restée favorable à Pétain demeure pour plus d'une décennie totalement discréditée et réduite au silence. La recomposition des formations politiques, trop limitée, paraît en décalage en regard des aspirations novatrices et du rêve d'unanimité nationale que les Français partagent.

Pourtant, le retour à la démocratie est marqué par le rétablissement des libertés publiques et de la légalité républicaine (juillet-août 1944) et par les élections municipales d'avril 1945 – où les femmes votent pour la première fois conformément à l'ordonnance du 21 avril 1944. Les suffrages traduisent l'échec des radicaux et modérés, la stagnation de la SFIO, les progrès des démocrates-chrétiens et surtout du PCF. Beaucoup d'équipes municipales connaîtront une forte longévité. Afin d'en finir avec le provisoire, il faut doter le peuple français de représentants et lui demander s'il souhaite une nouvelle Constitution : le 21 octobre 1945, les élections à l'Assemblée se doublent simultanément d'un référendum sur le régime.

B – La première Assemblée constituante (octobre 1945-juin 1946)

1. L'élection

Le référendum, voulu par de Gaulle pour limiter l'influence des partis, comporte deux questions : à la première (faut-il une nouvelle Constitution ?), 96 % des suffrages exprimés répondent oui, manifestant leur rejet de la IIIᵉ République ; quant à la deuxième (faut-il limiter les pouvoirs de l'Assemblée constituante élue simultanément ?), les deux tiers des voix se prononcent favorablement, révélant une certaine défiance face à une assemblée toute-puissante que l'on pense dominée par les communistes. L'élection des députés à l'Assemblée, devenue constituante en vertu du référendum, confirme en partie ce pronostic : la gauche marxiste (PCF et SFIO), qui frôle la majorité absolue des voix et la détient en sièges, apparaît comme le grand vainqueur de ces élections qui clarifient le débat politique. L'on pourrait imaginer un futur gouvernement commun de la gauche sans les radicaux ou le MRP. Mais la SFIO, craignant un mécanisme analogue à celui à l'œuvre dans les futures « démocraties populaires » d'Europe orientale, veut associer le MRP pour contrebalancer l'influence communiste : les trois partis restent donc ensemble et confirment de Gaulle à la tête du gouvernement, malgré leur méfiance à son égard.

2. Le conflit entre le général de Gaulle et les partis (novembre 1945-janvier 1946)

Par-delà l'opposition entre la gauche, surtout communiste, et de Gaulle, un clivage sépare ce dernier des trois grands partis sur la question des institutions, passablement brouillée par les votes de 1945 : soit un pouvoir de type parlementaire, exercé par une ou des Assemblées élues au suffrage universel ; soit, selon de Gaulle, un pouvoir exécutif fort, simplement contrôlé par l'Assemblée. Les frictions s'accumulent entre les élus et le Général. Menaçant plusieurs fois de démissionner à propos de la composition du gouvernement, des pouvoirs de l'Assemblée et de la future Constitution, il finit par le faire le 20 janvier 1946. Mais, contrairement à ses espérances, il n'est pas rappelé... L'opinion semble plus intéressée par les difficultés matérielles que par le prestige de la France cher à de Gaulle. Plein de rancœur, il passe dès lors dans l'opposition au futur régime : les partis politiques sont maîtres du jeu et l'union nationale autour du programme de la Résistance a vécu.

3. Les débuts du « tripartisme »

Les trois grands partis tentent de s'entendre sur les institutions. En vain : PCF et SFIO souhaitent une seule assemblée, tandis que le MRP exige qu'une seconde Chambre et un président de la République doté de pouvoirs réels lui fassent contrepoids. Le projet de la gauche, proposé le 5 mai 1946 aux Français par référendum, est repoussé par 53 % de « non ». L'Assemblée dissoute, les élections législatives du 2 juin 1946 modifient la donne.

C– La deuxième Assemblée constituante (juin-octobre 1946)

1. Les résultats : un recul de la gauche

Le MRP, perçu comme un rempart contre le marxisme, voire l'héritier du général de Gaulle, devient le premier parti (28 % des voix), devant le PCF, stable, et surtout la SFIO, divisée sur la stratégie à adopter et en net recul : la gauche marxiste n'a plus la majorité absolue en sièges. Le MRP peut diriger le gouvernement et présenter son plan.

2. Une constitution adoptée du bout des lèvres

De Gaulle, muet pendant le scrutin précédent, fait connaître son projet dans son discours de Bayeux (16 juin 1946) : un régime présidentiel limitant les pouvoirs des Assemblées et des partis politiques, au profit d'un exécutif élu par des notables et jouant le rôle d'arbitre. L'Assemblée y est hostile, d'où un rapprochement des parlementaires favorables à la défense de leurs prérogatives. Le MRP, rompant avec les gaullistes, présente son texte amendé au suffrage le 13 octobre 1946. Malgré une campagne pour le « oui » des trois grands partis, un peu moins d'un tiers des inscrits s'abstient et autant votent « non », suivant les consignes gaullistes. Bien qu'approuvées par 53 % des votants (soit à peine 36 % des inscrits), les institutions de la IVᵉ République sont adoptées par une minorité de citoyens, plus par lassitude que dans l'enthousiasme. Signe inquiétant, même si beaucoup d'options politiques demeurent ouvertes...

D– Les institutions de la IVᵉ République

Affirmant rompre avec la IIIᵉ République et Vichy (*cf.* le préambule, novateur), voulant éviter l'écueil gaulliste, elles résultent d'un difficile compromis. L'Assemblée nationale a un rôle essentiel, ce qui satisfait la gauche : des députés élus pour cinq ans au suffrage universel direct suivant la représentation proportionnelle, au scrutin de liste départemental ; elle vote lois et budget, investit et peut renverser le gouvernement auquel elle n'a plus le droit de déléguer ses pouvoirs législatifs – ce qui met fin à la possibilité de « décrets-lois » gouvernementaux. Mais le MRP impose deux contrepoids : le Conseil de la République, élu pour six ans au suffrage universel indirect selon un système avantageant les notables locaux, émet seulement des « avis » que l'autre Chambre peut négliger, et surtout le président de la République, élu pour sept ans par le Congrès (les deux Assemblées réunies), aux pouvoirs assez importants en théorie : il nomme le président du Conseil (ce qui lui permet de faire pression sur les partis), dirige l'Union française (France métropolitaine, DOM-TOM et États associés) ; la durée, s'il parvient à établir une autorité personnelle, lui permet d'exercer une influence certaine. A la charnière, le président du Conseil : chef du pouvoir exécutif, il doit être investi par la majorité de l'Assemblée nationale, qui le contrôle régulièrement (interpellations du gouvernement, amendements aux projets de lois, vote de la question de confiance posée par le gouvernement, dépôt d'une motion de censure, etc.).

Mais les textes et le fonctionnement de la Constitution consacrent la prépondérance de l'Assemblée nationale, notamment dans la composition et la survie des gouvernements. Le premier président du Conseil, Paul Ramadier, instaure la pratique redoutable, non prévue par la Constitution, de la « double investiture » par les députés : du président du Conseil, puis de son gouvernement. En outre, le pouvoir exécutif peut difficilement dissoudre l'Assemblée, ce qui lui ôte un indéniable moyen de pression.

L'Assemblée nationale élue en novembre 1946 voit diminuer l'influence des trois principaux partis au profit du centre et des conservateurs : la chute affecte surtout la SFIO, à 18,1 %, tandis que le PCF repasse devant le MRP avec 28,8 % – soit le maximum de voix qu'il ait jamais obtenu. Le premier président de la République, le socialiste Vincent Auriol (1947-1953), choisit P. Ramadier (SFIO), qui élargit le gouvernement vers le centre : l'antagonisme entre les trois grands partis croît.

E – L'Union française : un replâtrage colonial

1. La duplicité de la métropole

Pendant la guerre, l'importance stratégique et politique de l'Empire en a fait un enjeu entre les belligérants : Japonais ou Allemands ont joué sur le désir d'émancipation nationale pour encourager les opposants aux puissances coloniales (Syrie, Afrique du Nord, Indochine), sans grand succès. Pour s'assurer la fidélité de leurs colonies, les dirigeants ont promis des changements : de Gaulle, à la conférence de Brazzaville (1944), prévoit un nouveau statut de type fédéral, sans aller jusqu'à l'autonomie. L'attitude globalement loyaliste des populations, fournissant même des hommes aux FFL, ne se dément pas.

Ensuite, les faits contredisent quelque peu ces espoirs. Certes, Syrie et Liban (où la France conservera une influence), mandats occupés par les FFL en 1943, deviennent indépendants en 1946. Mais, ailleurs, la reprise en mains se dessine une fois les combats terminés en Europe : envoi de troupes (Tonkin, 1945), emprisonnement des meneurs, répression (émeutes de Sétif en Algérie le 8 mai 1945, où la remise au pas fait plusieurs milliers de victimes ; révoltes à Madagascar en 1947, qui tournent au drame, occasionnant au moins 20 000 morts). Même au Maroc ou en Tunisie, où la métropole dispose d'intérêts économiques, mais de peu de colons, la France engage une épreuve de force jusqu'en 1954. Dans ces conditions, qu'espérer de la nouvelle Constitution ?

2. Une union sans substance

Le statut d'« Union française » associant en 1946 des territoires coloniaux (AOF, AEF, Madagascar...) à la métropole, trop timide et vite détourné, ne répond plus au contexte local et international. Certes, les gouverneurs français sont assistés de conseils représentatifs et des députés indigènes siègent à Paris au Parlement. Mais ces conseils, sans réels pouvoirs, sont élus au double collège (suffrages séparés pour « Blancs » et autochtones) : les colons sont surreprésentés, tandis que seuls les chefs de famille indigènes payant l'impôt peuvent voter. Ce système retardataire mécontente presque tout le monde.

En Algérie, le statut de 1947 vise à un compromis politique, dans le cadre d'un plan de développement économique et social : le pouvoir exécutif des trois départements est confié à un gouverneur général nommé par l'État ; une assemblée algérienne élue par un double collège (colons et indigènes), qui désigne aussi des représentants au Parlement, a essentiellement un pouvoir de proposition. À l'heure où les Algériens partisans de l'intégration (Union du manifeste algérien de F. Abbas) déclinent au profit des nationalistes du Parti du peuple algérien ou du Mouvement pour le triomphe des libertés démocratiques (Messali Hadj), où l'administration, encourageant les fraudes électorales, bloque la situation, et où la métropole n'a pas les moyens économiques d'aider l'Algérie, de telles mesures s'avèrent évidemment insuffisantes.

3. Les revendications nationalistes

La décolonisation ne répond pas à des aspirations unitaires en raison de l'origine des dirigeants nationalistes, des divergences idéologiques, des différences ethniques ou, comme en Algérie, de l'absence d'unité culturelle. Parmi les cadres nationalistes, une minorité souhaite conserver après l'indépendance des structures sociales inégalitaires ou correspondant à un idéal de société théocratique (Oulémas). La plupart, diffusant des mots d'ordre égalitaristes, mêlent émancipation politique et économique. Quelques-uns se réclament de l'URSS, modèle de la lutte sociale ou patriotique et voie vers l'industrialisation. S'y greffent aussi des traditions culturelles parfois antagonistes, source d'intolérance envers les minorités, que la métropole sait utiliser. L'anticolonialisme combine action politique et violence armée : en Algérie, le PPA développe sa propagande électorale, mais aussi un appareil militaire clandestin.

4. Le début de la guerre d'Indochine

La défaite de 1940 avait mis la France en position de faiblesse : Vichy a dû accepter la présence de troupes nippones au Viêtnam, l'Indochine se trouvant *de facto* incluse dans la « zone de co-prospérité » asiatique ; en mars 1945, elle est sous tutelle japonaise. Au Nord (Tonkin), le « Front de l'indépendance » (Viêt-minh), dirigé par le communiste Hô Chi Minh, attire de plus en plus les nationalistes en lutte contre Français et Japonais. Avant de se retirer, ces derniers encouragent les mouvements nationalistes conservateurs (l'empereur Bao-Daï proclame l'indépendance du Viêtnam), mais laissent s'installer au Nord les maquis du Viêt-minh, soutenu par les nationalistes chinois. Le 2 septembre 1945, le Viêt-minh proclame la République démocratique du Viêtnam, renversant Bao-Daï. Les hauts commissaires envoyés par le GPRF (Jean Sainteny et l'amiral Thierry d'Argenlieu) tentent de reprendre le contrôle de la situation : chose faite au Sud avec l'appui de la 2ᵉ DB de Leclerc, mais opération plus délicate au Tonkin.

Les négociations avec Hô Chi Minh aboutissent le 6 mars 1946 à un compromis obtenu par Sainteny : la « liberté » du Viêtnam est reconnue au sein d'une fédération indochinoise, dans le cadre de l'Union française ; l'union des « trois Ky » (Cochinchine, Annam, Tonkin) fera l'objet d'un référendum. Mais il reste difficile de concilier une colonisation, même rénovée, et les souhaits d'indépendance de mouvements à présent solidement implantés. Paris ne donne pas de consignes claires et ne parvient pas à se faire obéir de ses administrateurs. Ainsi, d'Argenlieu, appuyé par le lobby colonial et les gaullistes, encourage en juin 1946 la sécession d'une République de Cochinchine pro-française, alors même que Hô Chi Minh vient négocier à

Fontainebleau... Les aspirations belliqueuses l'emportent : aux attentats contre les Européens répond le bombardement du port d'Haiphong au Nord (23 novembre), qui fait plus de 5 000 victimes – acte volontairement disproportionné. Le chef militaire du Viêt-minh, le général Giap, attaque des Français à Hanoi. C'est l'escalade : l'objectif français consiste à gagner le Nord à partir des bases jugées « sûres » du Sud. C'est compter sans les difficultés d'une guerre lointaine et la patiente conquête de la population par la propagande du Viêt-minh, dont l'armée se veut exemplaire. Alors que les éléments de la négociation sont réunis, la IVᵉ République se voit impliquée dans un conflit qu'elle ne parviendra jamais à assumer, cherchant à obtenir une décision militaire avant toute solution politique, sur de fausses bases (informations déformées, adversaire sous-estimé, anticommunisme exacerbé par la « guerre froide »).

II. La rupture du « tripartisme » et l'avènement de la « Troisième Force » (1947-1952)

A – La fin du tripartisme (1947)

1. L'entrée en guerre froide

L'Organisation des Nations unies, créée en avril-juin 1945 à San Francisco par les « Nations unies » contre l'Axe (signataires de la charte de l'Atlantique en 1941, où ne figurait pas la France alors vichyste), suscite des espoirs. La France parvient *in extremis* à faire partie des cinq membres permanents du Conseil de sécurité de l'ONU, aux côtés des États-Unis, du Royaume-Uni, de l'URSS et de la Chine. Paris participe ainsi à un organisme de coopération internationale : organisations économiques, Cour internationale de justice de La Haye, Unesco (culture), Unicef (protection de l'enfance), Déclaration universelle des droits de l'homme du 10 décembre 1948, rédigée par le Français René Cassin. Mais, dès 1947, la confrontation Est-Ouest rend illusoire toute intervention de l'ONU. La France ne peut se passer de l'aide des États-Unis : son changement d'attitude vis-à-vis de l'Allemagne apparaît révélateur.

En 1945, les Français souhaitent une nouvelle mise en quarantaine, privilégiant le relèvement économique immédat et la sécurité. Mais l'évolution des relations internationales et, probablement, le souvenir des erreurs de 1918 en ont décidé autrement. De Gaulle, aidé par la brillante campagne d'Allemagne menée par l'armée française, a obtenu en 1945 une zone d'occupation en Rhénanie et à Berlin (prise sur celles des USA et du RU). La France, alors proche des positions soviétiques, y entreprend des prélèvements en nature (charbon, machines). Elle veut ôter à l'Allemagne les moyens de recommencer une guerre : amputer son territoire, limiter son armée, diminuer son industrie (dans la ligne du plan Morgenthau proposé pour « pastoraliser » l'économie allemande), garantir ses frontières, voire démembrer le pays. Pendant deux ans, elle conduit une politique spécifique dans sa zone. La Sarre est économiquement rattachée à la France jusqu'en 1957. Mais c'est essentiellement aux États-Unis, et non en Allemagne, que les Français peuvent se ravitailler. En annulant les dettes euro-péennes à leur égard (contrairement à 1918), les Américains poussent la France à plus de modération. Elle a trop besoin de leur appui pour ne pas suivre assez vite les États-Unis, soucieux dès 1946 de relever l'Allemagne occidentale afin de lutter contre l'influence soviétique en Europe orientale (naissance des « démocraties populaires »). Ainsi, la France accepte le plan du secrétaire d'État américain Marshall (juin 1947), qui infléchit dans un sens économique la « doctrine Truman » de « l'endiguement » (mars 1947). Un tel choix impose une clarification interne.

2. Les tensions intérieures

L'année 1947 est marquée par l'opposition croissante du PCF aux autres partis. Ses critiques portent sur la répression coloniale, la politique extérieure (l'aide américaine aliénerait l'indépendance nationale et viserait l'URSS) et les orientations économiques et sociales (modalités des nationalisations et limitation des salaires en 1947), impo-pulaires. Pourtant, beaucoup de communistes répugnent à quitter une ligne relative-ment unitaire dont ils bénéficient, en termes de réseaux d'influence.

La majorité du gouvernement Ramadier, craignant la puissance de l'URSS, pense que la présence de ministres communistes gêne l'entente avec les États-Unis et facilite le jeu gaullien. Or de graves difficultés sociales ponctuent l'année 1947, en raison de la prolongation des pénuries et de l'inflation : des grèves largement spontanées se multiplient fin 1946-début 1947, avant que la CGT et le PCF ne finissent par les appuyer courant avril. Ramadier prend prétexte du vote des ministres communistes à l'Assemblée contre la politique salariale chez Renault. Le 5 mai 1947, il les renvoie du gouvernement pour rupture de la solidarité gouvernementale : il faut trouver une nouvelle majorité, le PCF basculant pour longtemps dans l'opposition.

B – La « Troisième Force » (1947-1952)

1. Une alliance politique hétérogène

La « Troisième Force », accord entre SFIO, MRP, radicaux et « modérés », a comme plus petit dénominateur commun l'anticommunisme, la défense du régime, le main-tien de l'Empire et la politique extérieure. Mais maintes questions la divisent : la SFIO voudrait augmenter les dépenses sociales, donc les impôts, tandis que les « modérés » défendent un strict équilibre budgétaire. Un ancien clivage, réactualisé alors à propos des subventions à accorder à l'enseignement privé, sépare « laïcs » (socialistes et radi-caux) et « cléricaux » (MRP, centre droit). Sur ces points, le gouvernement, confié au radical H. Queuille, choisit l'immobilisme.

2. L'abri américain

→ L'intégration militaire

L'accentuation de la guerre froide favorise la conclusion en mars 1948 de l'Union de l'Europe occidentale (UEO, alliance avec le Royaume-Uni et le Benelux) et surtout, le 4 avril 1949, du Pacte atlantique, traité d'alliance défensive entre les États-Unis, le Canada et les pays d'Europe occidentale. Ces derniers bénéficient ainsi du « parapluie nucléaire » américain et du « couplage » des défenses : les États-Unis considèrent que toute agression, y compris atomique, contre l'Europe de l'Ouest équivaut à une attaque de leur propre territoire et entraîne des représailles immédiates, même nucléaires. En 1950, les signataires créent une Organisation du traité de l'Atlantique nord (OTAN) afin de coordonner, sous direction américaine, les forces occidentales en Europe (le « commandement militaire intégré », qui siège en France). Malgré les réticences devant le *leadership* américain et la crainte du réarmement allemand, la France ne tente rien de sérieux qui puisse remettre en cause cet impératif de sécurité par procuration, en dehors de quelques velléités d'autonomie.

→ Le lancement de la construction européenne

Il faut d'abord accepter le renouveau de l'Allemagne. Son évolution vers un régime démocratique fait oublier la dénazification imparfaite et le redressement de sa puissance économique. L'opinion française se modifie rapidement. Ainsi, sans que soit conclu un traité de paix, la France entérine-t-elle en 1949 la naissance de la République fédérale d'Allemagne, puis (à contrecœur) son réarmement et son entrée dans l'OTAN en 1955. J. Monnet (Commissaire général au plan), Robert Schuman (président du Conseil MRP en 1947-1948 et ministre des Affaires étrangères) et le chancelier allemand Konrad Adenauer veulent éradiquer les germes d'un nouveau conflit : la construction européenne, qui passe par « l'axe franco-allemand », est soutenue par Paul-Henri Spaak en Belgique ou Alcide De Gasperi en Italie.

La première phase, sous influence américaine – ce qui suscite des réticences d'ordre patriotique –, est marquée par l'anticommunisme et la question allemande. Le 19 septembre 1946, W. Churchill se prononce à Zurich pour les « États-Unis d'Europe » (pour faire pièce à l'URSS). L'UEO et le Conseil de l'Europe (Strasbourg), fondé le 5 mai 1949, n'ont qu'une faible portée. Le tournant est réellement pris au début des années 1950, lorsque l'on peut discuter avec une RFA pro-occidentale.

Le 9 mai 1950, une déclaration de R. Schuman, initiée par J. Monnet, propose la mise en commun des ressources de charbon et d'acier de la France et de l'Allemagne dans une organisation ouverte à tous les États d'Europe, pour éviter la reconstitution des cartels d'avant-guerre. Le 18 avril 1951 (traité de Paris), naît la Communauté européenne du charbon et de l'acier (CECA) entre six pays (Belgique, Luxembourg, Pays-Bas, France, Italie et RFA). Ils organisent rapidement, pour augmenter la productivité et diminuer les prix, un Marché commun, effectif en février 1953. Les Anglais refusent, craignant ce transfert de souveraineté vers une institution supranationale, la Haute Autorité de la CECA, dirigée par J. Monnet. Il trouve indispensable, pour dépasser les vieilles rivalités nationales, un tel organisme formé de personnalités indépendantes des États. Il existe également d'autres propositions pour l'agriculture, les transports, voire la défense (plan Pleven « d'armée européenne unifiée » dans le cadre d'une Communauté européenne de défense, CED).

3. Deux grands partis d'opposition

→ Le PCF

S'appuyant sur le mécontentement, puis l'exploitant politiquement, le PCF organise en septembre 1947 des manifestations contre le régime, surtout après la création du *Kominform* (Bureau de liaison des différents partis communistes, sous la tutelle de Staline) : grèves et protestations violentes se multiplient fin 1947-début 1948 dans une atmosphère de quasi-guerre civile, probablement exagérée. Le PCF renoue avec une rhétorique révolutionnaire, tandis que l'anticommunisme s'exacerbe. La CGT réunifiée dirigée par l'ex-confédéré Léon Jouhaux, mais en fait largement contrôlée par les ex-unitaires communistes, se scinde : les non-communistes, minoritaires, la quittent le 19 décembre 1947 pour fonder en avril 1948 la CGT-Force ouvrière (FO). Seul le monde enseignant conserve un syndicalisme unifié (FEN).

Le retour au calme s'opère en 1948 grâce à l'amélioration de la situation économique et à la fermeté du ministre de l'Intérieur SFIO Jules Moch (appel à l'armée, création des Compagnies républicaines de sécurité, CRS). Le PCF, à l'image considérablement dégradée, est revenu à une situation d'isolement politique, en dépit de son poids social et électoral (20-25 % des voix jusqu'aux années 1970).

→ De Gaulle et le Rassemblement du peuple français (RPF)

En avril 1947, le Général crée le RPF, qui exige de réviser la Constitution pour renforcer l'exécutif et mieux lutter contre le « danger communiste » : il remporte d'éclatants succès aux municipales de 1947, avec 40 % des voix et la conquête de grandes villes (ainsi Jacques Chaban-Delmas à Bordeaux). Manifestement, une partie notable de l'électorat (classes populaires et couches moyennes indépendantes) réclame un meilleur fonctionnement du régime. Le RPF revendique (non sans excès) 1 million d'adhérents en 1948 et veut la dissolution de l'Assemblée nationale. Mais de Gaulle peine à convaincre les parlementaires MRP de le rejoindre.

4. Les élections législatives de 1951 : une épreuve décisive pour le régime

Si ses opposants RPF et PCF ont la majorité, la « Troisième Force » ne peut plus gouverner. Ses dirigeants font adopter une loi électorale, dite des « apparentements » :

les listes qui se sont « apparentées » avant l'élection remportent tous les sièges du département si leurs voix ajoutées obtiennent la majorité absolue. Elle a pour but d'éliminer le PCF et de forcer le RPF à s'allier aux autres. Les résultats montrent que ce stratagème, très critiqué, a en partie atteint son premier objectif, mais non son deuxième en 1951. La « Troisième Force », gardant la majorité des sièges, se reconstitue donc pour quelques mois car six partis (PCF, SFIO, radicaux, MRP, modérés, RPF) ont presque le même nombre de députés. Électorat et gouvernements montrent les signes d'un glissement progressif à droite : en 1950, un premier ministère depuis la guerre est formé sans la SFIO.

La composition de la nouvelle Assemblée prouve qu'une autre solution ministérielle associant centre et droites est envisageable, à condition qu'une fraction des élus RPF la soutiennent, ce que refuse de Gaulle. Début 1952, la coalition se brise à propos de la question scolaire : la SFIO refuse la loi Barangé (septembre 1951) accordant une allocation scolaire aux élèves des écoles privées, comme à ceux du public. La « Troisième Force » se disloque avec la nomination à la présidence du Conseil d'un dirigeant du Conseil national des indépendants et paysans (CNIP, parti modéré fondé à la fin des années 1940), Antoine Pinay : petit industriel élu de la Loire, ancien membre du Conseil national de Vichy, puis résistant, il prône la rigueur budgétaire et la défense prioritaire du franc. Cela provoque le ralliement d'une partie du RPF – que de Gaulle, déçu, dissout peu après – et le rejet de la SFIO dans l'opposition. Mais la nouvelle majorité de centre droit apparaît plus cohérente. L'année 1952 marque, avec la fin de la reconstruction et le retour de la droite, une nouvelle phase.

III. Les difficultés de la IVᵉ République (1952-1958)

A– Les « modérés » au pouvoir (1952-1954)

1. Un « miracle Pinay » ?

« L'homme au chapeau », présenté comme le « Français moyen », veut rétablir un équilibre financier compromis au début des années 1950 par les guerres de Corée (hausse du prix des matières premières et des transports) et la guerre d'Indochine, sources d'inflation et de déficits extérieurs. Antoine Pinay accentue le retour au libéralisme économique amorcé par R. Mayer et P. Reynaud depuis cinq ans (dévaluations du franc en 1948-1949 ; levée en 1950 des contrôles sur les salaires, sauf sur le SMIG, Salaire minimum interprofessionnel garanti). Sa politique, sous couvert de défendre le consommateur, vise à stabiliser les prix, équilibrer le budget (baisse des dépenses et des investissements sans impôts nouveaux) et restaurer la confiance dans le franc : il lance un emprunt de 5 % (taux faible, mais indexé sur l'or... source d'un énorme succès) et amnistie les fraudeurs ayant passé leur fortune à l'étranger. Ces mesures s'avèrent efficaces à court terme (croissance en 1953-1955), en partie grâce à la baisse du cours des matières premières, mais aussi par leur impact psychologique – Pinay devenant le modèle de gestion pour les petits épargnants. Pourtant, elles hypothèquent l'avenir, ne cassent pas l'inflation et ne modernisent guère l'économie. En décembre 1952, Pinay démissionne pour ne pas essuyer un échec probable à l'Assemblée, qui lui impute la montée des mécontentements.

2. Des problèmes en suspens

Le projet de CED divise tous les partis (sauf le MRP favorable et, en sens inverse, le PCF) et déstabilise les gouvernements, dont la durée de vie s'abrège. En témoignent les difficultés pour élire en 1953 un président de la République succédant à V. Auriol, qui avait exercé un réel magistère (en 1947 ou 1952) : le choix finit par se porter sur le pâle sénateur indépendant René Coty qui prétend ne pas vouloir sortir d'une fonction purement honorifique. La rigueur salariale entretient l'agitation sociale, tandis que la répression dans les colonies s'accentue (Maroc, Tunisie, Indochine surtout).

L'enlisement en Indochine apparaît soudain au premier plan. En effet, la « sale guerre » se déroule en deux temps : jusqu'en 1950, elle se cantonne au seul Viêtnam ; les troupes françaises contrôlent les plaines le jour, tandis que la guérilla de Giap tient les maquis en montagne et cultive l'insécurité la nuit. La France tente de diviser les nationalistes en accordant l'indépendance à l'ancien empereur Bao-Daï en 1948, mais trop tard : son régime corrompu ne recueille pas le soutien des Vietnamiens, même anticommunistes.

Après 1950, le conflit s'internationalise : la guerre de Corée est proche, le Viêt-minh reçoit l'appui matériel de la République populaire de Chine proclamée par Mao en 1949, alors que les États-Unis octroient à la France armes et prêts. Se livrent ainsi des batailles de grande ampleur, que l'opinion ignore en grande partie : le général Giap occupe le nord du Tonkin, puis l'Annam et le Laos (1952-1953), établissant une liaison par l'extérieur du Viêtnam avec la Cochinchine (la « piste Hô Chi Minh »). La France est contrainte d'accepter en 1953 l'indépendance du Laos et du Cambodge (prince Sihanouk) ; elle entend couper les approvisionnements du Viêt-minh en tenant la position stratégique de Diên Biên Phû au nord-ouest du Tonkin, afin d'arriver en position de force à la conférence de Genève qui doit régler les conflits en Asie du Sud-Est. Cernés dans la cuvette de Diên Biên Phû par 35 000 hommes lourdement équipés, les 12 000 soldats français restants se rendent après deux mois de combats acharnés (13 mars-7 mai 1954). Cette défaite brutale, durement ressentie dans une armée d'active s'estimant trahie par des politiciens velléitaires, surprend l'opinion et précipite le 12 juin 1954 la chute du gouvernement Laniel (centre droit). Une nouvelle majorité de centre gauche se dégage, incarnée par Mendès France, depuis longtemps favorable à une solution négociée. Il en profite pour tenter de rénover son parti et, surtout, la vie politique française.

B – L'expérience du gouvernement de Mendès France (1954-1955)

1. Une tentative de redressement

Mendès France reconnaît le 20 juillet 1954 à Genève l'indépendance du Viêtnam, coupé provisoirement en deux par le 17e parallèle, avant que des « élections libres » prévues en 1956 ne résolvent la question de l'unité. Elles n'auront jamais lieu ; les Américains prennent rapidement le relais de la France pour ériger le Sud-Viêtnam en bastion anticommuniste, prélude à un engagement plus massif dans les années 1960. Mendès France tente de résoudre d'autres litiges coloniaux. La montée en puissance des partis nationalistes au Maroc et en Tunisie (Istiqlal, Néo-Destour) et la crispation française (déposition du sultan Mohammed V en 1953) ont engendré manifestations et attentats, susceptibles de dégénérer en guerre ouverte. Les négociations, indispensables, s'engagent : en juillet 1954, Mendès France se rend à Carthage et promet à la Tunisie l'autonomie interne (accordée en 1955).

Le style de celui qu'on surnomme « PMF » diffère de celui de ses prédécesseurs : dirigisme, volonté de se tenir à un calendrier, refus de céder aux exigences des partis (dont le sien...), entretiens radiodiffusés pour exposer directement sa politique au pays expliquent sa popularité, entretenue par le journal *L'Express*.

2. L'échec de Mendès France

Déjà, le 30 août 1954, le refus des députés français de débattre du projet de CED déçoit les partenaires de la France, freine la construction européenne et affaiblit la position de « PMF », alors que la situation se dégrade rapidement en Algérie.

En effet, les éléments les plus radicaux (Ben Bella, Boudiaf, Hocine Ait Ahmed) se détachent du PPA en 1954 pour passer à l'action immédiate (Comité révolutionnaire d'unité et d'action ou CRUA) et fonder au Caire le Front de libération nationale (FLN). L'insurrection organisée à la Toussaint 1954 par le CRUA en plusieurs endroits du territoire, bien que très minoritaire, marque le début de ce que l'on ne nomme pas encore « guerre d'Algérie ». Le gouvernement riposte très fermement aux attentats, dissout le MTLD et envoie des troupes pour maintenir l'ordre (F. Mitterrand, ministre de l'Intérieur : « L'Algérie, c'est la France »). Mais, prenant la mesure du problème, il nomme un gouverneur général ouvert aux réformes, le gaulliste Jacques Soustelle, qui prévoit l'application du statut de 1947 et un plan de développement économique et social. Il entend mener une politique d'intégration, mise en œuvre notamment par des sections administratives spécialisées auprès des populations rurales. Or, elle est refusée par les colons, qui perdraient certains de leurs avantages, et par les nationalistes algériens les plus résolus.

Pierre Mendès France affronte une Assemblée en majorité hostile et, plus globalement, une conjonction d'oppositions : les partis, dont il a diminué l'influence ; le « lobby » colonial ; les milieux d'affaires, après 1955. Renversé en janvier 1955, il est remplacé par Edgar Faure (centre droit). Mais le régime y perd encore en crédibilité, ce que révèle la montée de deux courants : le « poujadisme » et le « mendésisme ». Le premier, populiste, tire profit des difficultés des classes moyennes indépendantes : beaucoup de PME, frappées par la crise consécutive à la fin des pénuries, se révèlent inadaptées à la concurrence. Pierre Poujade, papetier du Lot célèbre pour son refus des contrôles fiscaux, exploite ce mécontentement, mais reprend aussi des thèmes d'extrême droite (lutte des « petits » contre les « gros », hostilité aux partis, antiparlementarisme, nationalisme, colonialisme, antisémitisme…). Le second, le « mendésisme », dépasse son inspirateur et correspond plutôt aux aspirations de la jeunesse intellectuelle, regroupant ceux qui souhaitent rénover les partis traditionnels (jeunes socialistes et radicaux, « clubs » de gauche, étudiants…).

Pour les endiguer, E. Faure propose des élections anticipées (janvier 1956) en dissolvant l'Assemblée nationale. Il s'agit d'un test pour la Constitution elle-même car, sur les quatre grandes listes, deux (PCF ; poujadistes, dont Jean-Marie Le Pen) ne soutiennent pas le régime. Les deux autres, « Front républicain » (centre gauche : SFIO, radicaux mendésistes, personnalités comme F. Mitterrand, gaullistes ralliés tel J. Chaban-Delmas) et centre droit (E. Faure, radicaux « de droite », « indépendants », « modérés », gaullistes) demeurent hétéroclites.

C – Le « Front républicain » (1956-1957)

1. D'incontestables progrès

La victoire, étroite, du « Front républicain » se solde par le retour d'une majorité de gauche (en comptant le PCF) : le gouvernement, confié conformément aux résultats électoraux au secrétaire de la SFIO, G. Mollet – et non Mendès France –, peut toutefois compter à l'Assemblée sur le soutien ponctuel du PCF et du MRP. Il prend des initiatives en matière sociale (troisième semaine de congés payés, Fonds national de solidarité pour la « retraite des vieux », financé par la vignette automobile). Sa politique étrangère marque la volonté de retrouver l'indépendance vis-à-vis des États-Unis – rapprochement avec les « neutres » (Inde), développement des recherches sur l'arme nucléaire – et de relancer la construction européenne.

Celle-ci avait prudemment repris à Messine (1ᵉʳ au 3 juin 1955), où les six ministres des Affaires étrangères avaient demandé à P.-H. Spaak de faire un rapport sur un Marché commun, qui inclurait tous les secteurs économiques et la recherche atomique. Dans les années 1950, cette question divise les élus français. Guy Mollet, conscient de la nécessité d'ouvrir le pays, donne une impulsion décisive. Le 25 mars 1957, les Six approuvent le traité de Rome instituant la Communauté économique européenne (CEE ou « Marché commun ») et la Communauté européenne de l'énergie atomique (Euratom). La CEE vise à supprimer graduellement les barrières douanières – ce qui sera réalisé le 1ᵉʳ juillet 1968 –, libéraliser les échanges et harmoniser les politiques économiques. Elle crée des institutions inspirées de la CECA : Commission européenne de Bruxelles, Conseil des ministres, Parlement européen (Strasbourg et Bruxelles), Cour de justice et Cour des comptes (Luxembourg). Le 1ᵉʳ janvier 1958, la CEE, qui résulte d'un compromis à l'avantage de la France, entre en vigueur. Mais la IVᵉ République finissante hésite à s'engager de peur d'une déroute monétaire : il appartiendra à de Gaulle de franchir le pas.

La même ouverture caractérise initialement la politique coloniale : l'indépendance de la Tunisie est effective en mars 1956, comme celle du Maroc, tout en préservant des intérêts français (base navale de Bizerte, investissements). En Afrique noire (AOF, AEF et Madagascar), la « loi-cadre » proposée en 1956 par le « ministre de la France d'outre-mer », Gaston Defferre, prépare son émancipation politique. Elle permet aux Africains d'élire au suffrage universel direct des « assemblées territoriales » souveraines (sur certains domaines techniques seulement), ainsi qu'un exécutif pour chaque territoire. Cette décentralisation administrative partielle réveille la vie politique locale, favorisant la naissance de partis. Beaucoup militent ensuite pour l'indépendance. Mais, en Algérie, le gouvernement échoue à dénouer la crise dont il a hérité.

2. L'obstacle algérien

→ L'engrenage en Algérie

Après avoir tenté de contenir les récriminations des colons et tendu vainement la main au MTLD et au FLN, J. Soustelle, encore soutenu par le gouvernement d'E. Faure, s'est heurté à l'enracinement croissant dans la population musulmane du FLN, encouragé par les exemples marocain et tunisien. Le 3 avril 1955, l'état d'urgence est institué. Les activistes des deux camps ont gagné la partie lorsque, dans le Constantinois, le 20 août 1955, des commandos du FLN poussent des milliers de paysans à massacrer des familles de colons et certains autochtones. La répression, très brutale (plusieurs milliers de morts), creuse le clivage entre les communautés. Soustelle devient partisan de « l'Algérie française » ; l'Assemblée réclame du gouvernement Faure la fermeté : outre les renforts de troupes professionnelles, des soldats du contingent sont envoyés à l'automne 1955, les réservistes rappelés et des musulmans favorables à la France engagés (les « harkis »). Les élus nationalistes modérés intègrent le FLN ; guérilla rurale des « *fellaghas* » et terrorisme urbain s'étendent.

Initialement partisan d'une solution politique (triptyque « cessez-le-feu, élections, négociations »), G. Mollet renvoie Soustelle et nomme un ministre résident pour l'Algérie, le général Catroux, réputé libéral. En visite à Alger le 6 février 1956, G. Mollet capitule devant la colère des colons, excitée par le Comité de défense de l'Algérie française fondé peu avant (le « discours des tomates »). Les manifestants, soutenus par l'armée, obtiennent le retrait de Catroux au profit de Robert Lacoste. Les députés (communistes inclus) donnent au gouvernement les « pouvoirs spéciaux » en Algérie. Guy Mollet négocie encore avec le FLN, mais cautionne l'enlèvement dans un avion marocain de ses principaux dirigeants (Ben Bella) par les services secrets français… Les initiatives de l'administration locale et des militaires tendent à échapper au pouvoir central et l'escalade de la violence s'enclenche. L'armée, qui dépasse les 400 000 hommes fin 1956, dirigés sur place par le général Salan, reçoit carte blanche pour « pacifier » l'Algérie. Certes, elle mène une réelle action d'assistance en milieu rural et livre une « guerre psychologique », recourant à la propagande. Mais, sur le terrain, elle intensifie les combats, usant de méthodes expéditives : le général Massu gagne ainsi en 1957 la « bataille d'Alger » ; la « ligne Morice » ferme les frontières algériennes. Parallèlement, le FLN accentue sa pression pour se poser comme le seul interlocuteur : il parvient, par son action, mais aussi par l'intimidation ou les règlements de compte, à fédérer la quasi-totalité des mouvements nationalistes. La situation paraît bloquée, alors que la question s'internationalise.

➜ La désastreuse expédition de Suez (1956)

Le colonel égyptien Nasser, chantre du nationalisme arabe et protecteur du FLN, décide le 26 juillet 1956 de nationaliser la compagnie du canal de Suez (dominée par des intérêts anglo-français) afin de financer le barrage d'Assouan sur le Nil. Les deux anciennes puissances coloniales s'entendent avec Israël, qu'inquiètent ses voisins : l'État hébreu attaque l'Égypte (29 octobre), puis France et Royaume-Uni interviennent à Port-Saïd (le 5 novembre) pour « séparer » les belligérants et, en fait, reprendre le contrôle du canal. Or la réaction internationale, plus vive que prévu, contraint les Franco-Britanniques à se retirer, devant les condamnations de l'ONU, les menaces atomiques de l'URSS et, surtout, les pressions sur le franc et la livre des États-Unis, dont l'influence grandit au Proche et Moyen-Orient. Nasser, militairement battu, sort victorieux de la confrontation, s'affirme comme un grand dirigeant du tiers-monde. Les puissances européennes ont perdu beaucoup de leur crédit dans cette aventure. L'antiaméricanisme gagne du terrain ; l'armée française s'estime frustrée de sa victoire, alors que le FLN renforce sa légitimité internationale.

Les réalisations du gouvernement Mollet sont donc occultées par l'intensification de la « guerre sans nom ». Mollet tombe le 22 mai 1957 à propos de la situation financière (déficits et hausse des impôts), mais c'est en fait l'impuissance en Algérie qui engendre la crise politique : le « Front républicain » éclate, critiqué par une partie de la gauche souhaitant une solution négociée et victime d'une coalition de mécontents, pourtant incapable d'offrir une alternative gouvernementale. Cette faiblesse marque la fin véritable de la IVᵉ République.

D – L'agonie de la IVᵉ République (1957-1958) et le retour du général de Gaulle

1. Une opinion lasse de la guerre

➜ **L'Empire, un fardeau (le « cartiérisme »)**

Un journaliste de *Paris Match*, Raymond Cartier, partant du constat que les pays ayant connu la plus forte croissance après 1945 n'ont plus d'Empire, diffuse l'idée qu'il est inutile, impossible et coûteux de maintenir la tutelle coloniale : le poids de la guerre sur le budget, surtout en 1958, l'inflation et le manque de main-d'œuvre (mobilisation, service militaire allongé de 18 à 27 mois) semblent lui donner raison.

➜ **L'Empire, une honte**

À l'ONU, qui condamne par principe la colonisation, les pays décolonisés, devenus majoritaires à l'Assemblée générale, sanctionnent les puissances coloniales, d'autant que le mouvement des « pays non alignés » se développe (1955 : conférence de Bandoeng). Les deux Grands critiquent la France en théorie, surtout pour l'Algérie, mais les États-Unis ont assumé l'essentiel du poids financier de la guerre d'Indochine et l'URSS est demeurée très prudente.

Même si l'opinion, fortement contrôlée et ignorante, paraît résignée et attachée à l'Empire, de plus en plus de voix s'élèvent pour condamner les objectifs et surtout les méthodes employées en Algérie par les militaires (ratissages systématiques, tortures, voire exécutions), automatiquement couverts. Il s'agit d'intellectuels (J.-P. Sartre et sa revue *Les Temps modernes*, F. Mauriac), de journaux (*Témoignage chrétien, France-Observateur, L'Express*), mais aussi d'hommes politiques de gauche ou de centre gauche qui quittent le gouvernement (Mendès France, Alain Savary) ou lui ôtent leur soutien (F. Mitterrand, G. Defferre). Le PCF, non sans prudence, condamne la domination française. Les Églises se rallient à l'idée d'émancipation, dès 1944 pour les protestants français, plus tardivement chez les catholiques, même si certains prélats comme monseigneur Duval, évêque d'Alger, anticipent cette évolution : défaisant le lien entre christianisation et colonisation, ils encouragent la formation d'un clergé autochtone au lieu des missionnaires. « L'anti-impérialisme » et le tiers-mondisme gagnent en audience. Certains, poursuivis par les autorités, apportent leur aide directe aux mouvements d'émancipation (les « porteurs de valise » du FLN algérien). Toutefois, il faut attendre 1956 pour que l'opinion métropolitaine bascule, quittant sa bonne conscience initiale : l'envoi croissant du contingent diffuse la guerre dans toutes les familles, élargissant au pays entier ce qui n'était auparavant qu'affaire de spécialistes. Néanmoins, il existe aussi un courant d'extrême droite qui, revivifié par la vague poujadiste, voit dans le FLN à abattre une pointe avancée du communisme et dans le maintien de « l'Algérie française » une preuve de grandeur nationale.

2. L'impuissance du régime

Après G. Mollet, les ministères Bourgès-Maunoury et Gaillard, peu soutenus par une opinion lassée des « replâtrages » ministériels, sans vraie majorité, veulent négocier avec le FLN, mais craignent les activistes de l'Algérie française. Une partie des « pieds-noirs » et des officiers, retrouvant les accents antiparlementaires d'avant la guerre et certaines nostalgies vichystes, complotent et rêvent d'un putsch de l'armée, venu d'Algérie, qui instaurerait un pouvoir fort. La stabilisation de la situation militaire et les coups très durs portés au FLN semblent aller dans leur sens.

Mais à l'étranger, la France perd tout prestige, après le bombardement en février 1958 du village tunisien de Sakhiet, supposé abriter des *fellaghas*. C'est d'ailleurs la plainte tunisienne à l'ONU qui occasionne la proposition de médiation des Anglais et des Américains entre FLN et gouvernement français, très mal ressentie dans le pays, au point de provoquer la crise gouvernementale fatale au régime. À l'annonce de l'inves-titure probable du MRP Pierre Pflimlin, favorable à la négociation, le 13 mai 1958, éclate à Alger une émeute des partisans de « l'Algérie française », avec la complicité de l'armée locale ; ils forment un Comité de salut public de l'Algérie française, dirigé par les généraux Massu, puis Salan, qui fait appel au général de Gaulle – présenté comme un partisan du *statu quo* en Algérie. Le gouvernement reste sans réaction car armée et police sont peu sûres. Mais il ne veut pas rappeler de Gaulle qui, sans avoir suscité les événements, laisse mûrir la situation afin de se présenter comme un recours, le gardien des libertés et la seule autorité capable d'éviter la guerre civile.

3. Le double jeu des gaullistes

Pour préparer son retour et malgré ses doutes, le Général a soigné son image d'homme d'État en profitant de sa « retraite » politique depuis 1953 (la « traversée du désert ») pour publier ses *Mémoires* : sans prendre directement part à l'activisme en Algérie, il entend bien en tirer profit. L'émeute du 13 mai 1958 et la formation du Comité de salut public, travaillé par les gaullistes, lui permettent de se présenter en recours. Finalement, face à la déliquescence de l'autorité gouvernementale, l'Assem-blée choisit, à regret, de Gaulle le 1er juin 1958 comme président du Conseil. Elle lui confie les pleins pouvoirs et le droit de réviser la Constitution : c'est le « suicide » de la IVe République, malgré les protestations d'une partie de la gauche (Mendès France, Mitterrand, PCF) qui crie au coup d'État. Mais la majorité de la SFIO et des radicaux ont voté pour lui, ce qui leur ôte beaucoup de leur crédit et leur fait craindre l'éclate-ment. La plupart des Français ne voient pas d'autre issue que de Gaulle, qui peut ainsi tailler un régime à sa mesure.

La Vᵉ République : grandeurs et doutes

I. La République gaullienne (1958-1969)

A – La naissance de la Vᵉ République (1958)

1. Le gouvernement du général de Gaulle

Sauf le PCF, tous les grands partis y sont représentés, mais les gaullistes détiennent les postes clés. Un comité de juristes dirigé par Michel Debré (ministre de la Justice, fidèle compagnon du Général) est chargé de rédiger la nouvelle Constitution. Au bout de trois mois, elle est présentée aux Français par de Gaulle le 4 septembre 1958 (jour anniversaire de la proclamation de la IIIᵉ République, par souci de symbolisme républicain, en réponse aux accusations de dictature portées par la gauche).

La Constitution vise à renforcer l'autorité de l'exécutif, surtout celle du président de la République, tout en conservant un régime parlementaire. D'où un compromis original, susceptible d'interprétations différentes, notamment au cas où Premier ministre (ou Parlement) et président divergeraient. Le président de la République nomme son Premier ministre et le gouvernement, qui n'ont plus besoin d'être investis par l'Assemblée nationale, mais demeurent responsables devant elle. L'objectif du général de Gaulle est de dégager les priorités d'un État garant de l'intérêt général et d'incarner la grandeur nationale, au risque de limiter le débat démocratique et de dériver vers la pratique autoritaire d'un pouvoir aux choix moins contrôlés.

2. La mise en place de la Constitution

La Constitution est approuvée par presque tous les partis, sauf les communistes, certains poujadistes et des minoritaires à gauche (Mitterrand). Près de 80 % des Français répondent oui au référendum du 28 septembre 1958, davantage pour de Gaulle que pour le texte proprement dit. Les élections législatives de novembre 1958 (scrutin uninominal d'arrondissement majoritaire à deux tours) donnent une nette majorité à la droite (gaullistes rassemblés dans l'Union pour la nouvelle République,

UNR, et « modérés » du CNIP), au détriment des partis jugés trop liés au précédent régime (SFIO, centristes), au demeurant secrètement soulagés et divisés par rapport au Général. Ce dernier est facilement élu président de la Ve République et de la « Communauté française » le 21 décembre 1958, non par le seul Parlement réuni en Congrès, mais par un collège de 80 000 notables qui dilue l'influence des parlementaires. Le Général n'a pas osé instaurer l'élection du président au suffrage universel direct : tous les partis traditionnels y sont hostiles à cause des mauvais souvenirs laissés par le bonapartisme. Michel Debré est nommé Premier ministre en janvier 1959. Enfin, le nouveau Sénat, où les gaullistes sont minoritaires, est élu en avril 1959.

B – Le règlement de l'hypothèque coloniale

1. L'émancipation de l'Afrique noire

En 1958, de Gaulle propose aux pays d'Afrique noire d'intégrer la « Communauté française », fédération dirigée par la métropole : ces pays sont autonomes, sauf pour la défense et la politique étrangère. La Guinée et les territoires sous tutelle (Cameroun, Togo) refusent (indépendants en 1958). Dès 1959, tous les autres membres réclament, et obtiennent en 1960, leur indépendance.

2. La douloureuse résolution du conflit algérien (1958-1962)

→ Le long cheminement vers les accords d'Évian (1962)

De Gaulle doit composer avec plusieurs forces : les Français d'Algérie, l'armée, aux officiers majoritairement favorables à l'Algérie française et qui ont désobéi, le FLN, devenu le principal interlocuteur mais voulant l'indépendance totale, et l'opinion métropolitaine qui juge le Général seul capable d'arrêter honorablement la guerre. Sensible aux désastreux effets internationaux et attaché à l'autorité de l'État, de Gaulle modifie son attitude, d'autant que les mouvements se radicalisent. D'abord partisan du maintien (aménagé) de l'Algérie française, il reprend en mains l'armée : il éloigne Salan d'Algérie. Il mène une triple politique : poursuite de la « pacification » sur le terrain (plan Challe), améliorations économiques et sociales pour l'Algérie (plan de Constantine), projet politique (associer les Musulmans aux décisions).

En réponse aux initiatives françaises, le FLN refuse la « paix des braves » proposée par de Gaulle en octobre 1958 (cesser les combats sans négocier) et crée à Tunis le gouvernement provisoire de la République algérienne. Afin de dénouer le conflit, le président de la République annonce le 16 septembre 1959 une consultation à l'issue de laquelle l'Algérie choisirait (autodétermination) entre la francisation, l'association et la sécession. Mais le FLN, où grandit l'influence du chef de l'Armée de libération nationale, Houari Boumediene, ne souhaite pas déposer les armes avant d'obtenir des garanties. La situation pourrit, les combats continuent et le général de Gaulle doit à nouveau infléchir sa position. Le 4 novembre 1960, il propose une « République algérienne » dotée d'un gouvernement propre, à l'issue d'un référendum sur l'autodétermination le 8 janvier 1961. Trois Français sur quatre approuvent le chef de l'État, mais pas la population européenne d'Algérie, à qui il faudra imposer une telle décision. Cependant, les négociations avec le FLN, au demeurant divisé et tiraillé par des règlements de comptes, traînent en longueur ; des désaccords persistent sur le sort des « pieds-noirs » ou du Sahara (hydrocarbures).

Les contacts reprennent à l'automne 1961. Les accords d'Évian, ratifiés le 18 mars 1962, tout en maintenant la présence des colons, prévoient l'indépendance totale de l'Algérie. Ils sont soumis à un référendum le 8 avril suivant et approuvés par quatre Français métropolitains sur cinq et par 99 % des Musulmans d'Algérie. Le 3 juillet 1962, la République algérienne, dirigée par le FLN, est indépendante.

→ Un climat d'insécurité et d'équivoques

Depuis 1959, de Gaulle doit s'opposer aux Européens d'Algérie et aux « activistes » de l'armée, qui s'estiment trahis et entretiennent l'agitation : du 24 au 30 janvier 1960, se déroulent des insurrections à Alger (la « semaine des barricades »), difficilement calmées par l'utilisation des « pouvoirs spéciaux » confiés au président. La droite favorable à l'Algérie française lâche d'ailleurs de Gaulle, dont elle sent l'évolution, mais qui bénéficie du soutien de la gauche et, surtout, de la population métropolitaine. Plus grave, du 22 au 25 avril 1961, quatre anciens généraux à Alger (Salan, Jouhaud, Zeller et Challe) tentent de prendre le pouvoir et entraînent certains militaires. De Gaulle réagit vigoureusement en condamnant le putsch et en utilisant les pleins pouvoirs (article 16 de la Constitution). L'appel à l'obéissance est suivi par le gros de l'armée, notamment le contingent renseigné par la radio : le coup d'État échoue, mais la fraction irréductible des militaires et des « pieds-noirs » forme l'Organisation armée secrète (OAS), qui bascule dans la clandestinité.

Pour bloquer les négociations avec le GPRA, l'OAS organise des attentats en Algérie et en France, en particulier contre le général de Gaulle, dont le plus dangereux aura lieu au Petit-Clamart en août 1962 ; l'OAS pratique la « politique de la terre brûlée » juste avant l'indépendance pour dresser face à face les deux communautés. En réaction au terrorisme de l'OAS et pour hâter la paix, se multiplient en France métropolitaine des manifestations de gauche et des pétitions d'intellectuels pour soutenir le FLN ou appeler à la désertion (la « Déclaration des 121 », en septembre 1960, encourage l'insoumission). Il existe des réseaux clandestins d'aide au FLN (le réseau « Jeanson »), auxquels répondent d'autres pétitions favorables à l'Algérie française, au nom de la défense de la civilisation occidentale. L'hiver 1961-1962 est difficile : les terroristes des deux camps agissent de part et d'autre de la Méditerranée. Le pouvoir est accusé de frapper moins durement l'OAS que les Algériens (la brutale répression d'une marche pacifique à Paris le 17 octobre 1961 se solde par plusieurs dizaines de morts) ou les partisans métropolitains de la paix (neuf décès au métro Charonne le 8 février 1962 dans une bousculade consécutive à une charge policière contre une manifestation). En Algérie, l'exacerbation des passions et les pressions de l'OAS et des nationalistes ne permettent pas aux colons de rester (« La valise ou le cercueil »). Avant l'été 1962, plus de 800 000 « pieds-noirs » quittent le pays en catastrophe, accompagnés de 150 000 harkis, que la métropole reçoit dans l'indifférence. Outre les 200 000 à 300 000 morts et la désorganisation de l'Algérie, la guerre laisse des marques indélébiles dans les mémoires : occultés par beaucoup, les gouvernants au premier chef, avivés parmi les minorités qui les ont directement connus, les souvenirs du drame demeureront encore longtemps.

C – La crise politique de 1962

1. L'évolution de la pratique institutionnelle

Contrairement aux textes, le gouvernement, qui devrait « conduire la politique de la Nation » est réduit à un rôle d'exécutant : le président de la République dispose, de fait, de « domaines réservés » (Affaires étrangères et africaines, Défense, politique économique) qui aboutissent à dessaisir les ministères correspondants. La majorité absolue des députés est requise pour adopter une motion de censure destinée à renverser le gouvernement. Le parlement, mis à l'écart, ne peut fixer son ordre du jour. De Gaulle gouverne souvent sans ou par-dessus lui ; il s'adresse directement aux Français par les référendums, les médias (radio, TV qu'il maîtrise de mieux en mieux), les voyages en province (« bains de foule »). Il prolonge jusqu'au 30 septembre 1961 l'usage de l'article 16, au-delà des strictes nécessités de sécurité. Le prestige du général de Gaulle, son rôle décisif dans le dénouement de la guerre d'Algérie, son mépris pour les partis politiques et sa pratique du pouvoir ont accentué le caractère présidentiel du régime. En conséquence, les partis traditionnels, liés au fonctionnement des Chambres, connaissent une crise. Mécontents, ils attendent de récupérer leurs pouvoirs en refermant la parenthèse gaullienne.

2. La formation d'une « majorité présidentielle »

→ L'isolement du parti gaulliste

En 1962, de Gaulle enregistre la défection des modérés (Pinay est renvoyé du gouvernement en 1960), d'une partie du CNIP (hostile à la politique algérienne) et du MRP (opposé à la conception gaullienne de l'Europe). L'UNR est épurée des partisans de l'Algérie française. Les partis engageront vite l'épreuve de force avec de Gaulle, minoritaire à l'Assemblée. Menacé et voulant mettre son successeur à l'abri d'un retour au parlementarisme, il ne leur en laissera pas le temps ! Au lendemain du référendum sur les accords d'Évian, il remplace M. Debré par Georges Pompidou (14 avril 1962).

→ Le "coup de poker " du général de Gaulle

Ni parlementaire, ni résistant, Pompidou apparaît comme une « créature » du Général. Normalien et enseignant, puis fondé de pouvoir à la banque Rothschild, sans jamais avoir appartenu au RPF, il est proche de la famille du Général. Ce choix est considéré par tous les partis, sauf l'UNR, comme une provocation. De Gaulle appelle au peuple : le 12 septembre 1962, il propose aux Français un référendum pour changer le mode d'élection du président de la République (au suffrage universel direct à deux tours) en utilisant l'article 11 de la Constitution, alors qu'il aurait normalement dû soumettre cette révision essentielle au Parlement, (article 89). Il se passe de son avis, notamment de celui du Sénat, particulièrement hostile par la voix de son président Gaston Monnerville. Les partis reportent leur colère sur le gouvernement, renversé le 5 octobre 1962 par une motion de censure. Le général de Gaulle dissout l'Assemblée, provoquant de nouvelles élections législatives les 18 et 25 novembre 1962.

➜ **La déroute des partis**
Outre l'UNR, de Gaulle ne peut compter que sur des individualités et sur le ralliement des modérés, les Républicains indépendants, emmenés par le jeune ministre des Finances Valéry Giscard d'Estaing (« VGE »). Toutes les autres formations politiques appellent à voter « non » (le « cartel des non »). Les résultats constituent un important succès pour le Général : 62 % des votants au référendum du 28 octobre 1962 approuvent le changement institutionnel ; l'UNR, renforcée des élus Républicains indépendants, obtient la majorité absolue à l'Assemblée. Georges Pompidou est logiquement reconduit dans ses fonctions, ainsi que VGE aux Finances. La majorité parlementaire est soumise (les « godillots du Général »). La bipolarisation droite/gauche s'accentue : les centristes subissent un revers cuisant. Certains des opposants à de Gaulle se rallient progressivement ; d'autres fondent de nouveaux partis (centre droit, centre gauche). Mais ce renouvellement est à peine entamé pour la présidentielle de 1965.

D – Les succès du régime (1962-1965)

L'on considère souvent la période 1962-1965 comme celle des réussites du Général, au contraire des années 1965-1969. Il convient de nuancer ce schéma et de ne pas oublier l'importance de ses décisions initiales.

1. Les tentatives d'indépendance diplomatique

De Gaulle, attaché à « l'État-Nation » qu'il prétend incarner, vise à rendre à la France son rang de grande puissance en proclamant, parfois aux limites de l'illusion, son souci multiforme de « grandeur » et « d'indépendance nationale ».

➜ **Les moyens de l'autonomie**
▶ **L'arme nucléaire.** Depuis 1945, la création du Commissariat à l'énergie atomique marque la volonté de développer l'étude civile de la fission de l'atome. Le programme militaire, préparé dès 1954, est réalisé sous l'impulsion du général Ailleret. À partir d'une filière maîtrisée, la France fait éclater la première bombe A au Sahara en 1960,

bien après les Américains, les Soviétiques et les Anglais. En août 1968, elle récidive avec deux bombes H, beaucoup plus puissantes (fusion thermonucléaire), comblant, qualitativement, une partie de son retard. Il reste à transporter l'ogive sur sa cible – de fait l'Union soviétique – opération délicate.

La « force de frappe » stratégique comprend trois vecteurs nucléaires : avions d'abord (Mirage IV), puis missiles fixes souterrains (au plateau d'Albion en Provence) – aujourd'hui abandonnés –, enfin, depuis 1971, missiles embarqués par des sous-marins à propulsion nucléaire, largement indétectables. Le concept de la dissuasion nucléaire, commandée directement par le président de la République (décret de 1964), repose sur la dissuasion « du faible au fort » (l'URSS). Vu l'inégalité des arsenaux, elle se fonde sur l'importance des dommages causés à l'adversaire (stratégie « anti-cités »), hors de proportion avec les avantages escomptés par lui d'une attaque contre le sol français, devenu un « sanctuaire ». De Gaulle estime pouvoir se passer de l'appui nucléaire américain et affirme son rang politique aux côtés des quatre autres puissances atomiques : il refuse de signer le traité de non-prolifération nucléaire (1968) qui accentuerait le déséquilibre en faveur des deux « super-Grands ».

▶ **Le retrait de l'OTAN.** En 1966, le général de Gaulle décide de retirer la France du commandement militaire intégré de l'OTAN sous direction américaine : les soldats américains partent de leurs bases françaises et le quartier général s'installe en Belgique. La France reste associée aux opérations militaires de l'OTAN (manœuvres), tout en pouvant utiliser ses troupes comme elle l'entend.

→ **Une voix entre l'Est et l'Ouest**

Ce départ s'inscrit dans une logique amorcée en 1958 : critiquer la domination américaine pour se poser en intermédiaire obligé des relations internationales. De Gaulle saisit toutes les occasions : il refuse le « grand dessein » de Kennedy qui propose en 1962 un « partenariat atlantique » à l'Europe de l'Ouest à condition de laisser aux USA le monopole atomique ; il interdit en 1963 et 1967 l'entrée dans la CEE du Royaume-Uni, vu comme le cheval de Troie américain ; il reconnaît la Chine populaire de Mao Zedong (1964) ; il fait échanger les dollars détenus par la Banque de France contre de l'or pour affaiblir le « billet vert » ; il se prononce à Phnom Penh au Cambodge (1966) contre l'intervention américaine au Viêtnam ; enfin, lors d'un voyage au Canada en 1967, il lance fort peu diplomatiquement : « Vive le Québec libre ! » dans un État majoritairement anglo-saxon…

De Gaulle pratique une politique de liens directs avec les Soviétiques, se rendant à Moscou en 1963 et établissant une communication immédiate entre les deux capitales. Mais il dénonce leur domination sur les pays de l'Est à l'occasion de ses voyages en Pologne (1967) et en Roumanie (1968). Néanmoins, il reste fidèle à l'Alliance atlantique dans les crises graves, soutenant le président Kennedy lors de celle de Berlin (construction du « mur de la honte » en août 1961) ou des fusées de Cuba (octobre 1962). Sa marge de manœuvre demeure étroite.

➜ Une influence limitée

La fin de l'hypothèque coloniale, qui mettait la France en contradiction avec ses principes, permet à de Gaulle d'entamer une ouverture en direction du tiers-monde, fondée sur les liens tissés avec l'Empire, mais aussi sur des ambitions plus larges. Il soutient certaines revendications du « mouvement des non-alignés » dans ses voyages en Amérique latine (1964) et en Asie (1966). La France se rapproche spectaculairement des pays arabes, au détriment d'Israël, pendant la guerre des Six Jours de juin 1967. Surnommée le « gendarme de l'Afrique », la France est longtemps – jusqu'aux années 1970, où États-Unis et URSS interviennent indirectement, alors que dans les années 2000 s'accroît l'influence chinoise) – la seule puissance à s'intéresser à ce continent. Les pays d'Afrique noire décolonisés entrent à l'ONU sous son parrainage et gardent avec elle des liens étroits (traités de coopération militaire, technique, économique, culturelle). L'aide française est proportionnellement importante, dans le cadre du franc CFA (Communauté financière africaine). Paris pousse la CEE à conclure avec les pays africains des conventions commerciales pour stabiliser les échanges (accords de Yaoundé en 1964, puis de Lomé en 1976, qui les étendent à la zone caraïbe et pacifique). Mais, ils restent sous surveillance étroite du président et de ses conseillers (l'influent Jacques Foccart). La « politique de grandeur » inspirée par de Gaulle est au-dessus des moyens du pays. Aussi le Général – plus prudent que ses éclats ne le laissent supposer – voit-il dans la construction européenne un moyen de conforter la puissance française.

➜ Une certaine idée de l'Europe...

De Gaulle, pragmatique, joue un rôle décisif pour appliquer le traité de Rome à la fin de 1958. La Politique agricole commune (PAC), élaborée en 1962 à partir de l'exemple français, avantage notre agriculture. Néanmoins, le Général, promoteur d'une « Europe des États », est violemment hostile à une Europe fédérale qui gommerait les spécificités nationales. Il exige qu'un pays puisse s'opposer à une décision du Conseil (droit de veto) s'il estime que ses intérêts vitaux sont en jeu. Mais la France ne peut faire approuver le plan Fouchet (juillet 1961-avril 1962), qui consiste à envisager la concertation entre États pleinement souverains, indépendants des deux blocs, mais sans autorité « supranationale ». Le refus des partenaires de la France, qui craignent son hégémonie et sous protection américaine, conduit de Gaulle à rejeter la candidature britannique et à privilégier l'axe franco-allemand (traité d'amitié de Paris avec K. Adenauer en 1963).

2. Une politique économique volontariste

En cette matière, de Gaulle critique la IVe République, l'accusant d'avoir accumulé déficits et dettes. C'est négliger le coût des guerres coloniales et les effets, négatifs à court terme, de l'ouverture économique assumée par le régime précédent. Il souhaite bâtir la grandeur du pays sur une monnaie plus solide, et choisit donc la rigueur budgétaire. Le redressement financier s'appuie sur la popularité de Pinay, ministre des Finances en juin 1958. En décembre, il met en place avec l'économiste Jacques Rueff un plan destiné à rétablir l'équilibre budgétaire : baisse des dépenses, augmentation des impôts, dévaluation du franc de 17,5 %, création d'un nouveau franc valant 100 francs anciens (1er janvier 1960), respect du traité de Rome afin de stimuler la concurrence par l'ouverture économique.

Fort des marges financières dégagées dès 1962 et de la poursuite d'investissements antérieurs, de Gaulle peut accélérer la modernisation agricole et industrielle du pays (IVe et V^e plans). Il mène à bien les grands projets afin de se dégager de l'influence américaine, en promouvant des technologies françaises. La France connaît, surtout après 1962, une période d'expansion remarquable (taux de croissance annuel du PIB supérieur à 5 %, dépassé seulement par le Japon).

E– Un pouvoir gaulliste contesté (1965-1969)

1. Les ombres de la croissance

L'inflation, après un coup d'arrêt en 1958-1960, persiste : les prix de détail gagnent 6 % en 1963. Le « plan de stabilisation » de Giscard d'Estaing en 1963 prévoit de nouveaux impôts, un contrôle du crédit et des prix à la production en 1964-1965. Mais l'inflation demeure et les importations (machines, pétrole) croissent plus vite que les exportations. Les inquiétudes sociales concernent les nombreux petits travailleurs indépendants (agriculteurs, artisans, commerçants) qui ont du mal à entrer dans un système concurrentiel. Les mineurs, fer de lance de la Reconstruction, ont des effectifs pléthoriques compte tenu des faibles ressources charbonnières de la France. Le choix du « tout pétrole » en 1960 (plan de Jean-Marcel Jeanneney) leur porte le coup de grâce : leur grande grève de 1963, largement soutenue, fait plier le pouvoir, mais échoue à enrayer le déclin de l'exploitation houillère. Un malaise subsiste chez les petits salariés, notamment parmi la « nouvelle classe ouvrière », qui souhaitent bénéficier davantage des « fruits de la croissance » et ont le sentiment que l'écart se creuse avec des catégories émergentes (cadres, professions libérales…). Cependant, le niveau de vie des Français progresse.

2. La montée des oppositions (1965-1967)

→ De Gaulle en ballottage à l'élection présidentielle de décembre 1965

Sûr d'être élu au premier tour, le Général, âgé de 77 ans, ne mène presque pas campagne, contrairement à ses adversaires, tel le démocrate-chrétien Jean Lecanuet (soutenu par le centre droit d'opposition et le MRP) qui introduit des méthodes « à l'américaine ». Or de Gaulle est mis en ballottage par J. Lecanuet et surtout F. Mitterrand, candidat de centre gauche (après l'échec de G. Defferre) appuyé par toute la gauche, PCF compris. Au second tour, le Général est élu, mais F. Mitterrand, pourtant violemment hostile aux institutions, obtient plus de 45 % des voix. Cet avertissement des électeurs qui jugent de Gaulle trop éloigné de leurs préoccupations ne sera pas entendu ; il ne modifie pas son style de gouvernement.

➜ L'étroite majorité des élections législatives de 1967

Les différents partis se réorganisent : les gaullistes se retrouvent dans l'Union des démocrates pour la République (UDR), menée par Pompidou. La gauche non communiste se rassemble, en dépit de divergences, dans la Fédération de la gauche démocrate et socialiste (FGDS), qui comprend le groupement de Mitterrand, la Convention des institutions républicaines (CIR), les membres des « clubs » de réflexion politique, des radicaux, les socialistes et le Parti socialiste unifié (PSU) proche de Mendès France. Le MRP et les « modérés » s'unissent au sein du centre démocrate.

À l'issue du second tour, l'UDR et ses alliés ont à peine un siège de majorité à l'Assemblée. Leur embarras croît devant « l'exercice solitaire du pouvoir » (VGE) par de Gaulle et ses brusques déclarations (cf. l'embargo sur les armes destinées à Israël pendant la « guerre des Six Jours »). Les Républicains indépendants se détachent du gouvernement (politique du « oui, mais… »), ce qui fragilise les élus gaullistes. C'est dans ce contexte que l'agitation étudiante ouvre une crise multiforme.

3. La crise de mai–juin 1968

➜ Les origines de la contestation

▶ **Un malaise commun aux jeunes des pays industrialisés.** Les générations du « baby-boom » critiquent, parfois de façon contradictoire, le monde de leurs parents : la « société de consommation » et les inégalités, le pouvoir de l'argent, la morale traditionnelle, l'autoritarisme (famille, enseignement, relations hiérarchiques au travail). Ainsi s'affirme un groupe d'âge qui arbore des signes distinctifs (chanson rock et pop, *jeans*, cheveux longs…), dans une société encore rigide en matière de mœurs. Beaucoup rejettent la guerre du Viêtnam, l'« impérialisme américain » et admirent les mouvements révolutionnaires dans le tiers-monde. L'agitation étudiante est forte aux États-Unis, au Japon, en RFA, en Italie, sans oublier, d'une autre nature, la remise en cause des régimes communistes d'Europe orientale (Tchécoslovaquie : « printemps de Prague » de 1968).

▶ **Les spécificités françaises.** Beaucoup de salariés s'estiment lésés, alors que les Français ont consenti des efforts très intenses depuis la guerre. La fréquence et la dureté des grèves augmentent, surtout chez les jeunes ouvriers peu qualifiés (grèves « sauvages » sans préavis, « tournantes », « perlées »…). Outre la quantité de travail, sa nature est aussi remise en question (taylorisme et rigidités hiérarchiques). Le mécontentement est vif chez les étudiants, dont le nombre a triplé entre 1958 et 1968, sans que les structures d'accueil suffisent. Leur syndicat, l'UNEF, s'est politisé par son hostilité à la guerre d'Algérie, tandis que de nombreux groupes « gauchistes » entretiennent l'effervescence dans les facultés. Enfin, la population nourrit une lassitude à l'égard du pouvoir (« Dix ans, ça suffit ! »).

→ Les étapes des « événements »

▶ **La phase étudiante (3-12 mai 1968).** L'agitation débute dans les universités parisiennes, à Nanterre, symbolisée par la création du « Mouvement du 22 mars » (1968), jour où le Conseil de cette université a été occupé par des étudiants protestant contre l'inculpation de membres du « Comité Viêtnam ». Elle se poursuit à la Sorbonne, fermée le 3 mai : l'arrestation d'étudiants donne lieu à des bagarres de rue (barricades…) dans le Quartier latin. Les principaux dirigeants (Daniel Cohn-Bendit, Alain Geismar, Jacques Sauvageot…) sont des étudiants ou des enseignants d'extrême gauche, appartenant à divers courants (anarchistes, maoïstes, trotskistes…). Divisés sur leurs objectifs, ils se retrouvent pour condamner la « répression policière » d'un pouvoir qui les sous-estime. Les émeutes successives (*cf.* la « nuit des barricades » du 10 mai) échappent au contrôle du gouvernement, des partis politiques (le PCF critique fortement les « gauchistes ») et des syndicats. L'effervescence gagne, surtout à Paris, d'autant que les lycéens se joignent au mouvement.

▶ **La phase « sociale » (13-27 mai).** Le 13 mai, une grève générale de solidarité avec les étudiants emprisonnés connaît une importante participation. Ensuite, se multiplient les grèves avec occupation des locaux, chez les jeunes salariés, que les syndicats ont du mal à canaliser : Sud-Aviation (Nantes) le 13 mai, puis Renault-Billancourt le 15 mai et tout le pays les 21 et 22 mai, mouvement sans précédent (10 millions de grévistes). Les syndicats cherchent à relier ces multiples revendications. G. Pompidou, en l'absence du chef de l'État en voyage officiel en Roumanie, ne perd pas son sang-froid et conduit une négociation entre patronat et syndicats. Démarrée le 25, elle aboutit le 27 mai aux « accords de Grenelle » : hausse des salaires (10 à 15 %), diminution du temps de travail, reconnaissance des droits syndicaux dans l'entreprise… Mais, contrairement aux consignes syndicales, beaucoup de salariés rejettent ces accords, jugés insuffisants ; cependant, la jonction espérée par les étudiants avec le mouvement ouvrier a du mal à se réaliser. Quelle issue à la crise ?

▶ **La phase « politique » (28 mai-23 juin).** De Gaulle paraît incapable de maîtriser la situation (échec de l'annonce d'un référendum) : le 27 mai, au stade Charléty, un meeting parisien réunissant des syndicats (surtout CFDT et UNEF) et des mouvements politiques exige des « réformes de structure ». Le 28 mai, Mitterrand, soutenu par Mendès France, réclame la formation d'un gouvernement provisoire dont il prendrait la tête, au nom de toute la gauche : la succession du Général paraît ouverte. Mais le 29 mai, ce dernier, disparaissant soudain, provoque un coup de théâtre : il se rend en RFA (Baden-Baden) pour consulter le général Massu et s'assurer de la fidélité de l'armée (rumeurs d'une intervention militaire pour « rétablir l'ordre »). Le 30 mai, de Gaulle dénonce à la radio un « complot de l'étranger » et annonce la dissolution de l'Assemblée nationale ; il confirme son maintien au pouvoir ainsi que celui de G. Pompidou, se déclarant prêt à user de tous les moyens : le soir même, aux Champs-Élysées, la manifestation de soutien au Général connaît un immense succès. La gauche traditionnelle (FGDS et PCF) se rallie à la perspective de nouvelles élections et les confédérations syndicales appellent au calme. Progressivement, au cours du mois de juin 1968, les grèves cessent, tandis que certains conflits sociaux et groupes « gauchistes » se radicalisent (affrontements violents, causant trois morts).

4. Les conséquences du mouvement

→ L'apparente victoire du Général

Les gaullistes, réorganisés dans l'Union pour la défense de la République (UDR), remportent haut la main les élections législatives des 23 et 30 juin 1968, disposant de la majorité absolue. Ils bénéficient du réflexe de peur d'un électorat avide de calme (la « majorité silencieuse ») et du rejet des manœuvres des partis de gauche, assimilés à tort aux « révolutionnaires ». La reprise en mains de la radio-télévision (ORTF), monopole d'État, est assez brutale. Toutefois, de Gaulle tente de répondre à l'avertissement reçu, en lançant le thème de la « participation » de tous aux décisions au sein des collectivités : en témoignent la loi d'orientation sur les universités (12 novembre 1968) proposée par E. Faure (autonomie accrue), la « participation » des salariés aux profits de leur entreprise (très peu répandue) ou les projets de décentralisation.

→ La coalition des mécontents

Cependant, les gaullistes eux-mêmes critiquent ces changements, interprétés comme d'abusives concessions aux « révolutionnaires ». Beaucoup ne pardonnent pas au Général le remplacement de Pompidou, qui s'était comporté en vrai chef de la majorité, par Maurice Couve de Murville, plus effacé, le 10 juillet 1968. Afin de conforter son pouvoir (ou de préparer une sortie honorable), de Gaulle propose en avril 1969 un référendum sur la réforme du Sénat et des régions. Il rencontre maints opposants : la gauche, les centristes (dont le président du Sénat, Alain Poher), hostiles à une diminution des pouvoirs des notables locaux, les Républicains indépendants (écartés du gouvernement) ; mais aussi des gaullistes dissidents, soutenant Pompidou qui annonce, dès janvier 1969, sa candidature à une éventuelle élection présidentielle ; certains milieux d'affaires voulant une dévaluation que de Gaulle refuse. Après une vive campagne, où le chef de l'État annonce son retrait en cas d'échec, le « non » l'emporte (53 %) : de Gaulle démissionne le lendemain 28 avril 1969 et se retire pour terminer ses mémoires avant de mourir le 9 novembre 1970. L'élection présidentielle qui suit voit la facile victoire au second tour – mais avec 69 % d'abstentions – de G. Pompidou (57,5 %) devant A. Poher, président de la République par intérim, tandis que les candidats de gauche (J. Duclos pour le PCF et G. Defferre pour la FGDS), distancés au premier tour, ne peuvent se maintenir au second. Apparemment, la crise est surmontée. Mais elle révèle une société profondément transformée par les « Trente Glorieuses » et conduit à une remise en question de l'ancien système de valeurs.

II. La Ve République sans de Gaulle (1969-2002...)

A— Le septennat inachevé de Pompidou (1969-1974)

1. Une volonté d'ouverture

Pompidou choisit comme Premier ministre un gaulliste novateur, Jacques Chaban-Delmas (ancien responsable militaire de la Résistance). Ce dernier élabore un projet de « nouvelle société » pour dépasser ses blocages supposés en développant une politique contractuelle entre patronat et syndicats, et relance l'idée gaullienne de « participation » des salariés tout en diminuant le rôle de l'État. Ainsi, l'ORTF est-il un peu libéralisé et une timide réforme régionale voit-elle le jour en 1972, alors que se développent les revendications régionalistes et féministes. D'importants acquis sociaux se mettent en place : mensualisation des salaires ouvriers, remplacement en 1970 du SMIG par le SMIC (Salaire minimum interprofessionnel de croissance, qui implique une revalorisation automatique des bas salaires et sert de base au calcul des autres), meilleure législation du travail, formation continue...

Pompidou mène une politique économique conquérante visant à rattraper la RFA et montre plus de souplesse que de Gaulle sur le plan international : franc dévalué en 1969 ; investissements étrangers encouragés en France (firmes multinationales) ; entreprises françaises incitées à fusionner en fonction de stratégies européennes ; élargissement de la CEE au Royaume-Uni, à l'Irlande et au Danemark (approuvé par référendum en 1972, mais avec 40 % d'abstentions). Jusqu'en 1973, les taux de croissance rapides prouvent l'accélération de la modernisation du pays.

2. Le durcissement du régime

En fait, G. Pompidou juge utopiques les initiatives de son Premier ministre, de plus en plus bridé par l'Élysée. Des mesures autoritaires sont prises, contre des partis politiques d'extrême gauche (interdits) et contre des luttes syndicales longues ou originales (Renault, montres Lip à Besançon). La loi « anticasseurs » (1970) rend les organisateurs de manifestations responsables des dégâts éventuels. L'agitation concerne aussi les classes moyennes indépendantes touchées par la concentration (commerçants, camionneurs...). Après 1972, le régime se durcit : Chaban-Delmas est remplacé en avril 1972 par Pierre Messmer, gaulliste "historique" aussi, mais qui applique plus fidèlement les décisions du président. Le pouvoir prend des allures personnelles, tandis qu'éclatent des scandales financiers (immobilier) et que la conjoncture économique devient très défavorable : déficit extérieur, inflation accélérée (9,5 %

en 1973, 14 % en 1974), départ du franc du Système monétaire européen (1974), multiplication des faillites.

→ **Vers « l'Union de la gauche »**

Elle résulte d'une convergence, au moins tactique, entre communistes, socialistes et radicaux de gauche. Le PCF, depuis 1968, tend vers l'union (manifeste de Champigny), pour des raisons internes et internationales : dirigé par Georges Marchais après Waldeck-Rochet, il ne pèse jamais moins du cinquième de l'électorat et dispose de puissants relais sociaux, culturels et municipaux. Le PS (Parti socialiste), reformé en 1969 par Alain Savary à partir de la SFIO, apparaît au contraire faible (moins de 5 % à l'élection présidentielle de 1969 !). Mais il bénéficie de ralliements multiples, dont celui de F. Mitterrand qui en prend le contrôle en 1971 au congrès d'Épinay et adopte une stratégie d'« Union de la gauche » en rupture affirmée avec « le capitalisme » et l'ancienne politique d'alliance au centre. Son programme, « changer la vie », reprend une partie de « l'esprit de Mai 1968 ». L'aile gauche des radicaux, soucieuse de réformes sociales, regroupée dans le Mouvement des radicaux de gauche (MRG) conduit par Robert Fabre, a rompu avec les « radicaux valoisiens ».

Les trois partis signent en juillet 1972 un « programme commun de gouvernement » qui prévoit un renforcement économique et social de l'État et un gouvernement solidaire incluant le PCF. Les législatives de 1973 marquent une progression de l'Union de la gauche (surtout du PS), majoritaire en voix au premier tour, mais minoritaire en sièges. L'UDR ne dispose de la majorité absolue qu'avec l'appoint des centristes et des Républicains indépendants, dont le poids s'accroît.

→ **Le décès de G. Pompidou**

La maladie de G. Pompidou renforce les incertitudes : cachée aux Français, sa leucémie affecte ses capacités dès le début de 1973, alors que la situation mondiale réclame d'importantes décisions. Son décès, le 2 avril 1974, laisse libre cours aux ambitions à droite. Se portent candidats : J. Chaban-Delmas, qui espère rallier l'UDR, et V. Giscard d'Estaing, qui reçoit l'appui des centristes et de la droite libérale, mais aussi de gaullistes conduits par Jacques Chirac (« jeune loup » du gaullisme, proche de Pompidou), face à une gauche unie derrière F. Mitterrand.

B – La présidence de Valéry Giscard d'Estaing (1974-1981) : un bilan contrasté

1. L'élection présidentielle de 1974 : un pays « coupé en deux »

Soutenu par les « barons du gaullisme », Chaban-Delmas est cependant distancé par Giscard d'Estaing, partisan d'un « changement dans la continuité » (32,6 %), tandis que Mitterrand obtient 43,2 %. Au second tour, ce dernier est battu de peu (50,8 %) par

Giscard d'Estaing. Mais, à l'Assemblée, l'UDR pèse plus que les RI (les Républicains indépendants, le « parti du président »). La majorité doit trouver un compromis, d'où la nomination de J. Chirac comme Premier ministre. Rompant avec le gaullisme au sens strict, le nouveau discours prend en compte certaines aspirations sociales.

2. Une politique libérale ?

Le pouvoir se place au départ sous le signe d'une « société libérale avancée ». Le "style" du nouveau président se veut rajeuni et décontracté. Il nomme plus de femmes au gouvernement (la journaliste Françoise Giroud première « ministre de la Condition féminine »). Parfois contre l'avis des élus de droite, la législation s'adapte : elle abaisse la majorité civile et civique de 21 à 18 ans ; elle démantèle l'ORTF, donnant un peu d'autonomie aux chaînes de radio et télévision ; elle simplifie le divorce, « par consentement mutuel » (1975) ; elle étend la Sécurité sociale et applique réellement la loi Neuwirth (1967) permettant la contraception. Enfin, la loi autorisant l'interruption volontaire de grossesse (IVG), non remboursée, défendue par Simone Veil, est votée en 1975 grâce à l'appui des voix de gauche, malgré une violente campagne hostile.

Toutefois, Giscard d'Estaing préserve la continuité par sa conception des institutions. En 1974, Chirac prend le contrôle de l'UDR par surprise et dispose d'une majorité ; mais le président devra compter avec lui. Certaines réformes tournent court, alors qu'une reprise en mains se dessine à l'Université, dans les médias, et que la présidence affirme ses prérogatives. Chirac, pour garder son autonomie, s'oppose à un certain nombre de décisions de l'Élysée. Il démissionne donc le 26 juillet 1976, remplacé par Raymond Barre, ancien commissaire européen et professeur d'économie peu connu des Français.

3. L'enlisement dans la crise économique

L'ouverture européenne est encouragée par Giscard d'Estaing, inspirateur du système monétaire européen (SME et ECU). Mais la crise s'approfondit : faible croissance, inflation à plus de 10 % l'an, fort déficit commercial, explosion du chômage. Les politiques menées sont contradictoires : Chirac conduit d'abord un « plan de refroidissement » (plan Fourcade : encadrement des prix et du crédit), puis de « relance » fin 1975, qui échouent. Son successeur reprend une politique « néolibérale » déflationniste visant à restaurer la compétitivité et à diminuer l'aide de l'État aux « canards boiteux de l'industrie » (plans Barre). La reprise, perceptible en 1978, est cassée par les effets inflationnistes du choc pétrolier de 1979, mais la situation financière est consolidée en 1981, et l'accélération du programme nucléaire civil, malgré de vives contestations, allège la « facture pétrolière ». Cependant, la rigueur salariale, les conflits sociaux (*Manufrance* à Saint-Étienne) et l'aggravation du chômage entraînent l'impopularité du Premier ministre et du président, dont l'image est par ailleurs ternie par des « affaires » (diamants offerts par Bokassa, suicide du ministre Robert Boulin) et une certaine arrogance qui l'éloignent de la population.

4. Les déchirements politiques

→ **L'élan brisé de la gauche**

L'Union de la gauche, victorieuse aux municipales de 1977, se divise à l'approche des législatives de 1978. La question porte sur l'équilibre des forces : l'union pénalise le PCF, en faveur d'un PS grossi par le ralliement d'une partie du PSU (Michel Rocard) en 1974 et de courants syndicaux. La rupture est totale au niveau national en 1978 : majoritaire en voix au premier tour, la gauche désunie, défavorisée par le découpage des circonscriptions électorales, laisse échapper la majorité à l'Assemblée.

→ **Le « combat des chefs » dans la majorité**

La fracture s'élargit entre gaullistes et giscardiens, même si R. Barre se maintient. À « l'appel de Cochin » (1978) de Chirac dénonçant le « parti de l'étranger » incarné par Giscard d'Estaing, jugé trop favorable à l'Europe, répondent les critiques des libéraux, réorganisés par le président autour de l'Union pour la démocratie française (UDF), contre des gaullistes passéistes. La bataille pour la première élection d'un maire à Paris, remportée par J. Chirac en 1977 sur le candidat giscardien Michel d'Ornano, laisse des traces. En 1981, la France apparaît ainsi « coupée en quatre » camps de forces sensiblement égales (gaullistes, libéraux, socialistes, communistes), dont les représentants semblent prêts à passer des alliances "contre nature".

L'élection présidentielle d'avril-mai 1981, passionnée, a lieu alors que RPR (Rassemblement pour la République, nouveau nom de l'UDR depuis 1976) et PCF ne ménagent guère leurs alliés potentiels. Le premier tour donne dans l'ordre le président sortant, Mitterrand, Chirac et Marchais. Mais V. Giscard d'Estaing (28,3 %) et G. Marchais (moins de 15 %) ont des résultats décevants. Le PCF doit appeler à voter Mitterrand, comme les autres candidats de gauche, tandis que la droite demeure plus divisée. Le recul du PCF, les erreurs giscardiennes, l'habileté tactique de Mitterrand et l'espoir soulevé par ses « 110 propositions » lui donnent 51,8 % des voix au second tour. Sa victoire est confortée par la majorité absolue de députés socialistes obtenue en juin 1981 après dissolution de l'Assemblée (la « vague rose »). Elle consolide le gouvernement de Pierre Mauroy, qui inclut des communistes.

C – Le jeu de l'alternance depuis 1981

1. Les deux septennats de François Mitterrand (1981-1995)

→ **Une volonté nette de changement**

Une partie des « réformes » promises voit le jour rapidement en 1981-1982. Outre les mesures économiques (**voir chapitre 6**) et une relance de la consommation (hausse du SMIC, des retraites et des allocations familiales, embauches dans la Fonction publique), le gouvernement Mauroy tente de démocratiser les relations dans l'entreprise (loi Auroux) et de protéger davantage les locataires (loi Quilliot). La retraite à 60 ans est généralisée, comme la cinquième semaine de congés payés. La peine de mort, à l'initiative de F. Mitterrand et de son ministre de la Justice Robert Badinter, est abolie, ainsi que les Quartiers de haute sécurité, jugés inhumains, dans les prisons. Les radios privées (« libres ») sont autorisées, sous la surveillance d'une Haute Autorité de l'audiovisuel. Les lois Defferre de 1982-1983 sur la décentralisation confèrent aux présidents de conseils généraux et régionaux élus au suffrage universel direct le pouvoir exécutif, au détriment des préfets. Les élus des collectivités territoriales (communes, départements, régions) reçoivent des prérogatives qui libèrent leurs initiatives – parfois hasardeuses –, même si l'État ne transfère pas les ressources fiscales correspondant à ces nouvelles compétences (Éducation, Aide sociale, Aménagement). Lionel Jospin, premier secrétaire du PS, contrôle son parti.

➜ Les désillusions

La politique économique et sociale échoue : la relance, à contre-courant de l'évolution mondiale, augmente les importations, l'industrie française ne pouvant satisfaire d'un coup une forte demande intérieure. Dépenses sociales, déficits commercial et budgétaire accroissent l'endettement du pays et le différentiel d'inflation avec nos voisins. Le chômage s'accentue et les dévaluations se succèdent. Faut-il quitter le SME ? Le changement de cap de juin 1982, confirmé par le « plan de rigueur » du ministre des Finances Jacques Delors en mars 1983 (prélèvements fiscaux et salariaux), est mal assumé. La fin de « l'état de grâce » se traduit par les reculs électoraux (cantonales de 1982, municipales de 1983), par des tensions internes (critiques du PCF contre la rigueur) et par le succès considérable des défenseurs de l'école privée contre le projet de loi du ministre de l'Éducation nationale A. Savary, qui voulait davantage la contrôler : il culmine à la grande manifestation soigneusement orchestrée du 24 juin 1984 qui sonne le glas du gouvernement Mauroy.

À la place de celui qui incarnait la tradition socialiste, Mitterrand nomme le 17 juillet 1984 le jeune énarque Laurent Fabius. Les communistes ne font plus partie du gouvernement, mais le soutiennent pour l'essentiel. La situation demeure critique. L'attentat mortel dans le port néo-zélandais d'Auckland contre le bateau de l'organisation écologiste Greenpeace, hostile aux essais nucléaires français à Mururoa, implique les services secrets français, force le ministre de la Défense Charles Hernu à démissionner (septembre 1985) et discrédite la France, par ailleurs en difficulté en Nouvelle-Calédonie. J. Chirac s'engage à accepter la responsabilité de Premier ministre si la droite l'emporte aux législatives de mars 1986 (effectuées selon la représentation proportionnelle), ouvrant une situation institutionnelle inédite.

➜ L'apprentissage de la « cohabitation » (1986-1988)

L'étroite victoire en sièges de la droite UDF-RPR contraint Mitterrand à choisir Chirac comme Premier ministre : la couleur politique de l'Assemblée ne correspond pas à celle du président. Cette épreuve renforce les institutions, dans la mesure où elles démontrent leur plasticité, mais elle les affaiblit, puisque la cohabitation amoindrit l'autorité du président. Malgré sa faible marge de manœuvre, J. Chirac, disposant d'une majorité à l'Assemblée, entend appliquer un programme libéral qui s'inspire des actions de Ronald Reagan (États-Unis) et de Margaret Thatcher (Royaume-Uni) : privatisations d'entreprises publiques et de télévision (première chaîne), baisse des dépenses publiques, suppression symbolique de l'impôt sur les grandes fortunes, de l'autorisation administrative de licenciement... Le gouvernement, grâce au ministre RPR de l'Intérieur Charles Pasqua et à la création d'un service central de juges anti-terroristes, contrôle la vague d'attentats venus du Moyen-Orient en septembre 1986 (amorcée dès octobre 1980 par l'attentat contre la synagogue de la rue Copernic et en août 1982 par celui de la rue des Rosiers à Paris). Mais il multiplie les maladresses : à l'automne 1986, le projet de loi Devaquet, supposé limiter l'accès à l'Université, provoque des manifestations étudiantes massives, dont la répression entraîne la mort d'un jeune, Malik Oussekine, et la démission du ministre. Or la progression du chômage n'est pas enrayée (2,5 millions début 1987) et la reprise économique fait long feu, contrairement aux espoirs du ministre des Finances, Édouard Balladur. Le secteur public (SNCF, RATP) connaît une agitation récurrente. Le futur candidat Chirac aborde la présidentielle dans de mauvaises conditions, alors que Mitterrand se forge une image de rassembleur et de défenseur des acquis sociaux : la « cohabitation », très conflictuelle, lui profite.

→ Un second septennat sous le signe du pragmatisme (1988-1995)

▶ **L'effritement de la majorité présidentielle.** Candidat sous le slogan de « la France unie », F. Mitterrand vainc aisément (54 % au deuxième tour du 8 mai 1988) J. Chirac, qui a devancé l'UDF R. Barre au premier, alors que le score important (14,6 %) de J.-M. Le Pen (Front national) montre l'enracinement de l'extrême droite. Mais la majorité obtenue les 5 et 12 juin par le PS après la dissolution de l'Assemblée n'est que relative. M. Rocard, héraut de la « deuxième gauche », concurrent de Mitterrand depuis 1978, est nommé Premier ministre ; mais il doit fonctionner, après l'échec d'une ouverture vers le centre, avec l'appoint ponctuel de députés communistes et centristes, pour faire voter ses projets de loi. Ce jeu d'équilibriste devient ardu à partir de 1990, lorsque la droite relève la tête : le gouvernement abuse alors de l'article 49-3 de la Constitution qui lui permet de faire passer ses textes en force, sauf si une majorité de députés approuve une motion de censure.

La « méthode Rocard », faite de concertation préalable, parvient à des résultats, appuyée par l'embellie économique des années 1988-1989 : il met fin à la situation de guerre civile en Nouvelle-Calédonie (accord RPCR-FLNKS du 26 juin 1988, approuvé par le référendum national du 6 novembre qui prévoit un vote d'autodétermination local en 1998) ; le 1ᵉʳ décembre 1988, il institue pour les personnes en situation précaire le Revenu minimum d'insertion (RMI), financé par l'impôt de solidarité sur la fortune ; il accorde une priorité budgétaire à l'Éducation, dont la loi d'orientation (L. Jospin) prévoit 80 % d'une classe d'âge au niveau du baccalauréat ; il parvient à gérer l'affaire du « foulard islamique » porté par trois collégiennes de Creil exclues de leur établissement, qui relance fin 1989 le débat sur la laïcité en classe et, surtout, pose la question de l'intégration.

Les bons résultats du PS aux municipales et la division de la droite (échec de la tentative de rénovation par les « quadras » UDF et RPR) semblent le conforter. Pourtant, l'atmosphère se dégrade. Les émeutes des jeunes des banlieues (Vaulx-en-Velin, octobre 1990), pourtant pas les premières du genre, révèlent le malaise et le sentiment de peur persistants, sources de réactions xénophobes qui dépassent les seuls sympathisants du FN. L'agitation sociale (infirmières, transports publics, poste), liée aux compressions salariales, à l'institution en décembre 1990 de la contribution sociale généralisée (impôt à la source pour financer les déficits de la Sécurité sociale), se double d'une désaffection pour les élections. Le PS, dirigé par P. Mauroy, pâtit des querelles du congrès de Rennes (mars 1990), où s'exacerbe la lutte entre Fabius (soutenu par Mitterrand), Rocard et Jospin. Le dévoilement par la presse d'affaires de corruption, notamment dans l'entourage du président (délits d'initié en Bourse, détournements de fonds), et de financements occultes de tous les partis (enquête Urba sur le PS) indigne l'opinion. Les autorités font pression sur la justice pour retarder les inculpations, tandis que les « petits juges » (Jean-Pierre, Van Ruymbeckc) usent du pouvoir médiatique pour desserrer cette tutelle. L'amnistie, en décembre 1989, des délits politico-financiers (excluant les parlementaires) qui accompagne les lois moralisant le financement des partis ne fait que renforcer le dégoût par rapport à la chose publique. La participation française à la guerre du Golfe, en janvier-février 1991, après l'invasion du Koweït par l'Irak de Saddam Hussein, inquiète les Français et ne fait pas l'unanimité (démission de Jean-Pierre Chevènement, ministre de la Défense). Les incertitudes internationales s'accentuent avec le processus d'unification de l'Allemagne (1990-1991) et l'implosion de l'URSS, que ne mesure pas toujours F. Mitterrand.

Afin de donner au pays un « nouvel élan », le 15 mai 1991, le président remplace M. Rocard par une de ses fidèles, Édith Cresson, à la surprise générale. Mais, en butte à une misogynie certaine et à l'opposition des médias et de ses ministres (dont Pierre Bérégovoy à l'Économie), elle échoue à rénover les processus de décision et la politique industrielle : ses déclarations et ses initiatives maladroites la discréditent. Pour éviter d'être entraîné, après les désastreuses élections régionales et cantonales de mars, le président lui substitue P. Bérégovoy le 2 avril 1992.

Bien que bénéficiant d'une bonne image de gestionnaire, ce dernier ne peut redresser une situation d'autant plus compromise que l'économie stagne : les déficits publics doublent entre 1991 et 1992 et la montée du chômage se poursuit. La gauche critique la politique du « franc fort », qui s'effectuerait au détriment de la consommation, de l'emploi et des salariés. L'agitation sociale persiste (paysans inquiets devant la réforme de la PAC et les négociations du GATT, camionneurs). La courte victoire du « oui » (51 %) au référendum sur le traité de Maastricht (20 septembre 1992) montre l'importance du vote protestataire dans la France la plus touchée par les effets de l'ouverture économique et par le chômage (Nord, Sud-Est). Cette campagne passionnée, où F. Mitterrand jette tout son poids, divise les partis (sauf le PCF, le Mouvement des citoyens de Chevènement, le Combat pour les valeurs de P. de Villiers et le FN, hostiles), surtout le RPR partagé entre le duo Pasqua/Séguin et la majorité des gaullistes (dont J. Chirac) qui se rallient au « oui » sans enthousiasme. Le PS, déchiré, est rattrapé par d'autres « affaires » financières et morales. La contamination d'hémophiles par des produits sanguins que les responsables savaient non traités contre le virus du Sida en 1985, progressivement révélée en 1992, affecte L. Fabius (innocenté par la suite) et ses ministres E. Hervé et G. Dufoix, plus lents à mesurer l'importance du risque. P. Bérégovoy, lui-même, est suspecté pour un emprunt personnel hasardeux (il se suicidera le 1ᵉʳ mai 1993). Les frasques de Bernard Tapie, éphémère ministre de la Ville, atteignent le pouvoir : les législatives s'annoncent difficiles.

▶ **La deuxième cohabitation** (1993-1995). Elle découle des résultats, catastrophiques pour toute la gauche : à peine 20 % des voix pour le PS, 10 % pour le PCF, 10 % pour les divers écologistes, contre 12,5 % pour le FN et 44 % à la droite, qui rafle 485 sièges sur 577 ! J. Chirac se réservant pour la présidentielle, c'est Édouard Balladur qui dirige le gouvernement. Expérimenté, prudent avec le chef de l'État qui lutte contre le cancer, le Premier ministre bénéficie longtemps de sondages favorables. La récession et la défense de l'orthodoxie financière le contraignent à augmenter les impôts (CSG), à lancer un emprunt, à reprendre les privatisations (BNP, Rhône-Poulenc, Elf, UAP), interrompues par le krach de 1987, et à modifier les régimes de retraite (40 ans de cotisation au lieu de 37,5). Il résiste à une nouvelle attaque contre le franc, attisée par ceux (P. Séguin, voire J. Chirac) qui préconisent une « autre politique » donnant la priorité à l'emploi et à la baisse des taux d'intérêt, quitte à sortir du SME. E. Balladur parvient, dans les négociations du GATT (1993), à faire reconnaître, face aux Américains, les intérêts français (agriculture, « exception culturelle » et Organisation mondiale du commerce). Mais récession et chômage s'aggravent en 1993, multipliant les signes d'exclusion sociale. Des réformes contestées ou mal conduites (immigration, révision de la loi Falloux sur le financement des écoles privées, Contrat d'insertion professionnelle pour les jeunes techniciens), la mise en examen de ministres et les enquêtes sur le financement du PR et du RPR érodent la confiance, alors que certains élus de droite font alliance avec le FN.
Le PS, dirigé depuis 1993 par M. Rocard (qui a évincé L. Fabius), échoue aux européennes de 1994, ce qui pousse Rocard à démissionner au profit d'H. Emmanuelli : après le retrait de J. Delors, le PS n'a plus de prétendant sérieux à la présidence, alors que les révélations de F. Mitterrand sur son passé vichyste jettent le trouble. La candidature de L. Jospin surprend beaucoup. Le PCF, divisé entre plusieurs courants « rénovateurs »

ou « reconstructeurs » et les orthodoxes du parti, entame en 1994 une adaptation sous l'égide du nouveau secrétaire national, Robert Hue. Les écologistes, après leurs succès aux élections européennes (10 % en 1989) et régionales (14 % en 1992), ont subi un recul, payant leur hétérogénéité politique et leurs divisions (B. Lalonde, A. Waechter, D. Voynet), et se rapprochent du PS. À droite, de la pléthore de candidats, émergent les ambitions de J. Chirac, maître du RPR, et d'E. Balladur, soutenu par l'UDF : ce serait moins gênant s'ils n'appartenaient au même parti.

2. L'élection de J. Chirac (1995) : victoire et déboires

Donné initialement gagnant, E. Balladur, auteur d'une médiocre campagne, se fait distancer dès mars 1995 par J. Chirac, qui développe à l'envi, dans un discours populiste, le thème de la « fracture sociale » et attaque la gestion frileuse du Premier ministre. Non pronostiqués, les résultats du premier tour voient Jospin arriver en tête (23 %) devant Chirac et Balladur (20 %), puis Le Pen (15 %). Succès surtout psychologique pour la gauche, car le rapport des forces lui demeure défavorable : le 7 mai, Chirac devance (52,6 %) Jospin, qui a toutefois conquis une légitimité. Mais, au lieu de choisir le « gaulliste social » P. Séguin, le président confie le gouvernement à un fidèle, Alain Juppé.

Courageux, A. Juppé peine à assumer les contradictions de la campagne chiraquienne : respectueux des grands équilibres, il déçoit ceux qui avaient cru en une nouvelle politique. Certes, il conduit des réformes nécessaires (financement de la Sécurité sociale, en particulier de l'assurance-maladie), mais se heurte à la morosité du pays (freinage de la consommation et des investissements) et au maintien du chômage. Il ne tire guère parti de la division syndicale, entre une CFDT favorable à l'essentiel de la réforme de la protection sociale, au nom de la sauvegarde du système, et des confédérations (CGT et FO) hostiles, afin de maintenir le *statu quo* des régimes de Sécurité sociale. La raideur du Premier ministre et les maladresses de sa majorité dressent contre lui l'opinion (immense grève des transports à l'automne 1995 contre la réforme des retraites des fonctionnaires et des « régimes spéciaux », notamment cheminots), expulsion d'immigrés sans-papiers de l'église St-Bernard, loi du ministre de l'Intérieur Jean-Louis Debré restreignant l'immigration en 1997) et une partie de la droite. Pour débloquer la situation avant que la recomposition de la gauche soit effective, Chirac, dans un coup de poker suggéré par le secrétaire général de l'Élysée Dominique de Villepin, dissout l'Assemblée le 21 avril 1997, un an avant son terme. Le 1er juin, la « gauche plurielle » remporte les législatives (319 élus), bénéficiant de la réputation d'intégrité de Jospin, du rapprochement des forces de gauche, de la déception des Français et du maintien du FN : le PS a la majorité relative, les Verts entrent au Parlement et au gouvernement aux côtés du PCF et du MDC. À droite, l'échec cuisant discrédite le président, contraint à une longue « cohabitation », et les tendances centrifuges dominent : le nouveau dirigeant du RPR, P. Séguin, ne peut se maintenir (1999) à cause de J. Chirac, l'ultra-libéral Alain Madelin prend la tête du PR, rebaptisé Démocratie libérale, C. Pasqua et P. de Villiers fondent (1999) le Rassemblement pour la France. Le FN se scinde en 1998 entre les partisans de son fondateur et ceux, nombreux dans l'appareil (Bruno Mégret), qui voudraient s'allier à la droite pour parvenir au pouvoir.

Le nouveau gouvernement promeut des réformes : lois de M. Aubry (1998 et 1999), contestées par le patronat (MEDEF), programmant la baisse du temps de travail hebdomadaire à 35 heures à partir de 2000 (entreprises de plus de 20 salariés, puis généralisées à toutes), plan pour les jeunes (350 000 emplois « d'utilité sociale »), pacte civil de solidarité (PACS) pour les personnes non mariées, adopté fin 1999 et rapidement diffusé bien au-delà des couples homosexuels initialement concernés. Mais il se montre très prudent (« tournant sécuritaire » de 1997, contrôle renforcé de l'immigration, accélération des privatisations, hausse de la CSG, souci des équilibres économiques avec D. Strauss-Kahn aux Finances pour préparer l'Union monétaire et le passage à l'euro en répondant aux « critères de convergence » de Maastricht) et tente de désamorcer un à un les conflits (routiers, lycéens, paysans, policiers, infirmières), quitte à différer des décisions. Parfois jugé timoré, L. Jospin, dont la cote de popularité dépasse les 60 %, bénéficie néanmoins des efforts de ses prédécesseurs et des Français, de la dynamique économique et politique : retour de la "confiance", reprise de la consommation et des échanges au point que le pays devient le moteur de la croissance européenne, repli du chômage, divisions de la droite. La cohabitation, même à fleurets mouchetés, reste plébiscitée par les Français.

3. Le choc du 21 avril 2002

→ Le Pen au 2ᵉ tour de la présidentielle

L'élimination des candidats de gauche à l'issue du 1ᵉʳ tour de l'élection présidentielle de 2002, avec une abstention élevée (28,7 %) qui joue un rôle important, provoque un « coup de tonnerre » (Jospin). Ce dernier, qui n'arrive qu'en 3ᵉ position (à peine 16,1 %, soit 7 points de moins qu'en 1995) derrière J. Chirac (chiffre médiocre de 19,7 %) et J.-M. Le Pen (score inattendu de 16,9 %), se retire le soir même de la vie politique. La campagne du second tour est marquée par un sursaut de mobilisation de la gauche et de la jeunesse pour « faire barrage à l'extrême droite » (le « front républicain »), culminant aux manifestations unitaires massives du 1ᵉʳ mai. J. Chirac, qui a toujours refusé une alliance, même locale, avec le FN, met l'accent sur la défense de la démocratie et, fort de larges soutiens à droite comme à gauche et d'une belle participation (80,2 %), il est élu avec 82,8 % des voix contre le chef du Front national, qui stagne.

J. Chirac nomme aussitôt Premier ministre Jean-Pierre Raffarin (UDF rallié), tandis qu'il réorganise avec ce dernier les partis de droite autour de l'UMP (Union pour la majorité présidentielle, puis Union pour un mouvement populaire). Les législatives de 2002 confirment la victoire de l'UMP (62 % des sièges) et la large défaite du PS (1/4 des députés) et de ses alliés (le PCF est marginalisé), mais ramènent le FN à ses niveaux habituels dans ce type d'élections (12 % des voix, aucun député). C'en est fini de la cohabitation, peut-être pour longtemps.

➜ Les raisons de l'échec de Jospin

À y regarder de près pourtant, des signes précurseurs montraient un Premier ministre fragilisé : ses appuis se sont effrités. Des ministres importants démissionnent, forcés (C. Allègre critiquant le « mammouth » de l'Éducation nationale, D. Strauss-Kahn en proie à des ennuis judiciaires) ou non – M. Aubry, à la conquête de la mairie de Lille, et surtout le ministre de l'Intérieur MDC J.-P. Chevènement (28 août 2000). Ce dernier se veut l'incarnation de la tradition républicaine jacobine (exaltation de la nation et de l'ordre, fermeté contre les « sauvageons » des cités et les dissidences régionalistes), hostile à la mondialisation : la question corse, après l'assassinat du préfet Érignac (1998), lui en fournit l'occasion ; Chevènement s'oppose au « processus de Matignon », où le Premier ministre négocie directement avec les forces politiques locales durant l'été 2000 l'octroi pour l'île d'une collectivité territoriale dotée de pouvoirs législatifs spécifiques – d'ailleurs retoqués par le Conseil constitutionnel. Le MDC s'éloigne de la « gauche plurielle ». Le référendum du 24 septembre 2000 réduisant la durée du mandat présidentiel de sept à cinq ans, pourtant soutenu par presque tous les partis, est marqué par une abstention record de plus de deux électeurs sur trois. On mesure mal, alors, la portée de cet alignement et de l'inversion des dates des élections présidentielle et législatives sur la pratique institutionnelle : cela conforte la présidentialisation du régime, faisant du chef de l'État le vrai *leader* de la majorité parlementaire à la place du Premier ministre. Alors que les élections régionales (1998) et européennes (1999) s'étaient bien passées pour le PS, les municipales de 2001 envoient un coup de semonce : le gain de Paris et de Lyon masque mal la perte de nombreuses villes grandes et moyennes par la gauche. Les désillusions (chômage certes plus bas, mais toujours à plus de deux millions) se combinent aux craintes d'un électorat devenu plus sensible, après les attentats terroristes du 11 septembre 2001 aux États-Unis, aux thèmes de « l'insécurité » et de la « lutte contre l'immigration » brandis par l'extrême droite, et repris maladroitement par la plupart des acteurs politiques et médiatiques.

À ces facteurs de fond s'ajoutent une campagne de Jospin malhabile, trop axée sur les questions de personne et désidéologisée, et une extrême dispersion des candidatures : sur les seize candidats, deux appartiennent à l'extrême droite, quatre à la droite, deux au centre-droit, cinq à la gauche ou au centre-gauche, trois à l'extrême gauche trotskyste (rassemblant plus de 10 % des suffrages exprimés, loin devant le PCF).

➜ Les effets durables du « 21 avril »

Le souvenir traumatique du « 21 avril » est, depuis, exploité par les grands partis de gouvernement pour rallier les électeurs au « vote utile » dès le début du scrutin, non sans efficacité, au risque d'une restriction de l'offre et de la discussion démocratiques, habituellement vives au premier tour, au profit des favoris des sondages.

Le Pen s'est enraciné électoralement, même s'il ne gagne pas plus de 230 000 voix par rapport au 1er tour de 1995 : un tiers des départements le met en tête (Nord, Picardie, Lorraine, Alsace, Alpes et surtout Midi méditerranéen). Le FN, simple groupuscule en 1981, tire parti des qualités tribuniciennes et provocatrices de son fondateur, que n'effraient pas les multiples condamnations judiciaires (pour contestation de crimes contre l'humanité et provocation à la haine raciale ou antisémitisme), mais aussi du travail d'organisation et de formation militante réalisé par son secrétaire général Jean-Pierre Stirbois, apparu en pleine lumière lors de l'élection municipale de Dreux en 1983. Paradoxalement, c'est au moment où l'extrême droite est structurellement affaiblie par des divisions tactiques (alliance ou non avec la droite, scissions, contestation de la direction de J.-M. Le Pen) et stratégiques (accent sur le libéralisme économique ou sur la « protection » des nationaux, parti purement protestataire ou misant sur la conquête du pouvoir) qu'elle passe définitivement au premier plan de la scène politique. Elle a gagné, dans la mesure où ses chevaux de bataille (« la délinquance », « l'insécurité », « l'immigration », « la préférence nationale », « le *diktat* de Bruxelles ») commandent depuis les années 1980 les débats politiques et une législation inflationniste. Elle fédère des opinions intolérantes, xénophobes, voire racistes, aux relais intellectuels et médiatiques à présent pleinement assumés, tandis que, plus largement, se renforce en France un courant passéiste (nostalgie des institutions traditionnelles, défense de la « famille chrétienne », mise en accusation de « mai 68 »).

En réalité, l'échec de Jospin signale le discrédit durable d'une classe politique professionnalisée, socialement peu représentative (à peine 5 % des députés ont été ouvriers ou employés), aux discours et aux actes trop contradictoires : les gouvernants sont souvent chassés par des votes ou une abstention protestataires. À la désaffection pour l'engagement politique, que reflète l'érosion des effectifs des partis et des syndicats, s'ajoute un scepticisme grandissant sur l'efficacité de l'action publique et sur le rôle des « experts », engendrant des attitudes de refus. Phénomène majeur, le vote ouvrier n'est plus acquis à la gauche.

Pourtant, les Français ne se désintéressent pas de la vie collective : ils investissent en masse les divers mouvements associatifs, eux-mêmes souvent à la source de formes nouvelles de participation civique (« collectifs » variés, démocratie dite « délibérative », notamment pour l'urbanisme, l'environnement, l'aménagement du territoire ou les établissements scolaires), parfois récupérées par les institutions (budgets participatifs communaux ou régionaux, référendums locaux, conseils de jeunes, conseils de quartier en 2002, « conférences de citoyens ») ou les partis : l'idée de « primaires » départageant les candidats potentiels d'un même camp fait son chemin (PS 2006). Dans les faits cependant, ces processus s'apparentent à des consultations légitimant des décisions venues d'en haut et concernent des citoyens déjà actifs et socialement intégrés.

S'il est un domaine où les continuités l'emportent, c'est bien celui de la politique de la France dans le monde.

D – La politique étrangère : des continuités assumées

1. La défense

La gauche au pouvoir en 1981 ne remet pas en cause les choix nucléaires, largement approuvés par les Français, bien qu'elle les ait critiqués du temps du Général : la « force de frappe », modernisée (missiles à têtes multiples en 1985, fermeture du site de missiles balistiques sol-sol du plateau d'Albion en 1996), coûte entre le cinquième et le tiers du budget militaire. Elle est complétée en 1985 d'une unité nucléaire tactique équipée de missiles mobiles Pluton, susceptibles de servir sur le champ de bataille. Peut-elle être engagée en dehors de la défense du sol français ? Jusqu'où poursuivre les recherches, alors que l'opinion internationale approuve la réduction des arsenaux atomiques ? La suspension en 1992, puis la reprise en 1995 par le président Chirac d'une ultime série d'essais nucléaires dans le Pacifique (Mururoa), source d'une intense protestation internationale, révèle ces incertitudes. La disparition du bloc de l'Est (1989), puis de l'Union soviétique (1991), et la multiplication des conflits potentiels conduisent nécessairement à remettre en cause l'usage de la dissuasion, sans qu'une réponse claire ait été pour l'instant apportée.

La décision gaullienne de quitter l'OTAN, bien que contestée par les « atlantistes », perdure officiellement. Pourtant, depuis 1991, s'amorce un rapprochement, acté en 1996 lorsque la France réintègre le comité militaire de l'OTAN : renforcement des liens militaires, coordination pour des missions de maintien de la paix (Bosnie, 1994) ou d'intervention directe sous couvert de l'OTAN (Kosovo, 1999)… La création en 1984 d'une Force d'action rapide de 50 000 militaires professionnels et la fin de la conscription (1998) répondent à ces nouvelles nécessités. J. Chirac engage un processus de réduction des troupes (de 500 000 à 350 000 hommes) et du nombre des régiments, corollaire de la modernisation de l'outil militaire. Mais la France peut difficilement assumer seule un effort de défense tous azimuts, même si elle demeure un important marchand d'armes (missiles, hélicoptères, avions, navires…). La fondation en 1994 de l'Eurocorps franco-allemand apparaît symbolique : il s'en faut de beaucoup qu'il soit le prélude à une armée européenne.

2. La France et le tiers-monde

Les successeurs du général de Gaulle tentent de conforter l'amélioration de l'image de la France, par le biais du prestige culturel et d'une francophonie dynamique, en particulier en Afrique où s'illustrent des chefs d'État comme Senghor au Sénégal. Près de 200 millions de personnes parlent le français au quotidien, dont 120 millions l'ont comme langue officielle. Sous le couvert de l'ONU (« casques bleus »), des troupes françaises servent de force d'interposition dans le monde entier. Une profusion d'ONG (organisations non gouvernementales), tels les « *French doctors* » (Médecins sans frontières, Médecins du monde…), multiplient les interventions humanitaires. Mais le rayonnement français reste limité à ses zones d'influence traditionnelles. Sur le continent africain, la France, non sans succès jusqu'à la fin des années 1980, continue à contrôler maints gouvernements, priés d'agir selon ses intérêts (*Elf* au Gabon) ; elle tolère des régimes peu démocratiques à parti et chef uniques ; elle intervient militairement pour maintenir l'ordre (à Kolwezi dans le Zaïre du maréchal Mobutu en 1978, ou au Tchad en 1983), écarter des dirigeants trop gênants (Bokassa en Centrafrique en 1979) ou évacuer ses ressortissants (Centrafrique en 1996). L'Afrique, où stationnent en permanence 5 000 à 6 000 soldats répartis en plusieurs bases, reste longtemps un « pré carré » français. Depuis 1973, se tiennent chaque année des « sommets » rassemblant les chefs d'État français et africains. Celui de La Baule (1990) incite à évoluer vers la démocratie en la liant à l'aide économique. Le réveil du pluralisme au début des années 1990, encourageant, demeure éphémère, et les États africains fragiles et corrompus, travaillés par des forces extérieures et des dissensions internes, ethniques ou religieuses. Certains pays, pourtant riches, comme le Zaïre, sont menacés d'éclatement. La dévaluation de moitié du franc CFA en 1994 est une redoutable épreuve de vérité pour les 13 pays concernés. Enfin, les positions françaises sont contestées, par exemple lors du génocide au Rwanda. Les relations de clientélisme persistent, tandis que les États-Unis, puis la Chine, étendent leur influence en Afrique.

Au Proche-Orient, les tentatives de médiation française au Liban et dans le conflit israélo-palestinien échouent : F. Mitterrand se proclame à la fois ami d'Israël et protecteur des Palestiniens : l'intervention militaire de l'ONU destinée en 1982 à garantir l'État libanais menacé par les invasions israélienne et syrienne sauve certes le dirigeant de l'OLP Yasser Arafat, évacué en plusieurs étapes jusqu'en Tunisie sous protection française, mais un terrible attentat-suicide tue 58 militaires français à Beyrouth le 23 octobre 1983 et conduit au retrait français du Liban six mois plus tard. Cette position d'équilibriste entre les deux camps, poursuivie ensuite, n'est guère efficace face aux refus d'ingérence israélien ou syrien, à l'évolution des conflits régionaux et à la puissance des États-Unis.

Alors que la France avait montré son entière solidarité avec les États-Unis lors des attentats terroristes du 11 septembre 2001 menés par Al-Qaïda, participant à l'action militaire américaine contre les talibans afghans protecteurs de Ben Laden, la 2e guerre du Golfe marque une rupture avec les positions américaine (George Bush) et britannique (Tony Blair), désireuses d'intervenir en Irak au prétexte « d'armes de destruction massive » et de liens de S. Hussein avec Al-Qaïda, imaginaires. Retrouvant des accents gaulliens à la tribune de l'ONU (14 février 2003), soutenu par Russes et Allemands, jouant du droit de veto, le ministre des Affaires étrangères D. de Villepin parvient à faire écarter toute action unilatérale contre Saddam Hussein, aux effets imprévisibles : la guerre d'Irak de 2003 ne se fera pas sous l'égide de l'ONU et la brouille s'installe avec les dirigeants d'Outre-Atlantique. Le chaos qui s'ensuit donnera raison à J. Chirac, soutenu par l'opinion. Toutefois, ces positions internationales indépendantes ne mettent pas le pays à l'abri d'actions terroristes contre ses intérêts ou ses ressortissants à l'étranger (prises d'otages), ainsi que sur son sol, qui s'ajoutent aux attentats aux causes plus internes (extrême droite, « Action directe », Corse, Pays basque...) : attentats antisémites de 1980, 1982 et 1986, de 1994-1996 (GIA algérien : Khaled Kelkal), terrorisme islamiste après 2002... Au seuil du XXIe siècle, l'imprévisibilité des conflits et des menaces fait entrer le monde dans une ère d'incertitudes généralisées. La France, par ses messages universalistes, démocratiques et laïcs, son mode de vie, au moins autant que par ses interventions armées, est une cible privilégiée, mais non unique, pour de nombreux fanatismes.

3. Pragmatisme et convictions européennes

→ L'élargissement

Après l'entrée dans le Marché commun du Royaume-Uni en janvier 1973, accompagné du Danemark et de l'Irlande (« Europe des neuf »), suivent ensuite Grèce (1981), Espagne et Portugal (1986 : Europe des douze), Autriche, Suède et Finlande (1995 : Europe des quinze), Chypre, Estonie, Hongrie, Lettonie, Lituanie, Malte, Pologne, Tchéquie, Slovaquie, Slovénie (2004), Bulgarie, Roumanie (2007), Croatie (2013 : Europe des vingt-huit), ainsi que de multiples candidatures (Suisse, Turquie, Serbie, etc.). Toutefois, le débat persiste sur le lien entre l'élargissement de la CEE/UE et son renforcement : dans quelle mesure sont-ils compatibles ? L'unification allemande de 1989-1990 inquiète la France car elle redonne à une RFA souveraine, débarrassée de l'occupation, dominante en Europe orientale, un poids politique qui vient renforcer sa primauté économique. L'arrimer à la construction européenne permet de conjurer d'anciennes craintes, soudainement réactivées.

→ De la CEE à l'Union européenne

Les initiatives franco-allemandes, importantes, visent d'abord à agrandir les domaines concernés par la CEE et à renforcer son action. Depuis 1975, le Fonds européen de développement régional (FEDER) corrige les inégalités régionales à partir de projets précis. En 1978-1979, V. Giscard d'Estaing et Helmut Schmidt créent le SME (Système monétaire européen) et l'ECU (*European Currency Unit*, unité de compte européenne). Maints programmes de coopération voient le jour dans les années 1980 : Esprit ou Eureka (recherche et technologie), Erasmus ou Socrates (échanges d'étudiants), Lingua (langues). Le Français J. Delors, président de la Commission européenne de 1984 à 1995, accroît le rayonnement des institutions européennes : projet d'Union économique et monétaire (1989), livre blanc sur le chômage dans la CEE (décembre 1993)... Ainsi, en matière agricole, commerciale, monétaire ou de transports, les États ont transféré l'essentiel de leurs compétences à la CEE.

Il s'agit également d'en modifier les structures. Depuis 1979, le Parlement européen est élu pour cinq ans au suffrage universel direct (à la proportionnelle sur liste nationale en France), mais limité à un rôle consultatif et budgétaire. En 1986, la révision du traité de Rome conduit à l'Acte unique européen (réalisation du « grand marché intérieur » prévue pour le 31 décembre 1992 : libre circulation des biens, des hommes et des capitaux). En 1992, le traité de Maastricht est signé, puis ratifié. La bonne entente entre le président français et le chancelier allemand Helmut Kohl permet de surmonter des crises parfois aiguës et de relancer les initiatives. Le 1ᵉʳ novembre 1993, la CEE devient l'Union européenne : la monnaie unique, l'euro, doit être réalisée par étapes, depuis son introduction (1999) jusqu'à son adoption totale (2002), sous le contrôle d'une banque centrale européenne (BCE) indépendante siégeant à Francfort. Le traité d'Amsterdam vise à renforcer la cohésion européenne.

Mais certaines réformes naissent avec difficulté (celles de la PAC en 1984 et 1999), en raison d'intérêts corporatifs ou nationaux. La libre circulation des hommes a du mal à entrer dans les faits : freins à la mobilité professionnelle, non-reconnaissance des diplômes étrangers, contrôle national des politiques d'immigration, contrairement à ce qui était prévu dans les accords de Schengen (1990). Il existe des périodes de doute, de stagnation (1981-1985) ou d'interrogations sur la nature de l'Union européenne (fédéralisme, liberté des États et droit de veto, Europe « à deux vitesses » pour les pays aux niveaux de vie trop différents...), qu'il aurait certainement fallu régler avant l'élargissement pour ne pas la paralyser. La politique européenne souffre de la dilution des responsabilités, d'où le désintérêt du citoyen. Pourtant, un texte législatif français sur deux résulte en 2000 d'initiatives communautaires. La Commission européenne – dont on exagère l'importance et le nombre de fonctionnaires – sert de bouc émissaire pour des décisions mal assumées par les gouvernements. L'augmentation des dépenses de l'Union européenne ne doit pas masquer la faiblesse relative de son budget (le tiers de celui de l'État français). La politique monétaire restrictive imposée via la BCE par l'Allemagne (en particulier par la chancelière Angela Merkel depuis 2005) et le modèle de croissance allemand ont des effets négatifs sur celle des autres pays. Les crises yougoslaves de la décennie 1990 ont montré que l'Union européenne ne dispose pas des moyens d'une politique extérieure commune, d'ailleurs à définir : elle doit s'en remettre à la puissance américaine, tandis que France et Royaume-Uni restent jaloux de leur souveraineté. Il reste à inventer un équilibre entre identité nationale et réalisations conjointes, qui ne se réduit pas au débat entre « souverainistes » attachés à l'autonomie des États et « fédéralistes » favorables à un véritable gouvernement européen.

La modernisation économique de la France depuis la Libération

I. L'État, entre dirigisme et incitation

A – Des moyens d'intervention accrus

1. Les processus de nationalisation à la libération

La Reconstruction repose sur un consensus, les forces conservatrices ayant été discréditées par la crise des années 1930 et le régime de Vichy.

▶ **Le résultat d'un compromis.** Le transfert de la propriété privée de certains moyens de production à la propriété publique ne procède pas alors de l'application d'un schéma préétabli. Quelques chefs d'entreprise accusés de « collaboration économique » voient leurs biens confisqués ou contrôlés par les salariés durant l'été 1944 : automobile (Renault, Berliet, Chausson), aviation (Latécoère, Gnome-et-Rhône). Le débat est vif entre ceux qui (sans aller jusqu'à socialiser la production) veulent faire gérer par les salariés les grandes entreprises et ceux qui, plus modestement, souhaitent que l'État contrôle certains monopoles. Les communistes, nombreux parmi les premiers, ont oublié leur hostilité d'avant-guerre aux nationalisations, simple « replâtrage » du capitalisme. Les seconds se recrutent parmi les hauts fonctionnaires et quelques managers partisans d'une économie propre à servir leurs ambitions.

▶ **Les nationalisations-sanctions.** Renault, arrêté, meurt en septembre 1944 sans laisser de véritable successeur. L'influence de la CGT (bastion de Boulogne-Billancourt) décourage les repreneurs et impose une solution originale, la Régie nationale des usines Renault. La RNUR garde une autonomie de gestion dans un secteur concurrentiel, mais ses salariés disposent d'un statut avantageux. Le constructeur de moteurs d'aviation Gnome-et-Rhône, nationalisé, devient en juillet 1945 la Société nationale d'étude et de construction de moteurs d'aviation (SNECMA). Hors toute sanction, Air France, compagnie partiellement contrôlée par l'État depuis 1937, l'est à 98 % en 1945.

▶ **Les sources d'énergie.** Le GPRF considère le charbon, rare, comme une priorité. Dans le Nord libéré, les compagnies minières sont mises sous administration publique en 1944, puis regroupées dans les Houillères du bassin du Nord, tandis que démarre l'expropriation de leurs détenteurs. Les autres bassins (Lorraine, Centre et Midi) suivent rapidement : Charbonnages de France, regroupant tous les bassins, est créé en 1945. Les mineurs voient leur statut amélioré. En échange, les syndicats s'engagent à gagner la « bataille du charbon » en stimulant la production (« Retroussons nos manches ! »), malgré des conditions de travail très dures.

Bien que moins vitaux qu'aujourd'hui, gaz et électricité font l'objet d'âpres débats. Les propriétaires des compagnies exigent une indemnisation tenant compte des fonds investis avant 1944. Ingénieurs et managers pensent rationaliser la branche et interconnecter les réseaux régionaux en transportant le courant à longue distance : seul l'État en aurait les moyens. Les syndicats CGT veulent nationaliser et fusionner les deux secteurs. Le compromis d'avril 1946 aboutit à nationaliser et à créer Électricité de France (EDF) et Gaz de France (GDF), entreprises distinctes. Une société commune (EGF) harmonise les investissements. Les actionnaires sont indemnisés par des obligations revalorisées suivant le chiffre d'affaires d'EDF et GDF, dont 1 % est versé aux deux comités d'entreprise. La gestion de ces entreprises publiques est assurée par des résistants de tous bords. Le pétrole, secteur marginal et désorganisé, n'a pas été nationalisé pour ménager les multinationales (les sept *Majors* américaines, anglaises et néerlandaise) assurant les approvisionnements. Mais l'État contrôle une partie du raffinage et de la distribution par des sociétés d'économie mixte, associant fonds publics et privés (la CFP, à l'origine en 1929 de la Compagnie française de raffinage).

▶ **Le crédit.** Accusées d'avoir entretenu la récession des années 1930 par la cherté du crédit, les banques voient leur mission d'intérêt public confirmée. Quatre banques commerciales sont nationalisées en 1945 (Crédit lyonnais, Société générale, Comptoir national d'escompte, Banque nationale du commerce et de l'industrie). La nationalisation (indemnisée) de plus de trente sociétés d'assurances s'accompagne de la fusion dans deux groupes : les Assurances générales de France (AGF) et le Groupe des assurances nationales (GAN). Leur contrôle, ainsi que celui des grandes banques de dépôt (CL et SG), permet à l'État de mener une « politique du crédit » : drainer les liquidités monétaires, favoriser les prêts à moyen terme selon les priorités de la reconstruction et faciliter le placement de ses emprunts.

2. Les nationalisations de 1981

La France agit en 1981, contrairement à 1945, à rebours de ses voisins (Royaume-Uni, Italie), qui privatisent. Ces nationalisations résultent d'un projet global, amorcé par le Programme commun de 1972 et contenu dans les 110 propositions de F. Mitterrand. Elles donneraient les moyens de mener une politique « de gauche ». Après un vif débat entre ceux (Rocard, Delors) partisans d'une participation majoritaire (51 %) et ceux

(Mauroy, PCF), la souhaitant à 100 %, F. Mitterrand tranche pour une acquisition totale, coûteuse mais symbolique. La loi du 11 février 1982 nationalise à 100 % sept groupes industriels (les sidérurgistes Usinor et Sacilor, Péchiney-Ugine-Kuhlmann, Rhône-Poulenc et Saint-Gobain, Thomson-Brandt et la Compagnie générale d'électricité) et à 51 % Dassault et Matra, avec toutes leurs sociétés. Elle touche aussi les filiales de firmes étrangères (CII-Honeywell-Bull dans l'informatique, les laboratoires pharmaceutiques Roussel-UCLAF et la Compagnie générale de constructions téléphoniques). L'État contrôle trente-six banques moyennes à grandes qu'il ne possédait pas encore (Crédit commercial de France, Crédit industriel et commercial, Crédit du Nord, Rothschild, Worms…) et deux sociétés financières, la Banque de Paris et des Pays-Bas et celle de Suez. Pour marquer le changement de cap, leurs dirigeants sont remplacés, sur des critères souvent politiques. Cela confère au gouvernement d'énormes responsabilités dans des secteurs concurrentiels. Les entreprises publiques produisent alors le tiers des biens industriels pour la moitié des investissements. L'État dispense neuf dixièmes des crédits et emploie un salarié sur trois. Il a certainement sauvé des entreprises de la faillite et injecté les fonds indispensables à leur modernisation, à un coût élevé. Mais que faire d'un tel pouvoir, à l'heure où la rigueur impose qu'État et sociétés publiques retrouvent leur équilibre financier ?

B – Les instruments de pilotage

1. La planification « à la française »

→ La création

En 1945, la plupart de ceux qui réclament une maîtrise de l'économie demeurent dans un schéma libéral, sauf le PCF à présent adepte d'une planification « à la soviétique ». Les hauts fonctionnaires veulent organiser le rationnement et renforcer ultérieurement la régulation du marché (contrôle des prix et des salaires). Des cadres d'entreprises modernes souhaitent une aide technique et financière. Seule une personnalité forte peut mener à bien un projet d'économie mixte original, qui tire parti des expériences antérieures.

J. Monnet, responsable des relations économiques de la « France libre » avec les États-Unis, est nommé Haut commissaire au Plan (puis Commissaire général au Plan – CGP) fin 1945. Le 4 décembre, il remet à de Gaulle une note présentant un Plan de reconstruction et d'équipement. Il faut renouveler moyens et méthodes de production pour susciter des effets d'entraînement entre les branches et éviter d'aggraver le retard technique. En 1946, Monnet définit les secteurs prioritaires : énergie, sidérurgie et matériaux de construction afin d'alimenter les industries de biens intermédiaires, transports intérieurs collectifs, machines agricoles.

Pour répartir les ressources, Monnet imagine un lieu d'arbitrage, les Commissions du Plan, regroupant administration, employeurs et salariés. Elles sont sectorielles ou transversales (financement, main-d'œuvre…) et disposent en 1946 d'outils adaptés :

le Conseil économique et social ; l'Institut national de la statistique et des études économiques (INSEE) qui, à partir d'organismes antérieurs, rassemble et analyse les données des ministères et des organisations professionnelles. Ces commissions émettent des avis incitatifs, ce qui déçoit le PCF – seules les entreprises publiques doivent en théorie remplir leurs objectifs. Monnet espère que la clarté des choix et l'urgence emporteront la décision. La France doit importer en masse, envisager le moyen terme et convaincre les Américains soucieux de ne pas gaspiller leur aide, ce qui facilitera le plan Marshall. La planification, pragmatique, entend orienter l'action gouvernementale, aider les entreprises publiques et rétablir les mécanismes du marché. Libéré des clivages ministériels, le Commissariat général au Plan, à l'effectif réduit, dépend directement du chef du gouvernement. Voté au Parlement, le Plan engage le pays pour quatre ans, mais peut être révisé.

➜ Le Plan appliqué : grandeur et amenuisement

▶ **Le premier plan : créer la croissance.** Adopté début 1947, il s'achève en 1950, mais sera prolongé jusqu'en 1952 (fin de l'aide Marshall). Il fixe un objectif quantitatif pour remédier aux pénuries : retrouver avant 1950 les niveaux de production de 1938. Mais il faut remettre en service les usines, avec du matériel pris aux Allemands ou donné par les Américains (*Jeeps*, trains, bateaux, camions…). Les grèves de 1947 et l'instabilité monétaire – l'inflation dépasse 40 % en 1947 – freinent les investissements. Pourtant, industrie et transports atteignent l'objectif dès la fin de 1949. Les efforts se focalisent sur les branches concentrées ou contrôlées par l'État. Elles tirent l'économie française, par l'importance de leur main-d'œuvre (un million de salariés), leurs achats, les tâches qu'elles redistribuent par la sous-traitance…

▶ **Les plans ultérieurs : surveiller la croissance.** Ensuite, les deuxième (1954-1957) et troisième plans (1958-1961) connaissent plus de vicissitudes : retards lorsque J. Monnet est remplacé par son collaborateur Étienne Hirsch, frein à « l'impérieuse nécessité » du Plan après le retour des conservateurs au pouvoir, rôle accru du marché qui a pris le relais de l'économie contrôlée – rançon du succès ! L'État se désengage des investissements en 1954, quand la croissance semble auto-entretenue et qu'il faut réduire le déficit budgétaire. À partir du quatrième plan (1962-1965), on privilégie le développement économique et humain : équipements sociaux, redistribution des revenus. L'État veut moduler les composantes de la croissance (répartition consommation/investissements) et favoriser l'insertion internationale. Après 1954, malgré quelques tentatives sous la Vᵉ République, la planification est surtout l'occasion d'une réflexion entre décideurs. Un éphémère retour au Plan, dont M. Rocard devient le ministre en 1981, ne résiste pas à la priorité du marché. En fait, le guidage des investissements s'intéresse davantage à leur répartition géographique.

2. L'aménagement du territoire

Dans un pays aux traditions jacobines, la prise de conscience, qu'illustre l'ouvrage du géographe Jean-François Gravier paru en 1947 (*Paris et le désert français*), est lente et d'abord limitée au déséquilibre Paris/province. Dans les années 1960, les décideurs sont sensibles à la ligne Le Havre/Marseille, qui sépare une France urbanisée et industrialisée (Nord et Est) d'une France rurale et attardée (Sud et Ouest). Plus tard, changeant d'échelle, l'accent est mis sur les contrastes à l'intérieur des régions, entre espaces polarisant les activités et aires dépeuplées et sous-équipées. Le dispositif de rééquilibrage se met en place dans les années 1950 : en 1955, apparaissent 21 circonscriptions d'action régionale et les premières sociétés régionales d'aménagement rural dans le Midi, telles la Compagnie nationale d'aménagement du Bas-Rhône-Languedoc (irrigation). Les années 1960-1975 marquent l'apogée de l'aménagement, sous l'impulsion de hauts fonctionnaires comme Olivier Guichard et Paul Delouvrier. En 1963, naît la Délégation à l'aménagement du territoire et à l'action régionale (DATAR), tandis qu'en 1972, 22 régions sont créées, sans autonomie financière ni politique. Les objectifs sont menés autoritairement par des organismes spécialisés. On développe l'industrie dans les régions rurales de l'Ouest au détriment de la capitale (Renault au Mans). On rénove l'agriculture des régions enclavées, on rééquilibre le réseau urbain (1964 : politique des huit « métropoles d'équilibre » ; 1965 : création de « villes nouvelles » ; 1970 : politique des « villes moyennes ») ; on modernise les transports, crée des parcs naturels nationaux (1960) et régionaux (1967), entame l'aide à la reconversion industrielle (charbon, textile : Nord, Est).

Un « vaste programme », mis en veilleuse de 1975 à 1981 à cause de la récession et de la priorité à la compétitivité. L'aménagement doit se contenter d'interventions ponctuelles, associant capitaux publics et privés : beaucoup concernent le secours aux aires en difficulté. Toutefois, l'apparition des aides européennes permet de prendre le relais, dans un cadre régional (1975 : FEDER). Depuis 1981, le rééquilibrage géographique des activités incorpore davantage les données locales (décentralisation) et européennes (intégration des réseaux de transport).

Les grandes opérations combinent aménagement et modernisation. En témoignent l'équipement hydroélectrique du Rhône ou la rénovation du réseau ferré (électrifié, puis adapté à partir de 1980 au TGV) ou téléphonique. Néanmoins, beaucoup nécessitent des capitaux privés : la France ne comble son retard autoroutier qu'en multipliant les péages au profit des sociétés concessionnaires. L'aménagement touristique des stations de ski alpines ou de celles du littoral languedocien n'est guère regardant quant aux moyens employés. Les interventions ne sont pas toujours maîtrisées. Ainsi, priorité est donnée dans les années 1950-1960 à l'équipement des ports, qui fixent les industries métallurgiques et chimiques utilisant des produits importés ; mais les immenses zones industrialo-portuaires lancées en 1970 (Dunkerque et Fos-sur-mer près de Marseille) sont surdimensionnées en raison de la crise et de prévisions exagérément optimistes.

143

3. Déconcentration et décentralisation

Depuis 1954, l'État infléchit les implantations industrielles pour faire transférer ou créer des sites (mouvement en partie spontané), sans véritable décentralisation, qui suppose de déplacer l'établissement et le siège social parisiens. Les aides au développement industriel sont actualisées au gré des crises locales (Renault à Douai). Elles consistent d'un côté à accorder des primes d'installation ou des exonérations fiscales en province, d'un autre à limiter les autorisations d'extension industrielle ou à imposer des redevances en région parisienne. Seules des PME ont aussi déménagé de Paris leurs centres de décision. Les régions d'accueil se situent surtout en périphérie du Bassin parisien et en Bretagne.

Après 1980, les gouvernements ont favorisé les délocalisations tertiaires, faciles à supporter pour des activités dynamiques, voire certaines décentralisations. Elles ont touché les banques, les entreprises publiques (Air Inter à Toulouse), les administrations centrales (direction des Affaires culturelles à Aix) et les grandes écoles (École de la Magistrature à Bordeaux, École nationale d'Administration à Strasbourg...). É. Cresson a donné un coup d'accélérateur – contesté – en 1991. Quant à la recherche, sans définir directement les technopôles (ou « parcs technologiques ») qui dépendent d'initiatives locales, l'État a aidé à leur naissance (Valbonne-Sophia Antipolis près de Nice, 1972, puis Grenoble-Meylan, Rennes-Atalante...). Ces pôles associent des laboratoires publics et privés et des entreprises de haute technologie, à la périphérie « verte » des villes. Mais la domination parisienne demeure encore écrasante. Depuis 1985, la montée en puissance des régions leur donne des moyens d'action accrus, complétés par des accords sur cinq ou six ans négociés avec Paris (contrats de plan État-Région). Autant d'éléments qui démultiplient les politiques d'intervention publique. Mais elles se heurtent à des rythmes d'évolution différents, tributaires du contexte international.

II. Croissance économique et mondialisation

A– Les autres conditions de la modernisation

1. La progressive insertion internationale

En 1945, la puissance commerciale et financière de la France est faible : obligée d'entrer dans les grands organismes internationaux mis en place par les Alliés, elle y joue un important rôle technique. D'abord intégrée à l'échelon mondial, la France dispose avec la construction européenne d'un puissant levier : source de sacrifices, cette confrontation à la compétition internationale, mal vécue, était difficilement évitable si l'on voulait établir les bases d'une prospérité durable.

→ La monnaie

Les accords de Bretton Woods (22 juillet 1944) entérinent le Système monétaire international (SMI), fondé sur la remise en ordre monétaire et la liberté des échanges de biens, de services et de capitaux. Or, seuls les États-Unis peuvent en assurer le fonctionnement grâce au dollar : ils dominent le Fonds monétaire international (FMI) et la Banque internationale pour la reconstruction et le développement (BIRD, ou « Banque mondiale »). Le dollar est défini par un poids d'or ; les valeurs des autres monnaies sont fixées par rapport au dollar, mais peuvent varier à l'intérieur de certaines limites – sinon, il faut dévaluer. La France adhère à ce système, effectif une fois le franc stabilisé. Mais la dévaluation de 1949 ne suffit pas à autoriser une libre circulation des francs (contrôle des changes). Malgré tout, la France contribue au FMI : elle profite de la solidarité des banques centrales, qui atténue les oscillations des marchés ; elle bénéficie des emprunts en dollars consentis sur les places mondiales (New York, Londres). La BIRD lui procure une aide au développement.

→ La libéralisation des échanges

Face au *Commonwealth* britannique ou au Benelux (1947), la France doit signer des conventions commerciales multilatérales. Les accords du GATT (*General Agreement on Tariffs and Trade*, accord général sur les tarifs douaniers et le commerce) signés à Genève le 30 octobre 1947 visent à libéraliser les échanges mondiaux. Ils étendent la clause de la Nation la plus favorisée à tous les signataires, prohibent le *dumping* (vente à perte pour forcer les marchés) et les contingentements (limitation des entrées de produits étrangers). Cependant, maintes nations (dont les États-Unis) recourent, plus que la France, à des prohibitions déguisées.

→ L'aide des États-Unis et les mécanismes du plan Marshall

En dépit des susceptibilités nationales ou idéologiques, l'adoption du plan Marshall s'explique par l'urgence de la situation de 1947, pire qu'en 1945. Le maintien du niveau de vie impose de recourir aux États-Unis, qui dominent alors la production de biens agricoles et industriels (la moitié du total mondial), les technologies de pointe et les marchés financiers (trois quarts des créances internationales). Les pays occidentaux manquent de capitaux et ne peuvent acheter ces produits. Or les États-Unis craignent la récession pour leur économie (mévente et reconversion des industries de guerre) et l'influence de la propagande communiste sur une Europe affaiblie. Ayant déjà annulé les dettes de guerre, ils doivent utiliser leurs dollars excédentaires pour relever les Européens (dons ou prêts à faible intérêt). Ces derniers pourront convertir leurs dollars en francs (par exemple), prêtés à taux réduit aux entreprises des secteurs prioritaires, par le Fonds de modernisation économique (1949), puis par le Fonds de développement économique et social (1950). Ils pourront aussi les utiliser directement pour des achats internationaux. L'aide Marshall (12 milliards de dollars partagés entre 17 pays européens) équivaut au cinquième des investissements français de 1946 à 1951 et permet de se procurer les technologies modernes (machines-outils, tracteurs, électronique).

La France bénéficie en 1948 de l'intégration dans l'Organisation européenne de coopération économique (OECE), devenue Organisation pour la coopération et le développement économique (OCDE) en 1961 après son élargissement. Elle est chargée de coordonner les politiques économiques, sous la tutelle des États-Unis.

➜ Le levier européen

L'ouverture économique concerne aussi l'échelon européen, à l'image du Benelux où Belgique, Pays-Bas et Luxembourg fusionnent leurs monnaies et favorisent échanges commerciaux et scientifiques. En 1949, l'Union européenne des paiements organise un système de compensation entre banques centrales pour faciliter les transactions et ne retenir que le solde de leurs échanges monétaires (accords de *clearing*).

La CECA stimule une production assurée de débouchés. Ce mouvement d'extraversion ne s'est jamais démenti depuis. La définition, suite aux accords de Maastricht (1991), de cinq « critères de convergence » oblige la France à respecter les « grands équilibres » pour pouvoir disposer de la masse de manœuvre du *deutsche mark*, pilier de l'euro à venir. Elle perd ainsi un symbole de sa souveraineté, la monnaie, déjà illusoire vu l'internationalisation des échanges financiers.

2. Des investissements massifs

Jusqu'en 1960, l'État, par le biais du Trésor et de grands organismes publics, met en place un circuit monétaire qui assure les 4/5ᵉ des investissements français et près de la moitié des crédits, notamment grâce au FDES. La consommation en a d'ailleurs été sacrifiée. Entre 1960 et 1975, la France fait un effort accru d'investissements (jusqu'au quart du PIB), qui ne peut plus être assumé par le seul budget de l'État : vu la faiblesse du marché boursier français jusqu'en 1980 et l'importance de l'épargne, les institutions financières qu'il contrôle y contribuent de plus en plus. La France se couvre de guichets bancaires et de nombreux réseaux de dépôt (grandes banques, établissements mutuels, caisses d'Épargne…), qui peuvent ensuite prêter à des établissements spécialisés dans les investissements à long terme (compagnies financières ou banques régionales).

Après 1975, l'essentiel des besoins en capitaux des firmes est encore assuré par l'autofinancement. Mais, dans les années 1980, la modernisation des structures de la Bourse de Paris (« *big bang* »), la simplification des intermédiaires (agents de change), l'introduction d'un « second marché » pour les entreprises innovantes, la multiplication des instruments financiers et les privatisations alimentent les entreprises en capitaux. Les investissements étrangers, rassurés par la politique de rigueur, attirés par cette sous-capitalisation et les restructurations de sociétés, se renforcent : d'abord ceux des monarchies du Golfe (pétrodollars en 1975-1980), puis des Japonais (années 1980), enfin des fonds de pension anglo-saxons et des Chinois. Mais ils rendent le marché volatil et limitent la marge de manœuvre des pouvoirs publics.

B – Les résultats

1. Une reconstruction rapide, en quantité et en qualité

Les pénuries ("coupures tournantes" d'électricité ou tickets de rationnement) s'achèvent vers 1950. Le PIB s'élève de 15 % par an en 1946-1948, de 8 à 9 % en 1949-1951. En 1951, le succès est indéniable pour les productions de base : le charbon, le minerai de fer ; l'hydroélectricité a crû de 30 % (achèvement des chantiers du Rhin et du Centre, début de l'équipement du Rhône : barrage de Donzères-Mondragon) ; les raffineries et la pétrochimie des estuaires (Seine, Loire, Garonne) et de l'étang de Berre redémarrent, tandis que commencent les prospections de la Société nationale des pétroles d'Aquitaine (1951 : gaz naturel de Lacq) et d'ERAP, futur ELF, dans le Sahara. Le Commissariat à l'énergie atomique (CEA) voit le jour en 1945. Les industries de transformation prennent le relais grâce à des reconversions réussies : textile (Lyon : fibres synthétiques), automobile (4 CV Renault, 1946 ; 2 CV Citroën et 203 Peugeot, 1948), aviation (premier avion à réaction français Dassault, 1949 ; projet Caravelle, biréacteur commercialisé dès 1957). Le commerce extérieur redevient excédentaire en 1950.

Dans la sidérurgie, des investissements combinés (USINOR, 1948 ; SOLLAC, 1949 ; SIDELOR) créent des usines spécialisées, aux débouchés assurés par des ententes avec les gros clients. L'OST et les méthodes de gestion modernes se diffusent, surtout dans les grandes firmes. Il faut pallier la pénurie de main-d'œuvre en développant la productivité française, jugée deux à trois fois moindre qu'outre-Atlantique. De 1948 à 1953, 300 « missions de productivité » envoient des ingénieurs et patrons français visiter des établissements aux États-Unis. Le Comité national de la productivité (1950) mène une intense propagande pour vaincre les réticences, car les schémas américains sont difficilement transposables en France (système de relations profes-sionnelles plus conflictuel). Ces efforts sont relayés par les grandes écoles scientifiques ou commerciales qui enseignent davantage la gestion.

2. L'approfondissement de la croissance (1952-1973)

→ La plus forte expansion économique de l'histoire du pays

Avec à peine 1,3 million d'actifs en plus de 1945 à 1973, la France a quadruplé sa pro-duction et triplé le revenu national, tout en abaissant la durée du travail à partir des années 1960 (2 100 heures par an en moyenne en 1946, 1 850 en 1973). Elle a connu des taux de croissance exceptionnels (supérieurs à 4,5 % par an sur toute la période, jusqu'à + 5,1 % dans les années 1960, voire + 5,8 % de 1970 à 1973), plus élevés que ceux de la plupart des autres pays européens. Même si la France est économiquement dépassée par la RFA (1958) et le Japon (1967), elle se situe au cinquième rang mon-dial en 1974, devant le Royaume-Uni. L'économie française bénéficie de la croissance d'une population à meilleur pouvoir d'achat et de sa conquête des marchés européens (troisième pays exportateur mondial en 1973).

➔ La modernisation industrielle

▶ **L'accélération du processus de concentration.** Peu à peu, les grands industriels se renforcent pour résister à la concurrence, tant sur le marché français qu'à l'exportation. La concentration touche des branches en difficulté dès les années 1960, comme le textile, les charbonnages ou, un peu plus tard, la sidérurgie (autour d'USINOR, SACILOR et du groupe Creusot-Loire), malgré l'aide massive de l'État et la quasi-nationalisation de 1978. Mais ce processus concerne aussi des secteurs plus dynamiques : les constructions électriques (Thomson-Brandt, 1966), l'aéronautique (Aérospatiale, 1970), l'aluminium, les métaux non-ferreux et la chimie (Péchiney-Ugine-Kuhlmann, 1971), les industries agroalimentaires (BSN-Gervais Danone, 1973), l'automobile (Peugeot absorbe Citroën en 1974 et Simca-Chrysler en 1978). La concentration est aussi technique, rassemblant un nombre accru d'ouvriers dans de grands établissements où les méthodes tayloriennes, la centralisation des décisions sont poussées à l'extrême jusqu'aux années 1970, non sans effets humains et économiques : désintérêt pour le travail, voire refus collectifs, *turn over*, croissance extensive limitant les investissements, défauts des produits, manque de formation professionnelle. Toutefois, on trouve encore en 1975, y compris dans de grandes firmes, beaucoup d'établissements de taille et de conception artisanales, même si leur nombre s'est abaissé (les entreprises industrielles de moins de 100 salariés employaient, en 1955 45 % des ouvriers, contre 25 % en 1975) et leur dépendance face aux groupes accrue (sous-traitance). La modernisation des structures et de la gestion demeure insuffisante.

▶ **Le développement de l'innovation.** Le changement technique ne touche pas les seuls produits dits « à haute technologie » : hydroélectricité, puis recherche et traitement des hydrocarbures (ELF-ERAP, CFP, Schlumberger), nucléaire (Framatome), aéronautique et espace (Dassault, Sud- et Nord-Aviation, puis Aérospatiale), armement (Matra)… Il concerne aussi et surtout des objets de consommation – automobile, pneumatiques (Michelin), électroménager (Moulinex, Brandt) – ou des produits intermédiaires – verre (Saint-Gobain), ciment (Lafarge) –, où quelques entreprises françaises deviennent de vraies multinationales. Après 1960, ces industries bénéficient d'une consommation de masse et de la forte activité du BTP (urbanisation).

➔ La « Révolution agricole »

▶ **Les retards agricoles jusqu'aux années 1950.** À la Libération, domine l'impression trompeuse de la richesse paysanne, liée à la propagande pétainiste et, surtout, aux pénuries. Les mesures du GPRF (statut du fermage et du métayage en 1946, indexation des prix agricoles) ne permettent pas d'augmenter la productivité. L'agriculture perpétue ses défauts : importance des marchés locaux et des « rentes de situation » (à cause des difficultés de transport), émiettement des exploitations, stagnation des techniques, priorité aux achats fonciers. La mécanisation demeure rare jusqu'au milieu des années 1950. Les structures productives donnent des récoltes insuffisantes et trop chères. L'apparente prospérité se craquelle dès que les circuits d'approvisionnement retournent à la normale. Pourtant, agissent déjà les ferments de la plus rapide transformation que le monde paysan ait connue.

▶ **Les agents du changement.** Ils résultent d'initiatives multiples, internes ou externes au monde agricole. Soulignons d'abord le rôle novateur de la JAC, que son secrétaire René Colson infléchit vers la démocratie chrétienne dans les années 1940. Elle valorise le métier d'agriculteur et encourage sa formation (Centres d'étude techniques agricoles, 1945) ; elle appuie le mouvement coopératif (coopératives d'utilisation du matériel agricole en commun, 1946) et les autres structures collectives, que Vichy avait renforcées : même si la corporation paysanne a déçu ses initiateurs, les agriculteurs ont dû s'organiser pour livrer leur production. Par la suite, le rôle des syndicats agricoles, à la fois conformistes et modernisateurs, est ambigu. En 1944, la Corporation est dissoute et remplacée par une large Confédération générale de l'Agriculture, dont une des branches, la Fédération nationale des syndicats d'exploitants agricoles (FNSEA), regroupe fermiers, métayers et propriétaires. Mais les anciens dirigeants corporatistes en prennent le contrôle et se détachent de la CGA, moribonde. La FNSEA pèse alors dans un sens essentiellement conservateur, bien qu'elle cherche à garantir le revenu agricole et encourage les mutuelles (assurances). Les autres organisations demeurent marginales, sauf circonstances locales (le Mouvement de défense des exploitations familiales ou MODEF, communiste, en Limousin). En 1955, est créée la branche jeune de la FNSEA, le Centre national des jeunes agriculteurs (CNJA), à l'initiative de la JAC. Lorsque son ancien dirigeant, Michel Debatisse, prend la tête de la FNSEA en 1971, il la fait évoluer dans un sens moderniste.

Dans les années 1950, les gouvernements axent leur intervention sur le soutien des prix. Cela passe d'abord par l'organisation rigide, avec des prix fixés par l'État, des marchés des céréales (l'ONIB devenant l'ONIC), puis du sucre. Suivent en 1953-1955, de manière plus souple (stockage systématique quand les cours descendent en dessous d'un prix-plancher), le vin, la viande et le lait. Quelques produits (fruits, porcs) restent libres. Cette régulation des marchés est confirmée par le Fonds d'organisation et de régularisation des marchés agricoles (FORMA) en 1961 et, à l'échelon de la CEE, le Fonds européen d'orientation et de garantie agricole (FEOGA) en 1962. Ils constituent un formidable encouragement à augmenter la production, sans toujours privilégier la qualité.

Cependant, sous l'impulsion du ministre de l'Agriculture E. Pisani, l'État met l'accent sur la transformation des structures, par les lois d'orientation agricole de 1960-1962 (renforcées en 1982). Il existait depuis 1941 une aide au remembrement (constituer par échange des parcelles assez grandes pour une exploitation rationnelle), encouragé après 1960. Depuis 1948, le Fonds d'action sociale soutient l'amélioration de l'habitat et le remplacement des agriculteurs âgés, qui reçoivent une Indemnité viagère de départ (1963). Les Sociétés d'aménagement foncier et d'établissement rural (SAFER, 1960) interviennent sur le marché des terres agricoles pour faciliter l'installation des jeunes. L'État appuie la formation de Groupements agricoles d'exploitation en commun (GAEC, 1962). Il prend à sa charge de grands travaux de mise en valeur (irrigation et bonification), notamment dans le Midi. Des organismes mixtes (administration-agriculteurs) œuvrent à transformer les modes d'exploitation. Se mettent en place des réseaux d'agriculteurs entreprenants, structurés par les Chambres d'Agriculture (centres de gestion, conseillers itinérants…) et épaulés par des commerçants polyvalents, charnière avec la ville.

▶ **Des résultats spectaculaires.** Ces mesures, en partie subventionnées par nos partenaires, accroissent nettement le revenu agricole moyen jusqu'aux années 1970. D'importateur alimentaire chronique, la France devient un grand exportateur de produits agricoles, transformés ou non. Mais les exploitations dépendent des prix fixés chaque année à Bruxelles et des capacités d'absorption du marché européen. Les productions végétales croissent, après 1955, plus vite que les productions animales, mais la valeur de ces dernières l'emporte nettement depuis 1960. Les gains de productivité reposent sur l'exode agricole (50 000 exploitations en moins par an entre 1955 et 1970), l'augmentation des rendements, moins sensibles aux variations annuelles, et la diminution de la superficie agricole utilisée (SAU), par abandon des terres difficiles. En étendue, blé et vigne reculent, tandis que progressent nettement céréales pour le bétail, plantes fourragères, herbages, cultures maraîchères et fruitières et, depuis 1970, oléagineux (colza et tournesol). Ce « productivisme » s'explique par les progrès culturaux (assolements complexes) et biologiques : sélection des variétés (blé, maïs hybride) et des espèces animales, fondées sur les recherches de l'Institut national de la recherche agronomique (INRA). La consommation des insecticides et des engrais chimiques quadruple de 1938 à 1965, alors que les rendements en blé ou en lait doublent. La motorisation démarre vraiment après 1955 : l'on passe de 40 000 tracteurs en 1938 à 140 000 en 1950, puis 900 000 en 1965 et, aux mêmes dates, de 250 à 5 000, puis 100 000 moissonneuses-batteuses. Outre une moindre pénibilité du travail, elle permet la polyvalence (accessoires du tracteur) et impose le regroupement des parcelles : la taille optimale des exploitations s'accroît, le seuil moyen de rentabilité passe de 10-15 hectares avant la guerre à 30-40 hectares en 1970. La diminution des exploitations est différenciée : celles inférieures à 5 ha deviennent marginales (sauf maraîchage ou vignoble de qualité) ; celles de 5 à 10 ha diminuent surtout après 1955, celles de 10 à 20 ha après 1960 ; celles dépassant les 20 ha progressent, qu'il s'agisse des grandes exploitations céréalières ou betteravières supérieures à 100 ha ou des exploitations moyennes (30-50 ha) vouées à l'élevage. Une panoplie de machines (trayeuses, machines à récolter…) modifie bâtiments d'exploitation et techniques agraires.

▶ **Le développement d'un système agro-industriel.** L'intégration devient la règle : la commercialisation progresse au détriment de l'autoconsommation. Les productions suivent l'évolution des marchés et des consignes d'arrachage ou de plantation. La "course" au matériel et aux terres a un coût économique et humain : l'endettement accru, d'autant plus pernicieux que le Crédit agricole octroie encore assez aisément des prêts bonifiés aidés par l'État. L'agriculteur dépend de la chaîne agroalimentaire : en amont, s'accroissent les fournitures de consommations intermédiaires (produits chimiques, énergie, aliments artificiels, services de sélection, de traitement des récoltes, de comptabilité...). En aval, le producteur passe des accords avec les industries agroalimentaires (IAA), comme les « contrats de programme » avec les conserveries : en échange d'un débouché assuré pour plusieurs années (renégociable), l'agriculteur doit respecter de strictes contraintes de production.

Outre les régions depuis longtemps ouvertes au capitalisme agricole (Bassin parisien, Nord), ces transformations sont nettes en Champagne, Bretagne, dans les plaines irriguées du Midi. Les déséquilibres se creusent entre les régions intégrées aux IAA et les zones pratiquant une polyculture vivrière et bénéficiant moins – sauf les montagnes – des garanties de la PAC. Ainsi coexistent trois types d'exploitations : un secteur marginal voué à disparaître, sauf aides massives ou situation exceptionnelle ; une petite propriété marchande, gagnante jusqu'en 1970 grâce à sa spécialisation (élevage, vigne, maraîchage) et/ou à la double activité du ménage ; une grande agriculture semi-industrielle (blé, betterave, maïs, légumes de plein champ).

→ La tertiarisation

Spectaculaire, elle repose sur l'augmentation du niveau de vie moyen (qui dégage des surplus au delà des stricts besoins alimentaires), l'urbanisation, l'accroissement des échanges et des services aux entreprises et aux particuliers (transports, banques, assurances, loisirs), la multiplication des interventions de l'État (enseignement, sécurité sociale). Ne produisant directement aucun bien, le tertiaire pénètre pourtant le monde de la production. Mais le tertiaire ancien sait aussi se renouveler. Témoin le petit commerce qui s'adapte à la segmentation des produits et de la clientèle : contrairement à l'idée reçue, il ne subit pas un effondrement, sauf en milieu rural. Le commerce du luxe se diversifie pour atteindre une clientèle moyenne. La grande distribution française innove en développant la vente par correspondance (VPC) depuis les années 1950 (La Redoute, Les Trois Suisses...) et en créant les premiers supermarchés, puis hypermarchés au début des années 1960 (Carrefour, Auchan...), dans des centres commerciaux périphériques accessibles en voiture. Longtemps, les gains de productivité du tertiaire ont été faibles, ce qui a imposé des embauches massives. Mais ce mouvement s'inverse, notamment avec l'informatisation.

III. Les limites de la croissance

A– Une inflation tardivement maîtrisée

1. Une hausse des prix longtemps forte

Ce différentiel d'inflation ne finit pas avec la Reconstruction : en 1950, la France subit une inflation de 12 % ; elle est encore, en moyenne annuelle, de 5,5 % entre 1955 et

1959 (1,8 % en RFA), 4,3 % de 1960 à 1969 et 6,3 % de 1970 à 1973 – sans évoquer les taux « à deux chiffres » après 1974. Jusqu'en 1950, la rareté des produits en était logiquement la source. Après, ce sont les services, surtout ceux aux ménages, qui enchérissent, anticipant la forte demande des salariés. Ces hausses sont aggravées par les blocages sociaux, sources de « rentes de situation » et d'immobilisme, mis en cause dans le rapport Armand-Rueff (1959).

2. Les facteurs responsables de l'inflation

L'inflation est un phénomène mondial : le « boom coréen » des matières premières en 1950-1952 lors de la guerre de Corée fait flamber les prix. Plus marquant, bien que ses effets aient été exagérés, apparaît le quadruplement des prix du pétrole brut en 1973-1974 après la guerre du Kippour entre Israël et ses voisins arabes.

D'autres facteurs sont propres à la France. Le financement de la Reconstruction et des guerres coloniales impose de fortes créations monétaires. Jusqu'en 1958, un cadre protectionniste limite la concurrence. La croissance, surtout destinée au marché intérieur, concerne des produits dont les prix peuvent grimper sans mévente. Le commerce est dominé par maints intermédiaires soucieux de leurs marges. Parfois aussi, les gouvernements encouragent la consommation au détriment de l'épargne (politique d'Edgar Faure en 1953-1955 ou plans Chirac de « relance » en 1974-1976), alors que les ménages des années 1970 recourent plus à l'endettement. L'indexation des salaires (revalorisation automatique suivant la hausse des prix), étendue à partir du SMIG, provoque les anticipations des consommateurs et des producteurs. Enfin, le choix du « tout pétrole », alors très bon marché, accentue la traditionnelle dépendance de la France : un tiers de sa consommation d'énergie est importé en 1950, les trois quarts en 1973, pour un volume de consommation six fois supérieur.

3. Les conséquences de l'inflation

Elle a des effets controversés : longtemps reconnue comme un mal nécessaire, elle agit aussi comme une drogue. Certains soulignent son soutien au marché intérieur, dopant la consommation et la croissance, donc assurant le plein emploi. D'autres incriminent le sentiment de facilité qu'elle induit, la perte de compétitivité, la difficulté à estimer les résultats des firmes et à établir des projections, le marasme boursier. De fait, les entreprises françaises, notamment industrielles, manquent de capitaux jusqu'aux années 1980, en comparaison de leurs concurrentes étrangères. À partir des années 1970, les effets pervers de l'inflation l'emportent : l'ère de la « stagflation » (inflation sans croissance) invite à reconsidérer la période antérieure.

B – Un franc longtemps faible

Le franc court pendant des décennies de dépréciation en dévaluations. À la Libération, le choix par C. de Gaulle de la solution Pleven ne permet pas d'absorber les liquidités. La dépréciation monétaire conduit à dévaluer le franc sept fois de 1945 à 1957 et deux fois de 1958 (création du nouveau franc) à 1969, avec plus de succès. Les règlements internationaux s'effectuent pour l'essentiel en dollars, tandis que le mark dépasse la livre anglaise : le franc est marginal... De 1950 à 1971, il perd le tiers de sa valeur par rapport au dollar et près des deux tiers sur le mark. Pourtant, les déficits français restent modérés par rapport à d'autres pays occidentaux.

Les gouvernements utilisent, de manière peu efficace, le contrôle des prix et des salaires, simultanément ou séparément : plan Pinay (1952), plan Gaillard (1956-1957), « plan de stabilisation » de Giscard d'Estaing (1963), encadrement du SMIG, « lettres de recommandations » aux chefs d'entreprise... L'encadrement du crédit est surtout employé à partir de 1958, notamment en 1963 et 1969 : mais le manque de maîtrise des processus d'entrée et de sortie de telles mesures, souvent anticipées par les acteurs économiques, conduit à des maladresses, voire à certains échecs.

Les politiques de « régulation conjoncturelle » agissent sur les taux d'escompte et bancaires de base, les compressions ou relances budgétaires, les hausses de TVA, les emprunts publics destinés à diminuer la monnaie en circulation (ainsi l'emprunt Pinay, même s'il échoue en partie). De telles politiques ne sont efficaces que lorsque les prix mondiaux s'orientent à la baisse ; sinon, on prévoit les hausses de prix. La croissance économique connaît des variations dont les mécanismes ne sont pas toujours maîtrisés par les dirigeants et les acteurs économiques.

C – Des lacunes persistantes

À la veille de la crise des années 1970, elles concernent avant tout les équipements individuels et collectifs et l'insuffisante adaptation des structures économiques et des rapports sociaux aux exigences d'une économie ouverte. Ainsi, les grandes entreprises françaises ont une taille médiocre et combinent structures de production traditionnelles et innovantes. L'importation de nombreux brevets industriels marque l'insuffisance de la recherche-développement, alors que les liens entre recherche fondamentale et appliquée, entre grands organismes publics (Universités, CNRS) et industriels, sont faibles, sauf exceptions (Grenoble, Nancy). Des déséquilibres régionaux et sociaux persistent. Le rôle de l'État (ministère de l'Industrie) n'a pas toujours été heureux : certains choix « nationalistes » négligent la rationalité économique, faisant échouer des projets pourtant fortement soutenus (ordinateurs : « plan Calcul », supersonique Concorde, procédé de télévision en couleurs SECAM)... Il encourage souvent la production au lieu de tenir compte des marchés. L'important déficit commercial jusqu'aux années 1980 révèle les faiblesses françaises.

D– Une « drôle de crise » depuis les années 1970

La crise économique mondiale atteint la France en 1974, précédée de signes inquiétants : chômage incompressible depuis 1967, dérèglements monétaires après la fin de la libre convertibilité du dollar en or (1971), puis sa dévaluation. Jusqu'en 1976, les hausses salariales, l'accentuation des mécanismes redistributifs et le plan de relance de 1975 donnent à la population l'impression d'être épargnée. Pourtant, la récession s'installe, même si elle a peu à voir avec celle des années 1930 : hormis en 1974-1975, les niveaux d'activité progressent, mais à un rythme moins élevé : le PIB augmente de 3,1 % en moyenne de 1974 à 1979 et de 1,6 % entre 1980 et 1987. L'inflation s'accélère et les faillites d'entreprises se multiplient.

La brutale réduction de leurs marges combine plusieurs facteurs : la hausse des coûts salariaux alors que les exportations diminuent et qu'augmente le prix des matières premières et de l'énergie ; le ralentissement de la demande en produits de base, mais aussi en biens d'équipement des ménages ; la perte de compétitivité par rapport aux pays développés (Japon) ou aux pays émergents du Sud-Est asiatique et à la Chine ; l'accroissement consécutif des importations (textile, habillement, électronique) ; l'essoufflement des investissements productifs, à cause d'une meilleure rentabilité des placements financiers. La crise se traduit par un chômage de masse : au minimum 450 000 personnes début 1974, 850 000 en 1975, 1,5 million en 1980, 2 millions fin 1981, 2,2 en 1985, 2,7 en 1999 et 2,5 en 2005. Les politiques les plus diverses ne parviennent pas à le juguler, d'autant que le second choc pétrolier de 1979-1980 accentue la récession mondiale.

L'industrie, surtout, perd chaque année 100 000 emplois entre 1974 et 2000, malgré une embellie au début et à la fin des années 1990. Les petites villes liées à une mono-activité reposant sur des ressources locales épuisées (la dernière mine de charbon française ferme en 2005), ou trop isolées, connaissent des déclins quasi irréversibles – d'où la politique, décevante, des « pôles de conversion » en 1984. Les bastions industriels nordistes ou lorrains (sidérurgie) subissent des chocs d'autant plus terribles que le souvenir de leur prospérité est proche (émeutes de Denain ou Longwy en 1979). Plus que les délocalisations au sens strict (le transfert d'établissements à l'étranger), ce sont les fermetures ou les faillites d'entreprises qui expliquent ces pertes, souvent irrémédiables. Les branches les plus touchées sont les industries de base, le textile/confection (dès 1965) et, à un moindre degré, l'automobile et les appareils ménagers (faillite de Moulinex en 2001) ; les biens d'équipement professionnel (armement : Matra, aéronautique : Airbus ; ingénierie pétrolière : Schlumberger), les industries pharmaceutique et électronique se portent mieux. En témoigne le succès commercial du programme spatial Ariane, lancé depuis la base guyanaise de Kourou (1979). En outre, les évolutions ne sont pas irrémédiables : même dans des branches sinistrées, il existe des entreprises innovantes tirant leur épingle du jeu (SEB pour les appareils ménagers). Il est donc faux de parler globalement de « désindustrialisation » car, avec beaucoup moins de travailleurs, le secondaire, dont les firmes assurent en 2000 les deux tiers des exportations françaises, demeure une composante essentielle de la production de richesses.

L'agriculture poursuit, à un rythme ralenti, son hémorragie humaine et comprend la nécessité de raisonner autrement. La saturation du marché et le coût des subventions suscitent la réforme de la PAC (1992 et 1999) : les prix ne sont plus automatiquement garantis, l'aide va à l'agriculteur plus qu'au produit, ce qui avantage les paysans des zones fragiles au détriment des gros cultivateurs. Des scandales alimentaires (maladie de la vache folle ou ESB) font redécouvrir les bienfaits écologiques et sociaux d'une agriculture de qualité, souvent familiale, qui trouve des circuits de distribution originaux et des revenus complémentaires (« tourisme vert » des gîtes ruraux).

Le tertiaire ne peut compenser ces pertes en dépit des emplois qu'il a longtemps créés, d'autant que des « restructurations », terme euphémique pour licenciements, affectent banques et assurances dans les années 1990 (fusion des groupes financiers et internationalisation). L'État, après une période de création d'emplois de fonctionnaires au début des années 1980, notamment pour accompagner l'explosion scolaire et la demande de soins, ne peut ou ne veut poursuivre à ce rythme.

Enfin, paradoxalement, les deux septennats de F. Mitterrand ont réconcilié les Français avec l'entreprise et, peu après, avec la Bourse, au point qu'un personnage aussi sulfureux que le repreneur d'entreprises en faillite, le médiatique et polymorphe Bernard Tapie, est présenté par l'Élysée comme un modèle (ministre de la Ville en 1992). Le tournant de la « rigueur » a contribué à « restaurer les grands équilibres », au prix de fortes contraintes intérieures et extérieures. La limitation des déficits publics et la fin des processus inflationnistes (aidée par la baisse des prix mondiaux) sont des objectifs largement partagés depuis quarante ans, malgré les critiques. Les privatisations décidées par la droite en 1986 et 1993 (CGE, Saint-Gobain, Paribas, Suez, CCF…), poursuivies par L. Jospin (cessions de capital d'entreprises publiques, totales : Crédit Lyonnais, GAN, Caisse nationale de Prévoyance… ou partielles : Air France, France Telecom…) n'ont plus guère fait l'objet de débats. La politique du « franc fort », jugée excessive car elle freine la croissance, a toutefois rassuré nos partenaires et mis fin à notre complexe d'infériorité par rapport à l'Allemagne. Elle est, avec l'acceptation de l'unification allemande par Mitterrand, la condition de la mise en œuvre en 2002 de l'euro (monnaie unique de 11 - aujourd'hui 19 - pays de l'Union économique et monétaire membres de l'Union européenne), au prix des fortes contraintes budgétaires et monétaires imposées par notre puissant voisin pour l'abandon du *deutsche mark*. Les entreprises, désendettées, ont renoué avec les succès à l'exportation (transports, communication, traitement des eaux, armement…). La France est devenue à la fin du XXe siècle le pays le plus commerçant du monde par habitant, en excédent commercial jusqu'en 2003. Elle a pris le risque du grand large, gommant beaucoup de ce qui avait fait son originalité depuis 1945 ; sa politique économique, arrimée à celle de l'Allemagne, a perdu en outre beaucoup de son autonomie, dans des structures européennes dominées par les questions financières.

Les Français du second XXᵉ siècle

I. Les défis du nombre

A – Le renouveau démographique et ses limites

En 1946, les Français sont 40,2 millions (1,5 million de moins qu'avant-guerre). Or la population de la France métropolitaine atteint 52,7 millions d'habitants en 1975 : en trente ans, elle a autant augmenté qu'en un siècle et demi ! Si cette croissance spectaculaire se ralentit un peu ensuite (56,7 millions en 1990, 60,5 millions en 2004 [62,2 DOM inclus]), elle demeure beaucoup plus élevée que chez nos voisins. La Seconde Guerre mondiale correspond à un tournant de la fécondité française, dès 1942-1943 : le taux net de reproduction, au plus bas en 1941 (77 ‰), s'élève ensuite pour atteindre 94 ‰ en 1944 (en pleine guerre, avec beaucoup de couples séparés), 128 ‰ en 1946, jusqu'au record de 1964 (137 ‰), nouveau tournant. Il ne s'agit donc pas seulement du baby-boom, qui ne dure que le temps de la récupération démographique, mais d'une tendance lourde encore peu expliquée. Ce retournement correspond, on le sait, à une modification du comportement des couples, qui se traduit dans la taille moyenne des familles, où les descendances très nombreuses et les couples sans enfants diminuent au profit de ceux en ayant deux ou trois. Ce nombre caractérise la famille idéale de l'époque, largement exploitée par les publicitaires des Trente Glorieuses.

Depuis 1965, la natalité diminue (de 18 ‰ à 17 ‰ en 1970, 15 ‰ en 1975, 13 ‰ en 1990 et 12,8 ‰ en 2005), suivie par le taux net de reproduction. En 1975, le taux net de fécondité passe au-dessous du seuil de 2,10. Même si la natalité française dépasse encore celle de ses voisins, le renouvellement des générations n'est plus assuré (minimum de 1,75 en 1993, mais 2 en 2006). Il ne convient pas d'incriminer la législation (lois Neuwirth et Veil), postérieure à la baisse observée. Les allocations familiales n'ont pas suivi le coût de la vie depuis 1946. Les femmes ont leurs enfants de plus en plus tard et les modèles familiaux ont changé : plus grande attention portée à l'avenir de l'enfant, montée des naissances hors mariage (une sur 10 en 1980, une sur deux en 2005) et des unions libres, priorité accordée à l'épanouissement du couple, diffusion du divorce (un pour deux mariages en 2005). Il existe toujours un « croissant fertile » au Nord et un Midi malthusien, mais des régions traditionnellement fécondes, comme l'Ouest, ne le sont plus.

La chute de la mortalité se poursuit, passant de 15,7 ‰ à 13 ‰ vers 1950, 11,5 ‰ en 1960, 9,2 ‰ en 1990 et 8,4 ‰ en 2004. Elle s'explique par l'amélioration du niveau de vie et par la médicalisation : diffusion des médicaments (sulfamides pendant les années 1930, antibiotiques après 1950), vaccinations et lutte contre les maladies infectieuses (tuberculose), techniques chirurgicales (réanimation, découverte des groupes sanguins), meilleur suivi médical. La protection des femmes enceintes et des nouveau-nés accomplit des progrès décisifs : de 70 ‰ en 1936, la mortalité infantile s'abaisse à 30 ‰ en 1960, 10 ‰ en 1982. L'espérance de vie s'allonge : 54 ans pour les hommes et 59 ans pour les femmes en 1930, respectivement 72,7 ans et 81 ans en 1990, 76,7 ans et 83,8 ans en 2005. L'écart entre les sexes s'est longtemps accru en raison de la surmortalité masculine (tabac et alcool), mais il diminue depuis les années 1990, en particulier pour l'espérance de vie en bonne santé. Cet écart se creuse aussi entre catégories sociales : plus de dix ans séparent l'espérance de vie d'un cadre et d'un ouvrier. Les causes de décès évoluent : moins de maladies infectieuses, davantage de maladies cardio-vasculaires et de victimes d'accidents de la route. Le vieillissement des Français devient une importante donnée humaine et économique.

B– Les âges de la vie

L'atténuation des solidarités traditionnelles au sein d'une même famille conduit à moins mêler les générations, qui deviennent des groupes aux caractéristiques communes. La jeunesse apparaît en tant que telle au début des années 1960, avec ses codes vestimentaires, langagiers et musicaux (éternellement renouvelés : rock, pop, punk, rap, entre autres), ses rassemblements, ses modes de consommation et ses langages spécifiques, tandis que la montée en puissance du troisième âge (jeunes retraités), voire du quatrième, caractérise les années 1980.

Les personnes âgées jouissent globalement d'une meilleure santé et disposent d'un revenu qui contraste avec la faiblesse des retraites d'avant 1970. Cela permet à beaucoup de créer une sociabilité de groupe et de mener à bien des projets communs (« Universités du troisième âge », loisirs, voyages…). Alors que la norme, avant la guerre, consistait à prolonger le travail, la règle devient progressivement l'inactivité. Après les assurances sociales de 1928-1930 et l'allocation au vieux travailleur salarié en 1941, peu généreuses, il faut attendre 1956, suite au coup de colère de l'abbé Pierre dénonçant la misère durant l'hiver 1954, pour qu'un Fonds national de solidarité complète la retraite de base (maigre vu l'insuffisante durée de cotisation). Le septennat giscardien est marqué par une nette revalorisation des allocations et pensions. La revendication de la « retraite à 60 ans » (et non plus 65) se diffuse dans les années 1970. C'est l'une des premières mesures de F. Mitterrand. Ensuite, la mise en préretraite (passé 55 ans) est le moyen d'atténuer ou de masquer le chômage en favorisant, du moins l'espère-t-on, l'embauche de jeunes. La croissance des retraités, positive lorsqu'ils exercent une solidarité envers leurs enfants ou petits-enfants, présente des risques. La question du financement des retraites, assurées essentiellement par répartition, ne pouvait être longtemps éludée, surtout en envisageant l'arrivée à l'inactivité des générations du baby-boom vers 2010-2015. Beaucoup, faute de revenus suffisants, de possibilités d'hébergement ou de soins dans leur famille, connaissent l'isolement, la promiscuité, voire la déchéance. La concentration des retraités dans quelques régions (Côte d'Azur pour les plus aisés) ou dans les petites villes dont ils sont originaires pose des problèmes d'accueil et d'infrastructures médicales. Depuis 2001, des maisons de retraite médicalisées, les EHPAD (Établissement d'hébergement pour personnes âgées dépendantes), s'efforcent de donner des garanties en ce sens.

C – Urbains et ruraux

De 1946 à 1982, la population urbaine passe de 53 % à 70 %, soit un gain de 17 millions de personnes pour les villes et une perte de plus de 5 millions pour les campagnes. La croissance de l'agglomération parisienne se ralentit après 1962, au profit des villes moyennes à grandes, puis des plus petites. La mobilité géographique de la population tend à s'accroître. En 1990, la moitié des Français vit hors de son département de naissance.

Les citadins, en raison de l'encombrement des centres, du prix des terrains et de la diffusion de l'automobile gagnent en permanence sur la campagne, créant les lotissements des « nouveaux villages ». Ce phénomène a été pris en compte en 1962 par les nouveaux découpages statistiques : les ZPIU (Zones de peuplement industriel et urbain), composées des agglomérations urbaines et des communes « rurbaines » (campagnes périurbaines à l'activité liée à la ville). Dans le « rural profond » en pleine déprise démographique, vivent en 1990 moins d'un Français sur dix. Pourtant, depuis 1975, l'exode rural se ralentit, voire s'inverse, pour devenir un exode urbain. La majorité de ces retours concernent des retraités qui vont encore plus déséquilibrer les structures par âge des campagnes, prélude à un nouveau dépeuplement.

D – Population et immigration

1. Les origines successives des groupes actuels

L'appel massif aux travailleurs étrangers caractérise l'après-guerre, jusqu'en 1975 : Italiens vers 1950, Espagnols (1962-1965), Portugais et Maghrébins (Algériens, Tunisiens, Marocains). Depuis 1980, le retour au pays d'immigrés ibériques et algériens est compensé par l'arrivée de migrants plus lointains (Antilles, Afrique noire, Asie du Sud-Est, Europe de l'Est). On compte vers 1990 100 000 à 120 000 entrées par an – surtout des

Européens et les époux étrangers de Français, dont l'installation est de droit –, pour 40 000 sorties. Au total, les étrangers recensés en France sont 1,8 million en 1954, 2,2 millions en 1962, 2,6 en 1968, 3,7 en 1982, 3,6 en 1990 et 3,5 millions en 2006. Ils comptent une majorité d'hommes (60 % des 25-54 ans), mais sont en voie de féminisation. Actuellement, la moitié des étrangers sont Européens. Le premier groupe (37 % en 1990) est composé de Sud-Européens, en voie de vieillissement et à présent bien assimilés ; le deuxième (28 %) est formé des Maghrébins, plus jeunes et au sort plus difficile. L'immigration a correspondu à un besoin de main-d'œuvre peu ou pas qualifiée : dans les années 1960, un tiers des emplois créés dans l'industrie sont occupés par des étrangers. En 1990, 60 % des immigrés sont ouvriers, le tiers des ouvriers du BTP et la moitié des OS de l'industrie automobile sont immigrés. Mais la situation évolue : la majorité des immigrés travaillent aujourd'hui dans l'artisanat de service ou le petit commerce à horaires longs.

2. Les politiques migratoires depuis 1945

Le Code de la nationalité (1889) a été révisé dans une optique restrictive et volontariste en 1993, puis assoupli en 1997 par E. Guigou. Il ne faut pas confondre « immigré » – personne née à l'étranger et résidant en France métropolitaine, dont certaines sont restées étrangères tandis que d'autres ont acquis la nationalité française – et « étranger » – selon l'INSEE, individu résidant de façon permanente en France lors du recensement et disant ne pas posséder la nationalité française, sans forcément être un immigré. Les « Français par acquisition » sont nés étrangers et ont obtenu ensuite la nationalité française. Les « naturalisés » sont leurs enfants et les enfants d'étrangers nés en France, devenant Français à 18 ans (automatiquement, puis entre 1993 et 1998 par demande, avec des conditions durcies). Plus largement, suivant l'INED, les « personnes d'origine étrangère » sont celles nées en France, issues d'un parent ou d'un grand parent ayant immigré dans l'Hexagone (un habitant sur cinq).

Les politiques migratoires ont varié suivant les besoins et les poussées xénophobes. L'Office national d'immigration (1945) veut relever la natalité en encourageant l'immigration familiale (échec initial) et réguler origines et flux de population, en accord avec le patronat. Les clandestins, tolérés, sont souvent « régularisés » après embauche. La récession de 1974 conduit à stopper l'immigration officielle en juillet, à l'exception du droit d'asile aux réfugiés politiques (120 000 en 1997), parcimonieusement accordé, sauf pour ceux du Sud-Est asiatique, et du regroupement des familles de travailleurs réguliers (300 000 de 1975 à 1982, mais à peine 15 000 personnes en 1997). Ces restrictions augmentent les clandestins, sans qu'il faille en exagérer le nombre : après deux vagues de régularisations de séjour, essentiellement pour des travailleurs installés depuis plusieurs années ou des jeunes mineurs récemment arrivés (120 000 en 1981-1982 ; 80 000 en 1997-1998, sur 150 000 demandes), les régularisations ne dépassent guère 30 000 individus par an. Les peurs françaises (« invasion », identité menacée, terrorisme supposé) conduisent les gouvernements à multiplier les gestes spectaculaires (« charters »), à renforcer les contrôles (lois Pasqua, Debré) et les reconduites à la frontière, globalement inefficaces et coûteuses. La fermeture par le gouvernement Raffarin en 2002 du centre d'accueil de Sangatte près de Calais (réfugiés irakiens et afghans) illustre les polémiques et les contradictions de ces politiques. De fait, le solde migratoire devient assez faible (environ 40 000 immigrés supplémentaires par an depuis 1990, avec un pic à 100 000 en 2000-2006), d'autant qu'il faut compter avec les retours d'expatriés français. La dynamique d'accroissement de la population immigrée est à présent surtout interne.

Une vision optimiste insiste sur la tradition de l'intégration en France – malgré les difficultés d'assimilation – par l'école, le service militaire, le sport, la formation professionnelle, la promotion sociale en deux ou trois générations. Il y aurait autant d'écarts culturels entre, d'un côté, les communautés de mineurs polonais catholiques, plutôt conservateurs, et les ouvriers français déchristianisés et communistes des années 1920, qu'entre Africains et Français de souche aujourd'hui. Le succès de la « Marche pour l'égalité » de Marseille à Paris à l'automne 1983 illustre cette vision, même si elle se heurte aux réalités quotidiennes des cités.

En effet, une analyse pessimiste dégage les difficultés des immigrés actuels : travail pénible, chômage (un actif sur cinq), logement précaire, sous-consommation afin d'envoyer de l'argent à sa famille restée au pays, surmortalité infantile (trois fois supérieure à la moyenne française), retards scolaires (2 à 3 ans), partage entre deux cultures, voire incompréhension du « modèle républicain » et laïc français. L'hétérogénéité plus grande de cette population ne facilite pas l'intégration, vu les lacunes de la politique urbaine – mais cela concerne toutes les classes populaires. La concentration géographique poussée (régions parisienne et lyonnaise accueillent la moitié des immigrés) aboutit à créer des réflexes « communautaristes », sans former des ghettos à l'américaine. Il s'agit pour l'essentiel de problèmes d'une population installée – d'où l'inexactitude de l'expression « immigrés de la deuxième génération », puisque ces personnes n'ont jamais migré et connaissent mal le pays de leurs parents. La marginalisation s'accroît surtout en raison de processus d'exclusion sociale, aggravés par le chômage, l'effritement de l'autorité familiale et des solidarités traditionnelles.

E– La France au travail

1. Les transformations de la population active

De 1945 à 1970, la population active stagne autour de 20 millions, puis augmente nettement (23,5 millions en 1982) à cause de l'irruption des jeunes et des femmes sur le marché du travail, se stabilise dans les années 1990 avant de repartir à la hausse, sous l'effet de la démographie (27 millions en 2003). Les Trente Glorieuses ont vu une population d'adultes restreinte soutenir les vieilles et surtout les jeunes générations, qui entrent de plus en plus tard dans la vie active à cause de l'allongement de la scolarité (de 14 à 16 ans en 1959), la demande sociale précédant la pression démographique. Les flux lycéens s'accroissent notablement dans les années 1950 et 1980, en particulier pour les filles. Le « collège unique » mis en place par René Haby (1975) limite la sélection à l'entrée en lycée. Le gonflement de la population étudiante, sensible après 1955, concerne surtout les années 1980-1990. Le taux d'activité des jeunes de moins de 20 ans s'abaisse de moitié en un demi-siècle.

Traditionnellement assez élevé en France, le travail féminin, après avoir baissé jusqu'aux années 1960, reprend son essor : un actif sur trois est une femme en 1950, près d'un sur deux en 2002. Cela s'explique surtout par la tertiarisation. Les femmes occupent des emplois de bureau peu qualifiés et mal payés, des métiers médico-sociaux et ceux de l'enseignement. Mais beaucoup, issues de milieux ruraux, sont ouvrières (textile, mécanique, IAA). Les carrières les plus prestigieuses (ingénieurs, cadres, hauts fonctionnaires), sans leur être totalement fermées, restent masculines.

La répartition des actifs par grands secteurs est bouleversée. La part des actifs agricoles (salariés d'abord, puis exploitants) chute, surtout entre 1950 et 1975 ; ils passent de 6 millions en 1946 à 3,6 en 1963, 2,9 en 1968, 1,5 en 1990, 1,2 en 2003 soit de 36 % de la population active à 4,5 %… La population active industrielle évolue en deux temps : une croissance absolue et relative jusqu'au milieu des années 1970 (de 33 à 38 % des actifs), puis une diminution rapide jusqu'à 29 % des actifs (1,5 million d'emplois perdus entre 1974 et 1990). Des transferts sectoriels ont affecté surtout le textile/l'habillement, les charbonnages (de 300 000 en 1946 à quelques centaines aujourd'hui), au profit des constructions mécaniques et électriques, de la chimie. Ces pertes apparaissent d'autant plus que les industries se débarrassent des emplois tertiaires qu'elles incluaient auparavant, par l'externalisation ou la sous-traitance (nettoyage, gardiennage, maintenance, comptabilité…). Le tertiaire connaît, surtout depuis 1962, une croissance, de 38 % en 1949 à 65 % en 1990, en particulier dans l'administration, les institutions financières, les services (informatique, communication, tourisme). Ces mutations structurelles s'accompagnent de redéploiements géographiques et de changements de statut : 90 % des actifs sont salariés en 2002, contre 60 % en 1950.

Le temps de travail des Français s'est d'abord fortement allongé et intensifié jusqu'aux années 1960, car les semaines dépassent les 40 heures légales de 1936 : au moins 46 ou 47 heures et les cadences sont accélérées. Puis, la durée du travail diminue régulièrement, par mesures législatives (troisième semaine de congés payés en 1956, quatrième en 1969, cinquième en 1981 ; abaissement de la durée légale hebdomadaire du travail à 40 heures, puis 39 heures en 1982 et 35 heures après 2000) ou *de facto* (conventions collectives, lutte contre le chômage, préretraites). Contrairement aux affirmations hâtives, si l'on prend en compte le temps partiel (souvent contraint), la durée réelle de la semaine de travail en France est supérieure à celle de la plupart des autres pays d'Europe occidentale. Mais cela se double d'une « flexibilité » accrue, avantageuse pour les salariés (plages de loisir, éducation des enfants, acquisition de jours de RTT), mais aussi nuisible (temps partiel subi et moindre salaire, horaires désastreux, rupture de la vie de famille, diminution des heures supplémentaires mieux payées). Les négociations de branche ou d'entreprise sur l'annualisation (1985) et la réduction du temps de travail accroissent la productivité par la réorganisation des tâches et des calendriers et contribuent à intensifier le travail. L'objectif du « partage du travail », lui, demeure difficile à atteindre.

2. La montée du chômage

Depuis les années 1970, la poussée du chômage affecte particulièrement la France, en raison de la jeunesse de sa population active et de la structure de ses emplois (poids des non-qualifiés). Les catégories les plus touchées sont les jeunes, les ouvriers et employés, les femmes et les immigrés. Depuis quarante ans, se multiplient les formes de travail partiel ou précaire (contrats à durée déterminée, surtout à l'entrée dans l'emploi, travail temporaire pour des agences d'intérim). Outre leur action directe pour sauver ou épauler des entreprises, les gouvernements ont inventé une foule de dispositifs (travaux d'utilité collective ou TUC en 1984, contrats-emploi-solidarité ou CES en 1990, emplois-jeunes en 1997) pour atténuer ce phénomène, notamment chez les jeunes, qui retardent leur entrée dans la vie active. À l'autre bout de la pyramide, les plus âgés subissent la mise à l'écart précoce de la vie active, avec des dispositifs adaptés (préretraites) peu coûteux pour les entreprises, mais pas pour la collectivité. De multiples initiatives d'aide aux chômeurs (associations) ont vu le jour. La progression du chômage n'a été enrayée que provisoirement, entre 1995 et 2001, mais à un niveau élevé (plus de 3 millions et de 10 % des actifs) et à un coût humain effectivement très lourd. Les reprises économiques ne créent pas suffisamment d'emplois en raison d'une accélération des gains de productivité (+ 3,5 % par an en moyenne dans l'industrie depuis 1974).

II. De profondes mutations sociales

A— Une protection sociale mieux assurée

Le système de sécurité sociale constitue un projet ambitieux longtemps inabouti. Inspiré par le rapport Beveridge (1942) sur le *Welfare State* (État providence), Pierre Laroque propose de généraliser les assurances sociales (famille, maladie, invalidité, retraite) et de les étendre à toute la population. Suivant le programme du CNR, le GPRF adopte trois ordonnances créant la « Sécurité sociale » (22 février, 4 et 19 octobre 1945), complétées par la loi du 22 mai 1946 : la protection sociale est obligatoire au sein d'un « régime général » couvrant tous les risques, géré par les assurés sociaux. Mais la généralisation prévue se heurte vite aux intérêts catégoriels.
De nombreuses exceptions perdurent, conservant l'autonomie des « régimes spéciaux » : refus de certains métiers (agriculteurs), des professions libérales (assurance

proportionnelle facultative), maintien des systèmes de protection antérieurs plus avantageux (cheminots, mineurs), statut particulier de la Fonction publique (1946). Le chômage est exclu de ces garanties parce qu'en 1945 la question, du ressort des entreprises, se pose peu. Il faudra, pour sa prise en charge, attendre la création en 1958 de l'UNEDIC et, au niveau local, des ASSEDIC. Pour les populations marginalisées sont finalement adoptés le RMI (1988) et la couverture maladie universelle (CMU, 1999).

Ce système donne davantage de garanties aux salariés. Avant la guerre, les travailleurs à leur compte, possédant un patrimoine, même modeste, étaient enviés par rapport aux salariés, aux revenus précaires. Après 1947, c'est la France des « petits » qui est fragilisée par rapport aux salariés, dotés d'un statut et de revenus indirects, qu'ils travaillent ou non. En refusant de s'affilier au régime général, beaucoup de professions indépendantes y ont en fait perdu et seront frustrées (« poujadisme »). Le régime général, fondé sur des caisses primaires, organise une couverture sociale minimale. Les cotisations d'assurance-maladie et de retraite, obligatoires, sont partagées entre salariés et employeurs. Système par répartition, les ayants droit (même nouveaux cotisants) l'emportent sur les cotisants. L'assurance-chômage est à la charge de l'employeur après 1958. Les syndicats sont fortement associés à la gestion des affaires sociales. Après une mainmise de la CGT jusqu'en 1947, la répartition des sièges au sein des organismes de Sécurité sociale entre employeurs (un tiers) et employés (deux tiers), en particulier pour la gestion du régime général des salariés, distribue les présidences des caisses entre les syndicats : l'assurance-maladie à FO, les allocations familiales à la CFTC (Confédération française des travailleurs chrétiens), l'assurance-vieillesse à la CFDT (Confédération française démocratique du travail, née d'une scission de la CFTC en 1964). La grève contre le plan Juppé de 1995 a rebattu les cartes, au détriment de FO et à l'avantage de la CFDT (assurance-maladie).

Les firmes ne sont pas gérées par leurs employés, contrairement à certains espoirs des syndicats à la Libération, mais ils contrôlent les budgets sociaux et culturels votés par les comités d'entreprise, souvent importants dans les grandes firmes. Ils reçoivent une mission d'information lors de l'annonce de « plans sociaux » (licenciements massifs), et de surveillance des risques par le biais des comités d'hygiène, de sécurité et des conditions de travail (CHSCT).

Le rôle des syndicats et associations dans la gestion des personnels ou des questions professionnelles n'est pas négligeable. La forte intégration des syndicats concerne pour l'essentiel la Fonction publique, les entreprises publiques, le monde agricole. Il s'ensuit l'évolution vers un syndicalisme de négociation, dirigé par des techniciens plus que par des « meneurs ». Mais la faiblesse des syndicats (pas plus de 5 % des salariés), surtout dans les PME et le privé, ne facilite pas la conclusion de négociations collectives, lors desquelles l'État doit jouer un rôle d'arbitre : signe de l'immaturité des relations sociales en France ? Il n'en demeure pas moins que l'insécurité sociale a, sur le demi-siècle précédent, largement reculé.

B – Le « changement social »

Assiste-t-on à la « fin des paysans » (H. Mendras) ? D'une certaine paysannerie, oui, en raison de la réduction des écarts de revenus avec les autres catégories : le niveau d'équipement des agriculteurs n'a aujourd'hui rien à envier à celui des citadins. Le travail féminin en a été allégé, mais parfois trop tard pour éviter le départ des jeunes filles des campagnes, aggravant les problèmes du célibat. La déprise démographique des régions rurales a entraîné la fermeture de services, publics ou privés. Les agriculteurs ont souvent perdu la majorité dans les conseils municipaux ruraux, ce qui crée des tensions. La forte organisation de la profession agricole et le vif sentiment d'incompréhension par rapport aux décisions de Paris ou de Bruxelles ont suscité des revendications. Elles s'expriment avec une violence récurrente, depuis le comité de Guéret (1953) jusqu'aux opérations « coup de poing » de la Coordination rurale dans les années 1990, en passant par les grandes manifestations paysannes de 1957, 1960-1961, 1976. L'endettement atteint parfois des niveaux peu supportables, l'isolement guette et le taux de suicide masculin y est élevé.

Le monde ouvrier, longtemps structuré par le PCF, dispose jusqu'aux années 1960 de valeurs et de signes de reconnaissance intégrateurs : fierté du métier, sociabilités, maîtrise d'espaces politiques (communisme municipal). Il a lui aussi fortement évolué, au point que l'expression de « nouvelle classe ouvrière » s'est diffusée après 1960. D'un côté, les transformations techniques et la croissance donnent l'impression d'un enrichissement des tâches (surveillance de machines automatisées et non plus production directe) et l'ouvrier « embourgeoisé » peut accéder à la société de consommation. De l'autre, le développement de l'OST a multiplié les ouvriers peu qualifiés et l'insatisfaction au travail, dont les années 1960-1970 illustrent bien les revendications (« l'insubordination ouvrière », X. Vigna). Ces catégories, encore sur le marché de l'emploi, sont particulièrement victimes du chômage. Le travail industriel a changé : en 1999, seuls un ouvrier sur trois et deux ouvrières sur cinq travaillent directement à la fabrication, au profit des opérations de manutention, surveillance, entretien. Même en 1970, les ouvriers « à la chaîne » étaient minoritaires dans la main-d'œuvre industrielle. Au bout du compte, peu de choses séparent, quant au salaire, les ouvriers des petits employés. Ces derniers, surtout les femmes, subissent des travaux répétitifs qui ne les éloignent guère de la condition ouvrière.

La montée des classes moyennes salariées caractérise l'évolution sociale : cadres moyens, techniciens, fonctionnaires titulaires, ingénieurs. Ils incarnent souvent la « société de consommation », au prix d'un certain endettement et de fragilité en cas de chômage. Le sentiment par rapport au fonctionnaire, moins payé à qualification égale, mais assuré de l'emploi, a changé avec la crise. Les travailleurs indépendants (petits patrons, artisans, commerçants) ont diminué, par un effort d'adaptation longtemps retardé : le petit commerce trouve les voies de l'innovation, mais au prix d'une plus grande instabilité. Les professions libérales (médecins, avocats, notaires, experts-comptables…) ont dû se plier aux conditions nouvelles en se regroupant.

Les élites, accusées de se reproduire grâce à la maîtrise de tous les pouvoirs (capital économique, social, politique et culturel), ont su se renouveler en intégrant des diplômés (grandes écoles) et des chefs d'entreprise innovants. Hauts fonctionnaires et grands patrons viennent souvent des mêmes milieux. Les types d'ascension sociale « républicaine » se raréfient : les fils et filles de classes populaires ne sont guère nombreux aujourd'hui à l'ENA (École nationale d'administration).

Certains insistent sur les exemples d'ascension (ou de déchéance) sociales en deux générations, par le biais du diplôme ou de l'établissement à son compte, facilité par la croissance. Mais cette mobilité joue surtout pour les classes moyennes (la « constellation centrale » d'H. Mendras). La crainte du « déclassement » (Eric Maurin) affecte au début du XXIᵉ siècle plus de la moitié des Français.

C – Des institutions ébranlées : Église, famille, école

Le contraste est fort entre une France des années 1950 encore marquée par la force du pouvoir paternel et les rigidités hiérarchiques, et celle des années 1990. Après la guerre, l'homme garde un rôle social et politique prépondérant : même lorsque l'épouse travaille, elle bénéficie rarement de son salaire. Le catholicisme guide la vie de la majorité des Français, alors baptisés à 90 % et respectueux des rites, à défaut de pratiquer régulièrement. Le renouveau de l'Église est indéniable, notamment par l'action sociale. La morale demeure stricte et les loisirs plutôt collectifs (fêtes de quartiers ou de villages, bals, jeux). L'école est hiérarchisée à partir du certificat d'études : les lycées sont réservés à la bourgeoisie et aux « humanités », les écoles primaires supérieures aux meilleurs élèves des classes populaires.

Bousculées par la contestation des années 1960, ces institutions résistent mal à l'accélération des changements socioculturels. L'Église catholique se heurte à la généralisation de l'indifférence religieuse. Même si les quatre cinquièmes des Français se prétendent catholiques, leur foi s'individualise et prend des libertés avec la hiérarchie ecclésiale, notamment quant à l'évolution des mœurs. La fréquentation de la messe décroît (une personne sur quatre en 1955, une sur cinq en 1970, moins d'une sur dix aujourd'hui). Le tarissement des vocations accélère le vieillissement et la diminution des prêtres (de 70 000 en 1960 à 25 000 en 2000), posant les problèmes de l'encadrement des paroisses, du célibat et de la participation des laïcs aux célébrations. Le schisme traditionaliste de Mgr Lefebvre (1988) affecte l'unité de l'Église. Toutefois, il subsiste un catholicisme militant, appuyé sur la dynamique des pontificats de Jean XXIII ou, avec d'autres objectifs, de Jean-Paul II : syndicats chrétiens, associations caritatives, mouvements de jeunes (Journées mondiales de la Jeunesse, Paris 1997), rayonnement d'expériences spirituelles œcuméniques (communauté de Taizé créée en 1940). Le processus de laïcisation affecte aussi le protestantisme d'ancienne implantation (environ 800 000 réformés et luthériens), bien que les mouvements évangéliques (parfois de type charismatique : pentecôtistes), venus d'Amérique du Nord, soient en pleine expansion. Le renouveau du judaïsme (500 000 fidèles) s'explique par l'arrivée des communautés séfarades rapatriées d'Afrique du Nord, revendiquant une culture spécifique. Ces autres religions sont à présent dépassées par un islam dynamique (au moins 4 millions de croyants), quoique peu structuré – le CFCM (Conseil français du culte musulman), association créée en 2003 avec l'appui du ministère de l'Intérieur, s'avère peu représentatif. Les conditions d'exercice du culte laissent à désirer (semi-clandestinité), la construction de mosquées est souvent difficile, les imams peu formés (il n'existe pas de clergé sunnite) et les dérives possibles. Il est souvent financé de l'extérieur par de puissants mécènes (Saoudiens, Qataris, Marocains...) qui envoient leurs imams et brouillent la distinction entre islam politique et religieux, mais la tentation fondamentaliste demeure très minoritaire. Les lois laïques de 1905 doivent trouver un nouvel équilibre. Enfin, le renouveau spirituel prend parfois la forme inquiétante des sectes (au moins un demi-million d'adeptes) et manifeste un goût affirmé pour l'ésotérisme.

La famille de nature « patriarcale » voit ses fondements sapés par la transformation des rapports de couple, et entre générations, et par la croissance du travail féminin salarié qui donne aux femmes une certaine indépendance. Les familles recomposées (concernant 1,2 million d'enfants mineurs en 2006) sont en réalité moins fréquentes que les ruptures d'unions ou les familles monoparentales. Ces évolutions sont renforcées par l'affirmation depuis les années 1960 d'un mouvement féministe français qui ne saurait se résumer à la parution du *Deuxième sexe* (Simone de Beauvoir, 1949) ou à la naissance du Mouvement de libération des femmes (MLF) en 1970. Une fois le droit de vote acquis, les combats portent depuis les années 1960 sur la maîtrise de la procréation, durement conquise : mouvement « Maternité heureuse » (1956), devenu en 1960 le Mouvement français pour le planning familial, « Manifeste des 343 » femmes célèbres affirmant avoir avorté (1971), procès de Bobigny en 1972 (acquittement d'une mère ayant aidé sa fille violée à avorter), Mouvement pour la liberté de l'avortement et de la contraception (MLAC, 1973), autorisation (1975) puis remboursement (1982) de l'IVG, délit d'entrave à l'IVG (loi Neiertz 1993)... Ceci s'accompagne d'une « révolution sexuelle » qui fait tomber bien des tabous, féminins comme masculins, que contrarie toutefois à partir de 1983 l'épidémie du SIDA (syndrome d'immunodéficience acquise) et la crainte qu'elle suscite, en particulier chez les homosexuels. La revendication égalitaire, s'applique lentement en France, en regard des pays scandinaves : lois sur l'égalité parentale, à la place de la « puissance paternelle » (1970), sur la parité en politique (loi Roudy 1983, loi constitutionnelle de 1999 sur « l'égal accès des femmes et des hommes aux mandats électoraux et aux fonctions électives », loi de 2000 sur le financement des partis politiques), sur l'égalité professionnelle (loi Génisson de 2003 et accords syndicaux interprofessionnels en 2004) et salariale (2006). L'enfant se voit reconnaître des droits spécifiques : Déclaration des droits de l'enfant (ONU 1959), Convention internationale des droits de l'enfant (UNICEF 1990). La dépénalisation de l'homosexualité en 1982 entérine une évolution à présent acceptée par une majorité des Français : la culture « gay » apparaît au grand jour (première *gay pride* parisienne en 1997). L'explosion scolaire – on passe depuis la Libération de 6 à 15 millions d'élèves et d'étudiants – concerne surtout le secondaire (quintuplement des effectifs) et le supérieur (décuplement). L'enseignement de masse renouvelle les méthodes pédagogiques, mais désacralise la fonction enseignante. Beaucoup de missions autres que la transmission des savoirs et la formation des citoyens sont confiées à l'École (socialisation, lutte contre l'exclusion, formation professionnelle), sans qu'elle puisse toujours les assumer. Elle reflète les stratégies d'évitement ou l'enfermement dans des filières dévalorisées : neuf élèves de terminale sur dix finissent par obtenir le baccalauréat, premier diplôme de l'Université, mais l'accès aux filières sélectives (classes préparatoires, IUT, voire BTS) reproduit des inégalités. Les prétentions égalitaires de l'École républicaine sont mises à mal par la réalité des écarts socioculturels qui s'accroissent au fil de la scolarité pour les enfants des milieux populaires, en France plus qu'ailleurs : en 2000, moins de la moitié des enfants d'ouvriers obtiennent leur bac (surtout des baccalauréats professionnels), contre neuf enfants de cadres supérieurs sur dix (une « démocratisation ségrégative » selon A. Prost).

D– Anciennes et nouvelles « exclusions »

Les zones de plus ou moins grande pauvreté ne sont pas une nouveauté en France : le logement, par exemple, y a toujours été un point noir depuis le XIXᵉ siècle – a fortiori avec l'explosion démographique de la seconde moitié du XXᵉ siècle. L'habitat des classes populaires, plus sensibles en France à la question de l'alimentation qu'à celle du logement, est longtemps celui des hôtels « garnis » et des taudis des centres villes surpeuplés, ou l'habitat précaire des banlieues industrielles. Le logement social, malgré quelques réalisations patronales ou municipales isolées et des îlots d'habitat aidé (organismes publics ou privés d'HBM – habitations à bon marché –, puis d'HLM – habitations à loyer modéré, depuis 1945) dans les grandes villes, est insuffisant en quantité (à peine 200 000 logements construits entre 1945 et 1950, pour un million détruits pendant la guerre) comme en qualité (2 logements sur 5 sans eau courante en 1954). Il faut le "coup de gueule" de l'abbé Pierre, puis l'arrivée des rapatriés d'Algérie, pour qu'un consensus émerge sur la « crise du logement ». De là naissent, après les « cités d'urgence », puis « cités de transit », de l'abbé Pierre, les multiples « barres » et « tours » collectives en béton des ZUP (zones à urbaniser en priorité), connues sous l'appellation de « grands ensembles », dont Sarcelles (Val d'Oise) est le symbole, bientôt décrié. Au départ réels gages de modernité et d'équipement pour les classes moyennes françaises (taille, chauffage central, sanitaire, cuisine équipée), ces immeubles se vident dans les années 1960 de leur population, plus soucieuse à présent d'habitat pavillonnaire ; les politiques d'attribution des HLM aux plus modestes renforcent leur homogénéisation sociale, rejoignant la volonté d'éradiquer les bidonvilles de migrants présents à la fin des années 1960 aux marges des métropoles (1/10ᵉ des habitants de Nanterre) ou dans l'habitat insalubre car rien n'avait été prévu pour eux. L'isolement des cités, la faiblesse des équipements et des loisirs collectifs, la dégradation d'appartements mal isolés, l'accent mis sur le logement individuel (circulaire Guichard de 1973, fin des « aides à la pierre » au profit des aides personnalisées APL) et la « reconquête » des centres-villes historiques réhabilités par la bourgeoisie font le reste : le sentiment de relégation, voire de ségrégation, avivé par l'impensé colonial, va s'installer pour longtemps. M.-C. Blanc-Chaléard a montré comment les médias stigmatisent depuis 1975 les « quartiers sensibles », dans des registres divers où la dimension « communautaire » est de plus en plus mise en avant, alors même que les conditions de logement des migrants se sont améliorées, que ces populations changent avec le processus d'intégration et que des violences urbaines juvéniles ou « l'économie souterraine » existent depuis des décennies, sans distinction d'origines. La place et le rôle des institutions publiques (police, prison, école...) sont mal définis et mal perçus. Les modèles publicitaires de consommation, dans un contexte de crise et de blocages, semblent hors de portée. Face aux flambées de violence récurrentes, les modèles répressifs comme éducatifs atteignent leurs limites, faute de moyens ou de continuité.

Le diptyque exclusion / insertion apparaît en pleine lumière à la fin des années 1970, prolongé par diverses expressions signalant un certain épuisement du « modèle social » français, alors que les conditions d'ensemble se sont pourtant largement améliorées : SDF (« sans domicile fixe », 70 000 au moins en 2004) et « nouveaux pauvres » (années 1980) pour qualifier les chômeurs marginalisés ou les déclassés en rupture de ban, que tout un chacun peut devenir ; « fracture sociale » (années 1990) pour signifier le creusement des écarts entre une France intégrée, ouverte aux échanges dont elle bénéficie, et des espaces sociaux délaissés (banlieues populaires) ou écartés (« rural profond »), perdants de la « globalisation » : la large victoire du non (54,7%) au référendum de 2005 sur le traité constitutionnel européen s'explique en partie ainsi. Les mouvements sociaux se font plus défensifs, voire désespérés, en dépit de luttes emblématiques et de formes nouvelles de gestion salariale ou de participation collective. Pour lutter contre l'accroissement relatif des inégalités sociales, la protection publique traditionnelle, même élargie par le RMI ou la CMU, ne suffit pas : plus du quart des bénéficiaires potentiels ne s'en saisit pas ; le relais des Caisses d'allocations familiales s'essouffle. Les politiques publiques ont beau insister sur le volet « insertion » de la grande pauvreté, elles manquent de moyens humains et matériels. Les anciens organismes caritatifs généralistes, fortement sollicités (Secours catholique, Secours populaire, Croix-Rouge, Armée du Salut, ATD-Quart monde...) peinent à satisfaire les besoins, suscitant des répertoires d'entraide plus spécifiques. Parmi les multiples initiatives, citons les « Restos du cœur » fondés par Coluche (1985) ou l'association DAL (Droit au logement), révélée en 1994 par l'occupation d'un immeuble parisien vide rue du Dragon : autant de remèdes au fatalisme dans une France certes inquiète, mais plus dynamique que l'image véhiculée par certains médias pressés.

Annexes

▶ **Les grandes phases de la vie politique (1919-1939) : de l'illusion aux mythes**

Le « Bloc national » (1919-1924)
- Une Chambre « bleu horizon » (novembre 1919) : fermeté face à l'Allemagne, anticommunisme, ordre moral et social (grèves de 1920 réprimées), alternance de laxisme budgétaire et de pression fiscale.
- Des gouvernements d'Union nationale marqués à droite : Millerand (janv.-sept. 1920), Briand (janv. 1921-janv. 1922), Poincaré (janv.1922-juin 1924).

Le « Cartel des gauches » (1924-1926)
- Majorité relative pour les listes uniques radicaux/socialistes aux législatives de juin 1924 face à des droites divisées.
- Des gouvernements radicaux (Herriot : juin 1924-avril 1925) ou républicains-socialistes (Painlevé, Briand), soutenus par la SFIO, avec l'appoint des centristes.
- Une nouvelle orientation : détente internationale, laïcité militante, apaisement social.
- L'échec financier du Cartel (le « mur d'argent ») : fuite des capitaux, maladresses de gestion, chute du deuxième ministère Herriot (21 juillet 1926).

La domination des modérés (1926 1932)
- Le gouvernement Poincaré d'Union nationale sans la SFIO (juil. 1926-juil. 1929) : rétablissement financier, rapprochement avec l'Allemagne.
- Victoire de la droite modérée aux législatives de 1928 : gouvernements Briand, Tardieu (nov. 1929-déc. 1930 et fév. 1932) et Laval (janv. 1931-fév. 1932) sans les radicaux : « politique de la prospérité » (retraite du combattant, assurances sociales et grands travaux), durcissement international, premiers effets de la crise.

Des gouvernements de coalition impuissants (1932-1936)
- L'éphémère retour de l'Union des gauches (1932-1934) : instabilité des gouvernements radicaux (Herriot, Daladier, A. Sarraut, Chautemps) sans participation SFIO, inaction économique et financière, difficultés sociales et agitation des ligues.
- 7 février 1934 : démission de Daladier après les émeutes de la veille, basculement de la majorité vers le centre droit incluant les radicaux.
- Cabinets Doumergue (fév.-nov. 1934), Flandin (nov. 1934-juin 1935) et Laval (juin 1935-janv. 1936) : échec de la réforme de l'État, décrets-lois financiers contestés.
- Montée du « Rassemblement populaire » antifasciste (1934-1935) : PCF, SFIO, radicaux, syndicats, associations de gauche (programme « Le pain, la paix, la liberté »).

Le Front populaire (1936-1938)
- Victoire étroite de la gauche aux législatives d'avril-mai 1936 : Blum chef du gouvernement (participation radicale, soutien communiste).
- Mai-juin 1936 : grèves massives et occupations d'usines (7-8 juin 1936 : accords Matignon) ; mesures économiques et sociales (le « bel été 36 »), promotion des loisirs populaires (sport, culture), dissolution des ligues.
- Les difficultés du Front populaire (automne 1936-1938) : « non-intervention » en Espagne critiquée, « pause » dans les réformes (février 1937), dévaluation et déficits financiers, renversement de Blum par le Sénat (juin 1937), gouvernements Chautemps.

L'agonie du Front populaire (1938-1939)
- Chute du deuxième ministère Blum « d'Union nationale » (mars-avril 1938).
- Gouvernement Daladier et rupture de la coalition de Front populaire : virage libéral, échec de la grève du 30 nov. 1938 contre les décrets-lois Reynaud, coalition des radicaux et de la droite (déc. 1938), priorité à la Défense nationale.

▶ La culture dans la France au XXᵉ siècle : quelques repères

L'affirmation d'une culture de masse

1921	Retransmission radio du match de boxe Dempsey/Carpentier
1925	Premier « journal parlé » à la radio
1931	Exposition coloniale de Vincennes
1933	Création de la Loterie nationale
1934	*Le Journal de Mickey* arrive en France
1936	Sous-secrétariat aux Loisirs de Léo Lagrange
1937	Exposition internationale de Paris
1945	*Elle*, « hebdomadaire de la femme moderne »
1946	Hebdomadaire *Le Journal de Tintin*
1947	*New look* de Christian Dior
1948	Invention du disque microsillon
1949	Premier journal télévisé quotidien
1950	Hebdomadaire *France-Observateur*
1951	Jean Vilar, directeur du Théâtre national populaire
1953	Première parution de la série du « Livre de Poche » ; hebdomadaire *L'Express*
1954	Premier « tiercé » du PMU ; appel de l'abbé Pierre sur Radio Luxembourg
1955	Création de la radio périphérique privée Europe n° 1
1958	Série *Les 5 dernières minutes*
1959	Lancement de l'hebdomadaire de BD *Pilote* avec *Astérix le Gaulois*
1960	Hebdomadaires *Télé 7 jours* et *Télérama*
1963	Concert yé-yé à Paris, place de la Nation ; feuilleton TV *Thierry la Fronde*
1964	Deuxième chaîne de TV
1967	Émission *Les Dossiers de l'Écran*
1968	Jeux Olympiques de Grenoble ; premiers spots publicitaires
1969	Spectacle *Hair* ; *Notre Temps*, « journal de la retraite heureuse »
1972	Troisième chaîne de TV
1973	Quotidien *Libération*
1976	Création du Loto
1977	Ouverture du Centre Georges-Pompidou
1981	Premier épisode de la série *Dallas*
1982	Première fête de la Musique ; fin du monopole public de radio
1984	Minitel ; création de la chaîne cryptée Canal +
1986	Chaînes privées hertziennes la Cinq et TV6 ; inauguration du musée d'Orsay et de la Cité des Sciences et de l'Industrie
1987	Privatisation de TF1
1989	Commémoration du bicentenaire de la Révolution
1992	Eurodisney ouvre à Marne-la-Vallée
1994	Internet disponible pour le grand public
1998	La France gagne la coupe du monde de football
1999	McDonald's de Millau démonté par la confédération paysanne (José Bové)
2006	Musée du quai Branly (Arts premiers) inauguré par J. Chirac

▶ À lire ou consulter sur l'histoire culturelle et intellectuelle de la France au XXe siècle

M. **CRUBELLIER**, *Histoire culturelle de la France aux XIXe-XXe siècles*, A. Colin, 1974, 454 p.

C. **DELPORTE**, J.-Y. **MOLLIER** et J.-F. **SIRINELLI** (dir.), *Dictionnaire d'histoire culturelle de la France contemporaine*, PUF, 2010, 928 p.

P. **GOETSCHEL** et E. **LOYER**, *Histoire culturelle de la France. De la Belle Époque à nos jours*, A. Colin, 4e éd. 2014, 292 p.

● Sur les politiques culturelles

F. **CHAUBET** (dir.), *La Culture française dans le monde, 1980-2000*, L'Harmattan, 2010, 260 p.

P. **POIRRIER**, *L'État et la culture en France au XXe siècle*, Livre de Poche, 2000, 250 p.

P. **POIRRIER**, *Les Politiques de la culture en France*, La Documentation française, 2016, 888 p. [documents]

● Sur la création culturelle

P. **DAGEN** *L'Art français au XXe siècle*, Flammarion, 2011, 640 p.

G. **DUBY** et R. **MANDROU**, *Histoire de la civilisation française*, t. 2 (XIXe-XXe s.), rééd. Pocket, 1998, 545 p.

J.-L. **FERRIER** (dir.) *L'Aventure de l'art au XXe siècle*, Le Chêne, 2003, 1007 p.

J. **JOMARON**, *Histoire du théâtre en France*, t. 2 (*de la Révolution à nos jours*), A. Colin, 2e éd. 1992, 640 p.

M. **TOURET** (dir.) *Histoire de la littérature française du XXe siècle*, 2 vol., PU Rennes, 2000 et 2008, 352 et 544 p.

M. **VIGNAL** (dir.) *Dictionnaire de la musique française*, Larousse, 1988, 441 p.

● Sur les intellectuels

P. **ORY** et J.-F. **SIRINELLI**, *Les Intellectuels en France, de l'affaire Dreyfus à nos jours*, Perrin, 2004, 448 p.

M. **WINOCK**, *Le Siècle des intellectuels*, Seuil, rééd. 2006, 887 p.

● Sur les cultures de masse

J.-P. **RIOUX** et J.-F. **SIRINELLI** (dir.), *La Culture de masse en France : de la Belle Époque à aujourd'hui*, Hachette, 2006, 461 p.

P. **ARNAUD**, M. **ATTALI** et J. **SAINT-MARTIN**, *Le Sport en France. Une approche politique, économique et sociale*, La Documentation française, 2008, 216 p.

C. **BEYLIE** (dir.) *Une histoire du cinéma français*, Larousse, 2005, 277 p.

O. **DONNAT** et D. **COGNEAU**, *Les Pratiques culturelles des Français (1973-1989)*, La Découverte/La Documentation française, 1990, 285 p.

P. **TETART** (dir.) *Histoire du sport en France*, 2 vol., Vuibert, 2007

● Sur les médias

E. **CAZENAVE** et C. **ULMANN-MAURIAT**, *Presse, radio et télévision en France de 1631 à nos jours*, Hachette, 1995, 256 p.

C. **DELPORTE** et F. d'**ALMEIDA**, *Histoire des médias en France de la Grande Guerre à nos jours*, Flammarion, 2010, 434 p.

M. **SAUVAGE** et I. **VEYRAT-MASSON**, *Histoire de la télévision française*, Nouveau Monde éd., 2012

● Sur l'enseignement

A. **PROST**, *Histoire de l'enseignement et de l'éducation*, t. 4, *Depuis 1930*, Perrin, 2004, 832 p.

● Sur la religion

G. **CHOLVY** et Y.-M. **HILAIRE**, *Histoire religieuse de la France contemporaine*, t. 2 (*1880-1930*) et 3 (*1930-1988*), Toulouse, Privat, 1988, 457 et 569 p.

D. **PELLETIER**, *Les Catholiques en France depuis 1815*, La Découverte, 2007, 125 p.

M. **ARKOUN** (dir.) *Histoire de l'islam et des musulmans en France du Moyen Âge à nos jours*, A. Michel, 2006, 1222 p.

▶ Les principales confédérations syndicales

• Syndicats de salariés

Formés de sections d'établissement, les syndicats se regroupent en fédérations (par branche, métier), ou en unions, sur une assise territoriale. Les fédérations se rassemblent en grandes confédérations. Jugées représentatives par les pouvoirs publics en 1966, elles sont soumises depuis 2008 au test de représentativité des élections professionnelles. Elles cogèrent les organismes sociaux ou paritaires et bénéficient d'avantages lors des négociations collectives. Certains syndicats catégoriels restent « autonomes » par rapport aux confédérations ; d'autres, dits « indépendants », se réduisent à leur entreprise. Les syndicats français, nombreux, connaissent des tensions idéologiques et pâtissent d'un taux de syndicalisation inférieur à 8 %. Les confédérations représentatives et les regroupements sont, par ordre d'importance, en 2013 (adhérents proclamés et résultats aux élections professionnelles) :

La **Confédération générale du travail**, fondée en 1895, absorbe les Bourses du travail en 1902. Elle alterne divisions et brève unification dans l'entre-deux-guerres. Contrôlée depuis 1947 par le PCF, elle privilégie un syndicalisme de protestation. Longtemps première confédération par son effectif (700 000) et ses résultats électoraux (26,7 %), elle a perdu les 2/3 de ses membres depuis 1970. Surtout influente dans les secteurs public et parapublic, dans la métallurgie.

La **Confédération française démocratique du travail**, issue en 1964 d'une scission avec le confessionnalisme de la CFTC, a repris les revendications des laissés-pour-compte de la taylorisation et prôné l'« autogestion ». Depuis 1980, la CFDT se recentre vers un « syndicalisme de transformation sociale » : elle y gagne le contrôle de l'UNEDIC et de la CNAM. Bien que des courants plus revendicatifs critiquent la direction (qui soutient le plan Juppé de 1995) ou quittent la CFDT (SUD en 1989), elle a enrayé son érosion et prétend dépasser la CGT en nombre d'adhérents (800 000) et l'égale presque en voix (26 %) ; très active dans les professions de santé, le commerce, les communications.

La **CGT-Force ouvrière** naît d'une hostilité à la mainmise du PCF sur la CGT, en 1948. Encourageant la négociation (« politique contractuelle »), elle progresse jusqu'en 1980 (500 000 adhérents) avec, en son sein, des courants très divers. Depuis 1989, son ton se durcit : elle se rapproche de la CGT, mais y perd des adhérents et des positions. Représentée surtout dans la Fonction publique, les transports, la santé (300 000 membres et 16 % des électeurs professionnels).

La **Confédération française des travailleurs chrétiens**, créée en 1919, s'inspire de la doctrine sociale de l'Église. La CFTC a pâti de la scission de 1964 et du déclin des organisations de jeunes catholiques. Ses 100 000 adhérents (9,3 % des voix) se concentrent dans le secteur social, l'enseignement privé et l'encadrement intermédiaire.

La **Confédération générale des cadres-Confédération française de l'encadrement**, créée en 1944, ne s'adresse d'abord qu'aux cadres, dotés d'un statut spécifique. Échouant à les regrouper tous (la CFDT la dépasse), elle fusionne avec la CFE en 1981 pour intégrer techniciens et agents de maîtrise, sans dépasser les 100 000 cotisants (9,4 %), majoritairement dans les grandes firmes industrielles.

L'**Union nationale des syndicats autonomes** regroupe, depuis 1993, 7 fédérations, dont ce qu'il subsiste de la FEN (Fédération de l'Éducation nationale), la FGAF (fonctionnaires, surtout policiers), les artistes… suivies depuis par d'autres organisations (transfuges de FO ou du G10, pilotes de ligne…). Avec 250 000 membres, l'UNSA n'est reconnue que dans la Fonction publique (4,2 %).

L'**Union syndicale Solidaires** (2004) naît depuis 1981 du rapprochement, dans une **Union syndicale-Groupe des dix** (1998), devenue **Union syndicale G10 Solidaires** en 2001, de divers syndicats (autonomes, mais aussi ceux de SUD issus de la CFDT après 1995), et « coordinations » (le mouvement AC !, « Agir ensemble contre le chômage ») souvent très contestataires. Ce groupement, souple et instable, est reconnu représentatif dans la Fonction publique en 2006 (3,5 %).

● **Syndicats patronaux**

Trois organisations interprofessionnelles sont aujourd'hui reconnues représentatives, parallèlement à des clubs patronaux, sources de propositions – de tradition saint-simonienne ou catholique. Vu l'émiettement des structures et des statuts (associations comme le MEDEF et la CGPME ou syndicats comme l'UPA), la première mesure réelle de la représentativité patronale aura lieu en 2017.

La **Confédération générale des petites et moyennes entreprises** se détache du CNPF en 1948 pour lutter contre le poids trop lourd des *managers* des grandes firmes et les interventions de l'État.

L'**Union professionnelle et artisanale**, réunit les entrepreneurs-artisans soucieux de réduire les charges sociales.

Le **Mouvement des entreprises de France** : dès 1919, la Confédération générale de la production française (CGPF) rassemble des fédérations professionnelles, des unions interprofessionnelles et des syndicats patronaux locaux. Devenue en 1946 Confédération nationale du patronat français, elle joue le jeu du paritarisme dans les organismes sociaux, sous la pression des pouvoirs publics. Rejetant la tutelle de l'État, le CNPF accentue ses revendications libérales et se rebaptise MEDEF le 27 octobre 1998.

▶ Les contrastes de la société de consommation

L'entrée dans la société de consommation de masse

Taux d'équipement moyen des ménages (% arrondis)	1954	1960	1965	1970	1975	1988	2007
Automobile	21	30	47	58	64	75	83
Télévision	1	13	46	70	84	94	-
Télévision couleur				1	15	82	97
Réfrigérateur	7	26	59	80	90	98	100
Congélateur			?	4	17	40	85
Lave-linge	8	24	41	57	72	87	94
Lave-vaisselle				2	8	28	48
Téléphone	?	8	12	15	30	92	Fixe 87 / Port. 77
Ordinateur	-	-	-	-	-	8	59

Source : INSEE, *Conditions de vie des ménages* (enquêtes).

La question du logement

Nombre de logements	1946	1954	1962	1968	1975	1982	1990
Résidences principales (en milliers)	13 052	13 427	14 565	15 778	17 744	19 505	22 000
Logements vacants (en milliers)	668	535	854	1 223	1 634	1 854	1 896
Résidences secondaires (en milliers)	225	448	973	1 255	1 695	2 265	2 414
% de logements construits avant 1949			83	71	55	46	37
Nombre de pièces par logement	2,70	3,06	3,09	3,29	3,45	3,65	3,80
Nombre de personnes par logement	3,07	3,07	3,10	3,06	2,88	2,70	2,57
Logements disposant (en %) d'eau courante	?	58	79	91	97	99	99,8
de WC intérieurs		27	41	55	74	85	90
de sanitaires (douche ou baignoire)		10	30	48	70	85	94
du chauffage central		10	20	35	53	68	76

Source : INSEE, *Recensements* (France métropolitaine uniquement).

L'explosion scolaire

Effectifs dans l'enseignement (public et privé, toutes sections, en milliers)	1948-1949	1958-1959	1968-1969	1978-1979	1988-1989	2008-2009
Primaire	5 058	7 085	7 386	7 289	6 681	6 644
Secondaire (premier cycle)	?	1 174	2 406	3 272	3 351	3 088
Secondaire (second cycle général et technique)	?	339	759	1 062	1 461	1 447
dont filles (en % des élèves du second cycle)	?	?	51	57	54	54
Secondaire (second cycle professionnel)	?	330	659	761	711	700
Supérieur (y compris doubles comptes)	155	227	695	1 014	1 283	2 234

Source : *Ministère de l'Éducation nationale.*

▶ Le vote des Français

Les radicaux aux élections du 26 avril 1914

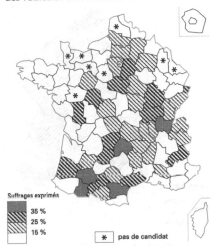

La droite au référendum du 5 mai 1946

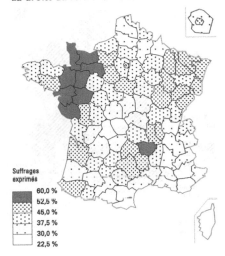

Les élections législatives de 1968 : les votes gaullistes

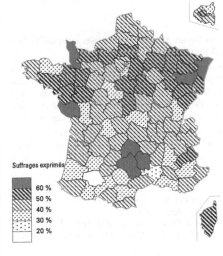

L'élection présidentielle de 1981 : les votes pour F. Mitterrand au 2ᵉ tour

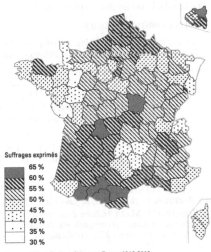

Source : Néant H. *La politique en France. 1815-2015,*
coll. « Carré Histoire », Hachette Supérieur, 2016, pp. 145-148

La ratification du traité de Maastricht par référendum (20 septembre 1992)

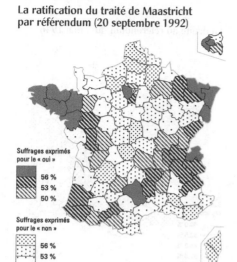

Les élections présidentielles de 2002, vote Le Pen au 1er tour

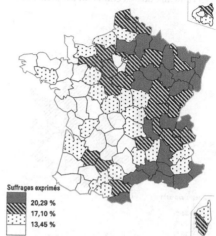

Source : Néant H. *La politique en France.1815-2015*, coll. « Carré Histoire », Hachette Supérieur, 2016, pp. 152 et 154

Repères bibliographiques

*Le lieu d'édition est Paris, sauf mention contraire.

REPÈRES CHRONOLOGIQUES

L'Année politique (depuis 1944), *Encyclopædia Universalis* (ajouts annuels « Universalia » depuis 1974) et *L'État de la France*, La Découverte, publication annuelle depuis 1989.

La *Documentation photographique* (documents commentés) : *La République sous la IIIe ; 14-18 ; La France, 1919-1939 ; Vichy ; Résistances, 1940-1945 ; La IVe République ; La France, 1944-1974 ; Nation, Patrie, Patriotisme ; Les Catholiques en France ; Les pouvoirs et le citoyen IVe-Ve Républiques ; Le fait religieux en France ; Le gaullisme ; La décolonisation ; France, aménager et développer les territoires ; Histoire culturelle de la France au XXe siècle ; L'économie française depuis 1914 ; Histoires de France ; La société française depuis 1945...*

Revue *L'Histoire* (n° spéciaux) : *La Droite ; L'Affaire Dreyfus ; La France libérée ; L'Algérie française ; Les Trente Glorieuses ; Les Catholiques français ; La France et ses immigrés ; Les Français et l'Argent ; L'Extrême Droite en France ; Les Années de Gaulle ; France 1940, autopsie d'une défaite ; 1920, naissance du PCF ; 200 ans de révoltes ouvrières...*

OUVRAGES GÉNÉRAUX

M. AGULHON, *La République, de Jules Ferry à François Mitterrand*, Hachette, rééd. 1997, 539 p.
S. BERSTEIN et P. MILZA, *Histoire de la France au XXe siècle*, 3 vol., Perrin, rééd. 2009
J. VIGREUX, *Croissance et contestations, 1958-1981*, in *Histoire de la France contemporaine*, Le Seuil, 2014, 476 p.
L. BANTIGNY, *La France à l'heure du monde, de 1981 à nos jours*, in *Histoire de la France contemporaine*, Le Seuil, 2013, 526 p.
Nouvelle Histoire de la France contemporaine, Le Seuil, t. 12 à 20, 1989-2011
R. RÉMOND (J.-F. SIRINELLI coll.), *Notre siècle (1918-1995)*, Fayard, nouv. éd. 1996, 1109 p.

J.-F. SIRINELLI (dir.) *La France de 1914 à nos jours*, Paris, PUF, 1993, 498 p.

J.-F. SIRINELLI (dir.), *La France contemporaine*, Le Livre de Poche, 4 vol., 1999-2004

J.-P. RIOUX et J.-F. SIRINELLI (dir.), *La France d'un siècle à l'autre (1914-2000)*, Dictionnaire critique, Hachette-Littératures, 2 vol., 2002, 720 et 864 p.

N. BEAUPRE, *Les grandes guerres (1914-1945)*, Belin, 2012, 1143 p.

M. ZANCARINI-FOURNEL et C. DELACROIX, *La France du temps présent (1945-2005)*, Belin, 2010, 656 p.

OUVRAGES THÉMATIQUES (SAUF CULTURE, VOIR P. 171)

S. BERSTEIN, M. WINOCK et O. WIEVIORKA, *Histoire de la France politique*. T. 4, *La République recommencée. De 1914 à nos jours*, Le Seuil, 2004

J.-F. SIRINELLI (dir.) *Dictionnaire historique de la vie politique française au xxᵉ siècle*, PUF Quadrige, rééd. 2004, 1254 p.

S. BERSTEIN (dir.), *Les cultures politiques en France*, Le Seuil, 2003, 412 p.

M. SADOUN (dir.) *La démocratie en France*, 2 vol., Gallimard, 2000, 468 et 570 p.

J.-J. BECKER, *Histoire politique de la France depuis 1945*, A. Colin, rééd. 2015, 208 p.

J.-J. BECKER et G. CANDAR (dir.), *Histoire des gauches en France*, t. 2, xxᵉ siècle, La Découverte, 2004, 776 p.

M. WINOCK, *La Gauche en France*, Perrin, 2006, 512 p.

J.-F. SIRINELLI et E. VIGNE (dir.) *Histoire des droites en France*, 3 vol., Gallimard, rééd. 2006, 684, 771et 956 p.

M. WINOCK, *La Droite hier et aujourd'hui*, Perrin, rééd. 2013, 288 p.

J.-P. GAUTIER, *Les extrêmes droites en France. De la traversée du désert à l'ascension du Front national (1945-2008)*, Syllepses, 2009, 464 p.

J. DUPAQUIER, *Histoire de la population française*, t. 4 : *de 1914 à nos jours*, PUF, rééd. 1995, 590 p.

M.-C. BLANC-CHALEARD, *Histoire de l'immigration*, La Découverte, 2001, 128 p.

G. NOIRIEL, *Atlas de l'immigration en France : exclusion, intégration...*, Autrement, 2002, 64 p.

N. GREEN et M. POINSOT (dir.), *Histoire de l'immigration et question coloniale en France*, La Documentation française, 2008, 280 p.

P. NDIAYE, *La condition noire. Essai sur une minorité française*, Gallimard, 2009, 528 p.

R. SCHOR, *Histoire de la société française au xxᵉ siècle*, Belin-Sup, 2007, 479 p.

D. BORNE, *Histoire de la société française depuis 1945*, A. Colin, rééd. 1998, 192 p.

C. THELOT et O. MARCHAND, *Le travail en France 1800-2000*, Nathan, 1997, 276 p.

A. MOULIN, *Les paysans dans la société française*, Le Seuil, 1988, 322 p.

G. NOIRIEL, *Les ouvriers dans la société française*, Le Seuil, rééd. 2002, 322 p.

X. VIGNA, *Histoire des ouvriers en France au xxᵉ siècle*, Perrin, 2012, 404 p.

D. ANDOLFATTO et D. LABBÉ, *Histoire des syndicats (1906-2010)*, Le Seuil, 2ᵉ éd. 2011, 376 p.

L. BANTIGNY et I. JABLONKA (dir.) *Jeunesse oblige. Histoire des jeunes en France (xixᵉ - xxiᵉ siècle)*, PUF, 2009, 307 p.

C. BARD, *Les Femmes dans la société française au xxᵉ siècle*, A. Colin, 2003, 288 p.

M. WINOCK, *La France et les juifs : de 1789 à nos jours*, Seuil, 2004, 408 p.

A. GUESLIN, *Les Gens de rien. Une histoire de la grande pauvreté dans la France du xxᵉ siècle*, Fayard, 2004, 458 p.

O. FEIERTAG, *L'économie française de 1914 à nos jours : le temps de la mondialisation*, La Documentation française, 2011, 64 p.

S. CHAUVEAU, *L'économie de la France au xxᵉ siècle*, SEDES, 2000, 192 p.

J.-F. ECK, *Histoire de l'économie française, de la crise de 1929 à l'euro*, Colin, 2009, 366 p.

A. GUESLIN, *L'État, l'économie et la société française*, Hachette, 1992, 256 p.

M. LEVY-LEBOYER (dir.) *Histoire de la France industrielle*, Larousse, 1996, 550 p.

G. PERVILLÉ, *De l'Empire français à la décolonisation*, Hachette, 1991, 256 p.

P. BLANCHARD, S. LEMAIRE, N. BANCEL et al., *Culture coloniale en France, de la Révolution française à nos jours*, CNRS éd./Autrement, 2008, 756 p.

F. BOZO, *La Politique étrangère de la France depuis 1945*, Flammarion, 2012, 308 p.

A. DULPHY et C. MANIGAND, *La France au risque de l'Europe*, A. Colin, 2006, 296 p.

M. VAÏSSE, *La puissance ou l'influence ? La France dans le monde depuis 1958*, Fayard, 2009, 660 p.

Index
alphabétique

Dépôt légal : septembre 2016
imprimé en France par Dupliprint en juin 2022
N° d'impression : 2022063095 - N° d'édition : 5635694/08